A PRIMEIRA LUZ DA MANHÃ

CB132367

THRITY
UMRIGAR

A PRIMEIRA LUZ DA MANHÃ

BIBLIOTECA PESSOAL
Maria da Assunção Soares

TRADUÇÃO
REGINA LYRA

Título original: FIRST DARLING OF THE MORNING

Copyright © 2004 by Thrity Umrigar

Direitos de edição da obra em língua portuguesa no Brasil adquiridos pela EDITORA NOVA FRONTEIRA. Todos os direitos reservados. Nenhuma parte desta obra pode ser apropriada e estocada em sistema de banco de dados ou processo similar, em qualquer forma ou meio, seja eletrônico, de fotocópia, gravação etc., sem a permissão do detentor do copirraite.

EDITORA NOVA FRONTEIRA
R. Nova Jerusalém, 345 – Bonsucesso
Rio de Janeiro – RJ – CEP: 21042-235
Tel.: (21) 3882-8200 – Fax: (21) 3882-8212/8313
http://www.novafronteira.com.br
e-mail: sac@novafronteira.com.br

Texto revisto pelo novo Acordo Ortográfico

CIP-BRASIL. CATALOGAÇÃO NA FONTE
SINDICATO NACIONAL DOS EDITORES DE LIVROS, RJ

U43p Umrigar, Thrity N.
A primeira luz da manhã / Thrity Umrigar ; tradução Regina Lyra. — Rio de Janeiro : Nova Fronteira, 2010.

Tradução de: First darling of the morning

ISBN 978-85-209-2233-0

1. Umrigar, Thrity N. 2. Mulheres jornalistas - Índia - Biografia. I. Título.

CDD: 923.254
CDU: 929:32(540)

Para JBU, HJU e ETK
Com infindável amor e infinita gratidão

PREFÁCIO

Queridos leitores:

Visitei o lindo país de vocês — passando a maior parte do tempo no Rio — durante a XIV Bienal do Livro, em setembro de 2009, e me apaixonei imediatamente. O Rio me lembrou muito a minha amada Bombaim — com a ressalva de que o Rio é mais limpo, mais bonito, mais organizado e menos caótico. Mas os belos prédios ao longo da orla, o povo vibrante e animado que encontramos nas lojas e restaurantes, a amizade calorosa dos cariocas, tão simpáticos, e o intenso entusiasmo dos intelectuais, escritores e jornalistas que encontrei me trouxeram de volta lembranças da minha infância na terra natal. Esgotados os dez dias da minha estadia, quando uma amiga disse, meio brincando: "Uau, você está igualzinha a uma carioca", meu peito inchou de orgulho. E na viagem de volta aos Estados Unidos, chorei no avião, sentindo que deixava para trás pessoas e um lugar que de repente se tornaram muito importantes para mim. O amor é algo estranho e mágico.

Onde quer que eu fosse, me pediam para comparar a Índia ao Brasil. No início fiquei chocada. O Brasil é tão maior, mais rico, sofisticado e próspero do que a Índia! Sim, estou a par das favelas e dos outros problemas sociais que atormentam o país, mas acreditem quando digo que só se descobre o que é pobreza de doer ao visitar a Índia.

Ainda assim, não paravam de chover perguntas sobre as semelhanças entre os dois países. E aos poucos me dei conta de que estavam corretos os que perguntavam – o povo de ambos os países partilham um ardor e uma generosidade de espírito bastante semelhantes. A abertura dos cariocas, a facilidade com que puxam conversa com estranhos, a disposição para ajudar, a hospitalidade enorme e automática, o amor apaixonado pela cidade, ainda que envolto em críticas e temperado com um certo desespero, tudo isso me fez lembrar os moradores de Bombaim. Ao contrário dos cidadãos de outras metrópoles, que se orgulham do próprio cansaço, do cinismo, da cautela, cariocas e bombaítas partilham o mesmo prazer de viver, a mesma exuberância. E não tenho palavras para dizer quanto isso me aqueceu o coração.

Entendi, finalmente, por que meus livros fazem sucesso no Brasil. A diferença de classes, a desigualdade entre os sexos, o papel da família, a busca de um lar e da sensação de fazer parte de um grupo e a procura do amor são questões que encontram eco na alma brasileira. Eu achava que escrevia romances ambientados na minha Índia natal. Descobri que escrevia romances que podiam ser transplantados para o solo brasileiro. E essa descoberta me encheu de alegria. Não existe recompensa maior para um escritor do que saber que a sua história, ambientada em um determinado cenário ou lugar, é, na verdade, universal, capaz de tocar os corações de quem vive a quilômetros de distância e fazer com que essas pessoas examinem a própria vida usando como pano de fundo essa história.

E aqui estou, de volta ao Brasil (por meio das minhas memórias), contando a vocês a história mais pessoal de todas — a minha. Alguns anos atrás, eu quis saber por que me tornei escritora. Pensei na minha infância — em seus muitos privilégios e suas muitas dificuldades; na quantidade de pessoas que conheci e como elas afetaram a minha vida; nas várias experiências que me empurraram para esse ofício.

Achei que na história de uma criança de classe média que cresceu fazendo parte de uma minoria ética numa cidade predominantemente hindu devia haver alguma experiência universal que outros pudessem partilhar. Também me deu vontade de falar sobre a Bombaim da década de 1970 — um lugar vibrante, secular, uma cidade que ainda desconhecia o trauma da rivalidade religiosa e social que logo vivenciaria. Embora não tivesse uma magnífica imagem do Cristo Redentor reinando sobre ela, a Bombaim de então ainda parecia uma cidade especial, abençoada, protegida contra seus próprios demônios, uma genuína mistura de raças. Me deu vontade de mostrar como uma bombaíta — eu — e a cidade atingiram juntas a maioridade.

Por isso escrevi as minhas memórias. Em parte elas são um tributo aos muitos adultos que por sorte tive como família — meu pai sonhador, meu tio amoroso, minhas tias protetoras e, sim, até a minha mãe perturbada, que me legou seu amor pela língua e pela gramática.

Suponho que muitos de vocês conseguirão se identificar com os dramas da minha família, pois existe uma coisa que todos nós, humanos, partilhamos: os problemas da vida familiar.

Quero encerrar com uma imagem que guardarei para sempre da minha estadia no Brasil. Fomos visitar a estátua do Cristo num final de tarde, em pleno pôr do sol. Por um feliz acaso esbarramos num casamento que se desenrolava aos pés do Cristo. A noiva estava linda e radiante. O noivo, idem. E ele estava numa cadeira de rodas. Fiquei pensando em como devia ter sido difícil percorrer aqueles últimos metros numa cadeira de rodas e que tipo de fé e determinação seria preciso para isso.

Não sou tão corajosa quanto aquele homem na cadeira de rodas provavelmente é, mas também convivo com fé e determinação — fé no poder que as palavras têm de curar, redimir, unir, e determinação para contar histórias. Quando a vida se mostra inexprimivelmente difícil e triste, alguns acendem velas, outros procuram uma igreja, mas há outros que se voltam para a magia dos livros. Agradeço a vocês por entrarem no mundo deste livro. Embora os acontecimentos aqui descritos estejam muito distantes no tempo e no espaço, espero que eles descrevam também um pouquinho da vida de vocês.

AGRADECIMENTOS

CERTA VEZ LI UMA FRASE que significava, em essência, o seguinte: "Graças a Deus a vida não nos dá o que merecemos." Enquanto escrevia a história da minha infância, em mais de uma ocasião reconheci a sabedoria aí contida.

Quero agradecer a todos que povoam as páginas deste livro. Cada um de vocês causou impacto em minha vida e me presenteou com coisas pelas quais sou grata. Embora contar esta história tenha sido, às vezes, emocionalmente doloroso, também extraí do processo uma gratidão renovada pelo mundo em que cresci e pelo amor que me resgatou. Mesmo quando vinha acompanhado de condições e restrições, esse amor, apesar de tudo, fez uma enorme diferença em minha vida.

Agradeço à minha família imediata — meus pais, meu tio e minhas duas tias — por me encorajarem a perseguir meus sonhos enquanto lutavam para realizar os seus próprios. O exemplo que me deram de amor altruísta e de sacrifício é algo que passarei a vida aprendendo a imitar. Agradeço à minha prima Gulshan por ensinar a esta filha única o que é ter uma irmã. Agradeço à tia Mani por me ensinar a brigar com a lua.

Sou grata, ainda, a Eustathea Kavouras e a Sara Throop pelo estímulo — e pelas eventuais broncas de Sara — para que eu concluísse esta biografia.

CAPÍTULO 1

Sou daquela geração de crianças indianas de classe média, ocidentalizadas e urbanizadas, que conhecem melhor a letra de "Dó-Ré-Mi" que a do hino nacional. *A noviça rebelde* é o nosso grito de guerra, e Julie Andrews, o nosso Flautista de Hamelin. Estamos em 1967 — os filmes de Hollywood sempre chegam à Índia um ou dois anos após serem lançados nos Estados Unidos —, e as ruas e residências de Bombaim se enchem, repentinamente, de música. Pouco importa que o filme tenha chegado aqui mais de um ano depois de fazer um sucesso estrondoso em todo o mundo ocidental. Todas as professoras de piano em Bombaim ensinam aos alunos iniciantes como tirar "Dó-Ré-Mi" no teclado até se ter a impressão de que todos os lares parses de classe média que abrigam um piano emitem uma única melodia.

Tenho seis anos e padeço da fantasia, comum aos filhos únicos, de imaginar como seria a vida com irmãos. *A noviça rebelde* dá asas a essa fantasia, acrescenta-lhe forma e colorido. As risadas, a cumplicidade, as implicâncias, a união da família Von Trapp me seduzem, estabelecendo para sempre o meu padrão de como deve ser uma família perfeita. Os Von Trapp têm pele muito clara e cabelo louro claro, enquanto a minha família é bem morena; eles assoviam e cantam, enquanto os adultos da minha casa são ranzinzas e calados; as crianças esbanjam vitalidade, saúde e robustez na mesma medida em que sou franzina, doentia e esquiva. Ver aqueles sete filhos lá em cima na telona, dispostos em ordem decrescente de idade e altura, é como ver o próprio paraíso. Meu coração explode de alegria e nostalgia; minha vontade é levantar da cadeira e entrar na tela, me aninhar nos braços acolhedores de Maria. Me aceitem, eu quero implorar, em pouco tempo serei tão esperta e divertida e musical quanto todos vocês.

Já assisti ao filme uma vez, mas agora quero vê-lo de novo. Meu pai e seu irmão Pesi, que chamo de Babu, resolvem que a família inteira deve ir assistir ao filme, todos juntos. Como sempre, minha tia reclusa, Mehroo, se recusa a ir conosco.

— Vamos, Mehroo, é um filme ótimo, para toda a família. Você vai gostar — insiste minha tia Freny, mulher de Babu, mas não adianta.

Pappaji, meu avô, teve um infarto há pouco tempo e Mehroo se nega a deixá-lo sozinho em casa, ainda que ele não tenha problema algum de locomoção.

Mehroo é a irmã solteira do meu pai e mora conosco. A mais velha dos três irmãos, sua infância acabou no dia em que a mãe morreu. Ela tinha 11 anos. A partir de então, não só precisava criar dois irmãos menores (meu pai, o caçula, tinha apenas quatro anos) como também proteger o pai da navalha afiada da própria dor. Mehroo assumiu os deveres familiares como se tivesse nascido para esse papel. O pai era um homem bom, mas vivia envolto no próprio luto de tal maneira que lhe escapou por completo a expressão triste que se instalou nos olhos da filha, uma tristeza que iria persegui-la pelo resto da vida. Acredito que, a partir do sofrimento perene do pai e da sua devoção à esposa morta — daquele luto sem fim —, Mehroo cunhou a própria noção de amor. E a família se tornou para ela uma profissão, um emprego, um passatempo, uma vocação. A família era tudo. Fora de suas fronteiras protetoras ficava o mundo conturbado, cheio de engodo e de engano, promessas quebradas e traições. Era uma visão de mundo espantosamente limitada, mas que tornava Mehroo insubstituível em nossa estrutura familiar.

Seu amor por mim é lendário em toda a vizinhança. Como também são lendárias suas excentricidades.

Ela não vai ao cinema — característica curiosa numa família cinéfila.

Não compra roupas novas. Se alguém da família lhe dá um tecido para fazer um vestido, Mehroo o guarda durante anos antes de levá-lo à costureira.

Ela usa um pente por muito tempo, mesmo depois de o acessório perder três dentes, até que meu pai, num ataque de fúria, finalmente o joga fora. Muitas vezes, no entanto, Mehroo me dá dinheiro quando saio para a escola.

É vegetariana, numa casa em que galinha e carne, caras do jeito que são, constituem um banquete. Se uma colher que foi usada no molho de curry da galinha tocar, por acidente, o molho de suas batatas, Mehroo para de comê-las. Mas é ela que prepara a carne para o restante da família.

Mehroo come a comida fria, direto da geladeira, sem aquecer, embora passe horas fazendo a nossa.

Recusa-se a posar para fotos, cobrindo o rosto com as mãos para evitar ser fotografada. Quando é obrigada (por mim, já mais velha) a tirar uma foto, Mehroo se recusa a sorrir. Todas as suas fotos mostram uma mulher séria. Em algumas, chega mesmo a estar de cara feia.

É avarenta, mesquinha, chorosa, sentimental, suscetível, ferozmente fiel, excêntrica, indiferente ao mundo lá fora e dedicada aos entes queridos.

Como resolver um problema como Mehroo?

Minha prima Roshan comentou certa vez que, se Mehroo fosse sua vizinha, não iria gostar muito dela. A observação me dilacerou. Imagino entender Mehroo, com todas as suas contradições, melhor do que ninguém. Imagino ter, não sei como, um olhar de raios X que me permite acessar os cantinhos mais recônditos do seu coração cálido e generoso. Há algo de elementar e primitivo em meu amor por Mehroo, e, quando penso nela, me vêm à cabeça imagens de animais — Mehroo como um cão, um cavalo, uma girafa ou zebra, animais de olhos tristes e bondosos.

Concluo, então, que a questão do cinema requer o meu charme, irresistível e letal.

— Por favor, Mehroofui, vá com a gente — imploro. — Só desta vez, por mim. Adoro esse filme mais do que qualquer outro. Você também vai adorar, prometo.

Ela balança a cabeça para dizer que não, os olhos castanhos me pedindo clemência. Canto trechinhos da trilha sonora, esperando seduzi-la, mas de nada adianta.

Finalmente, Pappaji explode:

— *Ja nee* — diz ele. — *Bachha ne dookhi karech.* Você não vai deixar a minha menininha triste. Não vai acontecer nada comigo numa noite. Pare de me tratar como se eu fosse um menino de seis anos, um garoto de calça curta.

Funciona. Mehroo concorda e lá estamos nós, num sábado à noite, sentados nas confortáveis cadeiras do cinema Regal, esperando que a cortina vermelha suba e que Julie Andrews surja na tela com a glória de sua esplendorosa voz. Sentamos todos na mesma fileira: eu, Mehroo, Roshan e os pais dela, Freny e Babu, minha mãe e meu pai. Mal consigo ficar quieta no meu lugar, de tão animada. Mesmo antes que a cortina suba, a magia, a promessa de *A noviça rebelde* já se tornou realidade. Cá estou com a minha própria família, todos parecendo tão unidos, carinhosos e felizes como a família Von Trapp. Há meses tenho essa fantasia recorrente de ver toda a minha família deitada junta numa imensa cama, todos felizes e aconchegados, dependendo uns dos outros para nos proteger e aquecer, como se a cama fosse um navio singrando mares revoltos. Todos nós sob o mesmo teto, juntos. Isto é o mais próximo que já cheguei em termos de realizar tal sensação, afora em sonho, e meu coração lateja de amor e felicidade. Sinto-me inchar e crescer, como se pudesse esticar os braços para alcançar as costas das cadeiras de todos eles e abarcar a longa fileira de parentes.

Neste momento não faço a mínima ideia de como as correntes da vida me afastarão daquele sonho idealizado de família, do quanto e quão longe viajarei e de como as minhas viagens farão esse sonho escapar ao meu alcance para sempre. Não faço ideia de como me tornarei, sem querer, mais uma perda no histórico de perdas da minha família. Não há nada neste momento despreocupado que me diga que um dia trocarei o amor pela liberdade, que darei as costas ao exemplo de Mehroo de autossacrifício e dedicação familiar e, em vez disso, optarei pela autopreservação e pela independência. Que construirei minha vida e meus sonhos em cima dos sacrifícios deles.

Sim, voltarei, várias e várias vezes, para vê-los, mas jamais será como antes. Virei de visita e como turista, com histórias para mostrar a Mehroo os carimbos no meu corpo dos diversos lugares onde estive, mas ela não se deixará impressionar. Porque cada carimbo só servirá para lembrá-la do que falta em minha vida: as raízes de um lar. E os olhos inquisidores de Mehroo me seguirão, e o espanto neles não diminuirá jamais, para sempre causando um nó na minha garganta.

Mas antes que tudo isso aconteça, vivemos esta noite sublime no cinema Regal. Neste momento sublime, estamos todos no cinema, como qualquer família normal. A mão quentinha de Mehroo repousa no meu colo e, quando a olho de esguelha, no escuro, ela está sorrindo. Todo mundo parece se dar conta de que esta é uma ocasião especial, pois temos Mehroo conosco, e sinto a admiração silenciosa de todos os adultos por ter sido eu a catalisadora desta oportunidade. No intervalo papai sai e, com sua generosidade característica, volta carregado de sanduíches de frango, *samosas* sindi — nossos bolinhos de massa folhada recheados de batata e legumes — e garrafas de Fanta e Coca-Cola.

Saboreando meu sanduíche de frango e cantarolando as músicas que conheço tão bem quanto o meu nome, me sinto cintilar de pura felicidade, atingida por uma gota de sol dourado. Quando Christopher Plummer canta “abençoada seja para sempre a minha terra...”, fico arrepiada, como sempre. Quando Ralph trai os Von Trapp na abadia, viro-me para Mehroo e garanto a ela:

— Não se preocupe. Não vai acontecer nada de ruim.

Ela assente e aperta a minha mão.

Nesta noite de glória, não sinto mais inveja da família Von Trapp. Saio do cinema ciente do meu lugar no mundo. Pertenço a uma família grande e amorosa que vai ao cinema em grupo. Sou amada por uma mulher de olhar triste que me adora mais que a qualquer outra pessoa. Sou filha de um homem que compra Fanta e sanduíches de frango para todos e de uma mulher que segurou com firmeza a minha mão a caminho do cinema. Sou o motivo de estarem todos aqui, sou aquela que arrancou Mehroo de casa, sou a responsável pelos sorrisos em seus rostos.

Saio do cinema e adentro o mundo pisando em nuvens, majestosa e irresistível.

❁

Papai gostou tanto do programa em família que poucos dias depois sugere um piquenique. Fico empolgadíssima. Nunca fui a um piquenique em família. Antes, porém, que ele anuncie a ideia no jantar, mamãe o leva até o quarto para uma conversinha. Ao sair de lá, alguns minutos mais tarde, ele me diz que, pensando bem, prefere que sejamos só nós três — mamãe, eu e ele — a fazer o piquenique. Não entendo por quê, mas estou animada demais para discordar ou me queixar.

O plano é irmos aos Jardins Suspensos. Programamos durante vários dias o piquenique e papai até promete abrir mão de seu hábito de passar praticamente o sábado todo na fábrica. Ele ou Babu, um dos dois, vai à fábrica diariamente, mesmo nos dias em que as máquinas não são ligadas. O ritual é mais uma demonstração de respeito e superstição do que uma necessidade. Mehroo costuma me repreender caso, sem querer, eu me refira à fábrica como estando "fechada" em certos dias.

— A fábrica não fecha nunca — corrige ela. — Diga apenas "É o dia que não vamos lá".

Mas, no sábado do piquenique, papai vai para a fábrica às oito da manhã e volta às dez, para nos apanhar. Ele buzina, mas, como sempre, mamãe está atrasada, e eu me debruço no parapeito da varanda e aviso que ela precisa de mais meia hora. Mesmo dois andares acima, posso perceber a sua irritação.

— Está bem. Vou subir, então — responde ele.

Quando finalmente saímos, são quase 11 horas e papai está de mau humor.

— Quantas vezes eu lhe disse ontem que queria sair na hora? Para que ficar debaixo do sol do meio-dia? — resmunga ele. — Em meia hora vamos estar com a pele preta feito carvão.

Como muitos parses de pele clara, meu pai valoriza e protege a sua cor de café com leite como se fosse o diamante Kohinoor. Quando caminha, instintivamente procura a sombra, e quando dirige com as janelas abertas põe um pano amarelo em cima da mão exposta para protegê-la dos escaldantes raios de sol.

A tensão no carro é palpável; tento, espontaneamente, rompê-la em alguns pontos.

— *Ae*, papai, quer ouvir uma piada nova que aprendi? — proponho, chegando para a frente no banco traseiro.

Conto aquela do porco-espinho e do pavão e sou recompensada com um sorriso sem graça no retrovisor. Mas seu estado de espírito ainda não melhorou, e a toda hora ele lança olhares para a minha mãe como a esperar que ela faça ou diga algo que alivie a tensão. Mas minha mãe olha impassível pela janela e fica claro que não pedirá desculpas pelo atraso.

A situação pede uma ação mais drástica. Sei que nada é capaz de melhorar mais rápido o humor de papai do que gastar dinheiro com a família. Por isso, do nada, eu digo:

— Pai, quero um chocolate.

Na mesma hora ele se anima:

— Combinado.

E para na primeira loja de conveniência que vemos. Tirando uma nota de dez rúpias do bolso da camisa, ele a entrega a mim e diz:

— Vá lá dentro e peça o chocolate que quiser. Não esqueça o troco.

Entro na loja me sentindo crescida e importante, minha nota de dez rúpias bem apertada na mão. Me posto na frente de uma vitrine para escolher o chocolate que quero. Um vendedor se aproxima:

— Quem está com você, *beta*? — pergunta ele. — Seus pais estão com você?

— Meu pai está esperando no carro — respondo. — Ele me disse para entrar e comprar um chocolate. Sei conferir o troco — garanto, orgulhosa.

Saio da loja com uma barra grande de chocolate Cadbury recheado de laranja. Já no carro, entrego a papai o troco. Ele não comenta que eu não como de imediato o chocolate, mas a minha artimanha ficou evidente. Não estou com vontade de comê-lo agora.

— Estou sem fome. Mamãe, você guarda o chocolate para mim?

Minha mãe me lança um olhar estranho, mas pega o chocolate e o joga em cima do console do carro. Prosseguimos viagem.

Percebo, pela expressão no rosto de ambos, que meus pais andaram conversando enquanto estive na loja. Quero ajudar, mas, de repente, me sinto exausta e sonolenta. Me enrosco no banco traseiro e adormeço. Prestes a pegar no sono, escuto um murmúrio constante vindo do banco dianteiro. Os dois estão tendo outra discussão.

— Thrituma, *ootho*, levante — ouço meu pai dizer. Chegamos aos Jardins Suspensos e me empolgo ante a ideia de entrar no Sapato da Velha e outros brinquedos inspirados em cantigas de ninar. Só estive nos Jardins Suspensos uma vez na vida e minha animação por ir ali novamente é inacreditável.

Não nos afastamos senão alguns passos do carro, carregando nossa sacolinha com sanduíches de frango e *chutney*, quando me lembro do chocolate.

— Papai, meu chocolate. Vou querer de sobremesa.

Imediatamente, meu pai volta ao carro, mas retorna de mãos vazias.

— Esqueça o chocolate — diz ele com um sorriso forçado. — Derreteu todo em cima do console. Foi um erro deixá-lo ali.

Eu o encaro boquiaberta. De repente, o chocolate se transforma na coisa mais importante do mundo.

— Mas eu quero o chocolate, guardei para mais tarde.

— Sei disso, Thritu — responde papai. — Não se preocupe, compro outro para você no restaurante do parque. Não tem problema.

Uma espécie de pânico me invade. Papai não está entendendo o que digo. Sinto o coração enlouquecer, indomável, como se eu tivesse engolido as águas de um oceano.

— Não, não quero outro chocolate. Quero o *meu* chocolate, o que está no carro.

Meu pai suspira, impaciente.

— Não seja boba. Eu já disse que o chocolate derreteu no console. Seria preciso uma colher para comê-lo. Sujou o console todo. A gente come os sanduíches, e depois eu compro outro para você.

Um gemido começa a tomar forma de dentro de mim, bem lá no fundo, parecendo brotar dos meus joelhos e ir subindo.

— Quero o meu chocolate. Aquele. Não quero um outro.

— Isso foi exatamente o que ela fez com o bolinho *sara* — começa mamãe, e na mesma hora sei do que ela está falando.

Faz alguns meses, Mehroo trouxe para casa um bolinho *sara*, um doce de chocolate, que pegou na pequena padaria que minha família abriu como um negócio complementar alguns anos atrás. Ela me ofereceu o doce depois do jantar, mas respondi que estava muito cheia.

— Tudo bem — disse Mehroo. — Daqui a uma ou duas horas a fome vai bater, e aí você come. Está fresquinho e gostoso.

Mas eu recusei, disse que não queria.

— Tem certeza, Thrituma? — indagou Mehroo. — Tem certeza de que não vai mudar de ideia depois?

Balancei a cabeça, confirmando que não.

Mehroo tirou o doce de chocolate da embalagem de papel e o segurou entre o polegar e o indicador. Olhou para ele um instante e depois o pôs na boca. No minuto em que o doce entrou em sua boca, o arrependimento me assaltou.

— Eu quero. Quero o bolinho *sara* agora.

Mehroo me olhou espantada.

— Como assim? Perguntei vinte vezes se você queria e você me respondeu vinte vezes que não.

— Não me interessa — gritei. — Quero o meu doce agora.

— São sete horas da noite — apelou Mehroo, impotente. — A loja está fechada. Amanhã trago outro para você, prometo.

— Não quero outro. Quero aquele mesmo, agora. Devolva o meu bolinho.

Na ocasião, mamãe riu quando Mehroo, perturbada, contou a história, mas agora não está achando graça nenhuma. As pessoas que passam se viram para olhar para nós, e meus pais percebem isso. Mamãe agarra meu braço como se pegasse uma asa de galinha e começa a andar.

— Chega — diz ela, baixinho, com raiva. — Você está se portando como um neném na frente dos outros. Se continuar a fazer isso, o guarda vem lhe prender.

Dizer isso foi um erro. Estou descontrolada agora, recuso-me a dar um passo, exijo o mesmo chocolate.

— Faça ele ficar inteiro de novo — ordeno ao meu pai. — Não quero o chocolate derretido. Quero como ele era antes.

Papai me olha horrorizado. Nunca me viu assim, tão descontrolada, e provavelmente conclui que a filha tem um lado que ele desconhece por completo.

— Thrituma, seja razoável — diz ele, mas a razoabilidade se foi, derreteu-se, como o chocolate ao sol.

Mamãe assume o comando:

— Fique quieta agora mesmo ou eu lhe sapeco uma palmada — ameaça, por entre os lábios cerrados, furiosa. — Está estragando o dia de todo mundo.

Começo a soluçar.

— Quero ver o meu chocolate — exijo. — Quero ver.

Meu desejo é lhe dar adeus, como se dá adeus a um amigo que ofendemos ou magoamos, mas é impossível fazer os adultos entenderem isso, esses adultos que me olham como se eu fosse um monstro criado por eles.

— Você não vai poder comer aquele chocolate, eu já disse! — repete meu pai, e, pela primeira vez, percebo uma raiva genuína em sua voz.

— Não me interessa — grito. — Quero ver o meu chocolate!

Ele age rápido, então. Gira nos calcanhares e começa a caminhar na direção do carro.

— Tudo bem, vamos lá. Vamos ver seu chocolate.

Mamãe e eu o seguimos, tentando acompanhar suas passadas grandes e zangadas. Ele escancara a porta do carro e me manda subir no banco dianteiro.

— Está aí o seu chocolate — diz ele, apontando para a pasta marrom e viscosa sobre o console.

A visão do chocolate derretido me enche de uma tristeza insuportável e me sinto traída. Não sei bem se sou a traidora ou a vítima, mas tenho a sensação de promessa quebrada. Quero explicar a meu pai o que sinto, mas não consigo. Minha dor é obscura e opaca e me impede de falar. Tudo que faço é guinchar, e o som nasal e agudo me enche de uma satisfação absurda.

Papai senta-se no banco ao meu lado. Gesticulando para mamãe, ele diz:

— Entre.

Ela parece prestes a argumentar, mas alguma coisa na cara fechada do marido a emudece. Ela se senta no banco dianteiro, ensanduichando meu corpo contra o do meu pai.

Papai engata a marcha a ré, e a violência incomum com que engrena a mudança me impressiona e silencia.

— Aonde vamos? — pergunto.

— Vamos para casa — responde ele. — Vamos voltar. O dia já está estragado mesmo. Satisfeita agora?

Não digo nada. Não ouso dizer. Isso é pior do que qualquer castigo que ele poderia elaborar. O nó na minha garganta é tão grande que dói quando engulo saliva. Decepção, culpa, vergonha, arrependimento, tudo isso disputa os cantinhos mais profundos do meu coração frio. Meus olhos se enchem de lágrimas, mas pisco para detê-las, pois não quero chamar a atenção de ninguém. Quero dobrar meu corpo como os origamis que as meninas mais velhas fazem na escola, me tornar tão pequena e invisível quanto possível. Por sobre a minha cabeça, sinto meus pais se entreolharem carrancudos, o que só faz piorar a situação. Quero recolher cada guincho, cada berro equivocado que saiu da minha boca.

O chocolate, pousado no console como um monte de lama, me causa repulsa agora. Já não sinto qualquer afinidade ou sentimento de responsabilidade com relação a ele. Observo-o com a mesma isenção de alguém que acorda de um sonho. Com que foi que eu fiquei tão histérica?

Em casa, me esgueiro escada acima e me encolho quando papai toca a campainha. O rosto surpreso de Mehroo intensifica ainda mais o meu sofrimento.

Haverá outros piqueniques nos anos seguintes — excursões escolares, passeios com os vizinhos, dias na praia com amigos e outros parentes. Mas jamais só nós três voltaremos num domingo à tarde aos Jardins Suspensos. Como uma barra de chocolate ao sol, os dias de verão irão derreter e sumir, e nunca mais passaremos, só nós três, uma menina e seus pais, uma tarde de domingo nos Jardins Suspensos.

CAPÍTULO 2

MEHROO AINDA NÃO TERMINOU de descer a escada, e já estou na varanda para acenar-lhe um adeus. Prendendo o fôlego, aguardo que chegue ao último degrau de pedra do hall do prédio e aporte na calçada. Assim que pisa na rua, ela olha para onde estou à espera, na varanda do segundo andar, e acena para mim.

Pisco para afastar as lágrimas e sorrio, um sorriso largo, estilo palhaço, que espero que minha tia possa ver dois andares abaixo.

Tenho sete anos, e estamos na segunda semana das férias de verão. Às dez da manhã, o sol já é uma besta feroz, bafejando seu hálito quente sobre aqueles cá embaixo. Sei que, depois de percorrer a curta distância até a avenida principal para pegar o ônibus, Mehroo já estará molhada de suor, e suas bochechas macias de cor creme ficarão vermelhas como tomates.

Apesar da fulgurante claridade do dia, dentro de casa está escuro. Sei que assim que sair desta varanda, após meu ritual de despedida, entrarei num mundo sombrio, assustador e solitário. Passarei as horas do dia esperando que Mehroo, meu pai ou algum outro adulto chegue em casa e me resgate da ira da minha mãe. Não sei exatamente o que me aguarda hoje, mas posso garantir que não será nada de bom. Haverá gritos, ameaças, acusações sobre eu passar o tempo todo com o nariz enfiado naquele maldito livro. Talvez eu ouça o ruído familiar da vara rasgando o ar antes de cair sobre meu corpo ossudo. Só de pensar nisso já me encolho.

Mehroo mal saiu de casa e já sinto um nó na garganta do tamanho da China. Eu quis ir com ela para a fábrica hoje, quem sabe parar no Jaffer's no caminho e comprar um romance para devorar, mas mamãe disse que eu precisava fazer o dever de casa. Mehroo ensaiou um protesto: estamos apenas na segunda semana de férias, não faltará tempo para os deveres de casa; mas mamãe respondeu que, sendo assim, ela poderia assumir meus deveres também, já que assumiu todo o resto e lhe roubou a filha única. Depois, as duas travaram a briga matutina de todos os dias e só se calaram quando papai ergueu a voz e disse que sairia para trabalhar sem tomar o café da manhã porque preferia ter paz a comer pão.

— Não são nem oito da manhã e já estou cansado — gritou. — Todo dia saio para trabalhar igual a uma toalha que alguém espreme para secar.

Fez-se silêncio enquanto ele se vestia apressado e corria escada abaixo até o carro, o rosto vermelho e alterado. Quando entrou no carro, a irmã lhe gritou da varanda:

— Por favor, vá devagar, acalme-se. Dirija com cuidado.

Mamãe ficou no quarto.

Eu me senti péssima por causar a briga. Se não pedisse para ir à fábrica, nada disso teria acontecido. Assim, quando mamãe me acusa de semear a discórdia entre ela e o marido, concordo calada.

E agora minha tia também saiu, restando em casa apenas mamãe e eu. Rezo para que a campainha toque e alguma visita — talvez o irmão dela, talvez um vizinho — apareça. Alguém para me libertar, para me resgatar do longo passar do dia.

Minha tia agora percorreu apenas um quarto do caminho e já se virou três vezes para me acenar. Este é o nosso ritual diário, mas ainda prendo a respiração na expectativa de cada paradinha e cada aceno. Haverá outro? Será que ela vai acenar agora? Ou algo, alguém, vai distraí-la? Encontrará, por acaso, algum vizinho e percorrerá em sua companhia o restante do caminho, esquecendo-se, então, de acenar? Esquecendo-se de mim? Ou, quem sabe, ao ver o ônibus 64 se aproximar ela corra para pegá-lo e, nisso, se esqueça da sobrinha aqui de pé nesta varanda, da sobrinha que acredita que a própria vida depende de um aceno da tia.

Todo dia minha tia sentimental acena, fiel e diligentemente. Bem no fundo, sei que este ritual, esta demonstração pública do nosso afeto, é tão importante para ela quanto para mim. Ainda assim, nunca perco o medo. Todo dia me provoco, todo dia me atormento criando cenários cada vez mais implausíveis que expliquem por que ela pode deixar de me acenar nesse dia específico. Todo dia prendo a respiração e sinto os músculos do estômago se retesarem e relaxarem ao ritmo dos acenos dela. Diariamente, temo o momento em que a minha tia chega ao final da rua e dobra a esquina que leva à avenida. Este é o momento da verdade, quando só me resta voltar para a escuridão do apartamento.

Mas não ainda. Mehroo chegou ao fim da rua. Ela para, se vira e acena. Chega mesmo a me atirar alguns beijinhos. Aceno de volta, freneticamente, na ponta dos pés para garantir que ela me veja. Então ela vira a esquina e some. Mas meu coração ainda não desanima, porque sei o que vem a seguir. Isso também faz parte do ritual. Ainda assim, apesar de conhecê-lo tão bem, ainda tenho a sensação de um milagre quando vejo Mehroo de novo. Depois de ter dado alguns passos na avenida, ela voltou à esquina. E acena de novo. Com o coração alegre, aceno também.

Três vezes. Quatro vezes. Ela some e reaparece. Vai embora e volta. Meu amor é tão intenso e pesado que tem gosto de sangue. Ou de dor. Pelo resto da minha vida há de ser assim, esse amor intenso, essa dor intensa.

Nunca sei qual será a última vez que Mehroo vai voltar e acenar antes que o adulto que mora nela lhe recorde que é preciso pegar o ônibus, que a esperam na fábrica, onde faz a contabilidade para o meu pai. Por isso fico ali na varanda e espero. E, a cada segundo que passa, o vazio da sua ausência, a percepção de que ela realmente foi embora, se torna mais agudo. Tem dias em que espero cinco minutos inteiros, torcendo para que ela volte, não acreditando que possa ter me abandonado. Tem dias que espero vários minutos e já estou prestes a deixar a varanda quando a sua pequena silhueta surge ao longe, tão miraculosamente quanto o sol no horizonte. Nesse dia, ao chegar do trabalho, ela me dirá que já estava no ponto de ônibus quando se convenceu de que ele iria demorar. Pediu, então, a alguém na fila para guardar seu lugar e correu até a esquina para me acenar pela última vez. Porque sabia que, como o cãozinho do rótulo dos discos RCA, que estampa o famoso slogan *A voz do dono*, eu estaria esperando.

É assim que aprendo como é o amor, com a minha tia solteirona de olhar triste, excessivamente sentimental, hipersensível e dada a sacrifícios, que me cria como se eu tivesse saído de dentro do seu corpo pequeno, como se tivesse me amamentado em seus seios miúdos. Por isso nunca penso em maternidade como um conceito biológico. Por isso acredito que os laços da maternidade são criados diariamente, por meio de atos de bondade, de afeto e de devoção. Foi este o legado que Mehroo me deixou, e, a despeito da sua devoção cega, inabalável, trata-se de um legado conflitante, repleto de nostalgia e ambiguidade, de perda e de anseio. Sob certos aspectos, ele me marcaria para sempre, faria de mim uma velha aos 16 anos, incapaz de confiar nas fáceis e loquazes declarações simplistas e descrições de amor que eu via à minha volta. Nada de promessas fáceis para mim, pois vivenciei um amor tão brilhante, puro e afiado quanto um diamante. Para todo o sempre o amor seria um prêmio a ser ganho com luta, algo digno de ser almejado, difícil, mas também promissor, como a religião, como falar com Deus.

❁

TORNO A ENTRAR EM CASA carregando uma sensação de pavor. Mamãe está em seu quarto, remexendo no armário, e dá para ver, pelo jeito como resmunga, que está de péssimo humor. Vou direto para o banheiro, com a intenção de permanecer lá dentro o máximo que puder. Só quando ouço o clique da tranca da porta me sinto segura.

Mas o alívio dura pouco. Mamãe esmurra a porta do banheiro e manda que eu saia imediatamente.

— Conheço todas as suas manhas, menina preguiçosa — diz ela. — Fica aí tentando evitar a todo custo os estudos. Se não sair daí em dois minutos, espere para ver o que eu faço.

Ela bate na porta com a vara para reforçar a ameaça.

Minha mãe tem dedos longos, finos e curvos que, na maior parte do tempo, se fecham sobre uma de suas muitas varas de marmelo. Às vezes, quando uma delas fica gasta, mamãe me obriga a acompanhá-la a uma lojinha onde refaz seu estoque. Observo enquanto ela experimenta diferentes varas, umas compridas, finas e cônicas, outras mais curtas, mais grossas e rombudas. Prendo a respiração enquanto ela as escolhe, testando-as com uma das mãos na palma da outra. As mais compridas sibilam mais que as outras.

Minha mãe dá aula a várias crianças da vizinhança, quase todas mais velhas que eu. Nas férias de verão, em lugar de viajar para as montanhas ou para a praia, elas se reúnem na minha casa para estudar, a fim de começar o semestre seguinte mais adiantadas. Adoro quando elas enchem a casa, porque isso desvia a atenção de mim e porque muitos desses alunos mais velhos e mais instruídos me bajulam por eu ser a filha da professora.

Uma das meninas, Pervin, muitos anos mais velha que os outros alunos, é meio lenta e dizem que já repetiu vários anos, o que a torna alvo de pena e de um desdém silencioso. "Essa burra da Pervin", ouço mamãe dizer pelas costas da menina, que compensa essa lentidão com boa índole e um perene bom humor. Pervin tem o rosto coberto de acne, e, para minha infelicidade, deu para fazer demonstrações públicas de afeto por mim, me abraçando e beijando sempre que surge uma oportunidade. Em parte esse afeto é sincero, mas decerto parte dele é só teatro, uma tentativa de cair nas boas graças da professora puxando o saco da sua filha única. Fujo e me escondo de Pervin sempre que posso, pois me causa repulsa aquele rosto áspero, cheio de acne, roçando na minha pele macia. Um dia, tomando mingau no café da manhã, olhei para a tigela e me dei conta de que o conteúdo tinha a aparência e a textura do rosto de Pervin. Nunca mais comi mingau.

Quase todos os alunos da minha mãe são filhos de gente de classe média baixa, que lhe é grata porque ela não cobra caro. Mas não é só isso: a dedicação de mamãe como professora é famosa na vizinhança. Ao contrário de outras, não fica olhando o relógio enquanto dá aula, razão pela qual, nos meses de verão, os alunos passam praticamente o dia todo em nossa casa. Os agradecidos pais jamais questionam seu método didático, assim como jamais indagam a respeito dos lanhos vermelhos nas mãos e nas pernas dos filhos quando eles voltam para casa. Os meninos mais espertos passaram a usar calças compridas para proteger as pernas da vara, mas, devido às queixas de mamãe quanto à falta de livre acesso às pernas das crianças, os pais os obrigaram a voltar a vestir bermuda.

Hoje, porém, estamos sozinhas em casa, mamãe e eu. Quero perguntar pelos outros, mas mamãe ameaçou me bater se eu tirar os olhos do livro escolar. Estou sentada na cadeira de veludo preto no quarto dela com a perna esquerda amarrada à perna da cadeira. Ela precisa fazer isso porque tenho pouca capacidade de concentração e me levanto vezes demais para ir ao banheiro.

O dia se arrasta. Finalmente, à uma da tarde, a campainha toca. É uma das vizinhas, uma mulher que se move com a velocidade de um raio e fala tão rápido que mal consigo acompanhar o que diz. O filho, Bomi, veio com ela. Bomi, um menino de expressão nervosa, é um dos alunos de mamãe. Ele é baixinho, gorducho e cheira levemente ao óleo de coco que a mãe usa para alisar o seu cabelo negro. O óleo lhe escorre pela testa, que, por isso, está sempre brilhando. Bomi é apenas um pouquinho mais novo que eu, e minha mãe o adora porque o garoto tem um óbvio pavor dela. Mamãe diz que adora crianças, mas isso é porque crianças não revidam e porque, em seus corpos macios e tenros, ela pode deixar sua assinatura: os lanhos vermelhos que proclamam "Estive aqui". Porque, em suas psiques virgens, ela pode deixar sua digital, borrões roxos a proclamar "Eu existo". Ao contrário do que acontece com relação aos adultos em sua vida, as crianças ela é capaz de controlar, manipular e dominar. Não consigo definir esses pensamentos, mas bem lá no fundo sei que é assim.

— Será que posso deixar o Bomi aqui durante a tarde? — indaga a vizinha. — Minha sogra está doente, e acabei de receber uma ligação pedindo para eu passar o dia com ela. Se for comigo, ele só vai atrapalhar. Além disso, está precisando de ajuda com os deveres.

— Claro, claro — responde mamãe. — Pode ir tranquila. Você sabe que Bomi está seguro aqui. Íamos sentar para almoçar. Ele pode almoçar conosco.

A mulher, agradecida, dá um rápido abraço em mamãe e sai.

Depois do almoço, nos sentamos com nossos livros de novo. Mamãe começa a nos fazer soletrar. Ambos estamos indo bem até que Bomi tropeça numa palavra. Mamãe abre um sorriso benevolente e lhe dá uma segunda chance. Uma nova palavra. Mas Bomi agora está com medo, e, como de hábito, seu cérebro para de funcionar. Ele olha para minha mãe, um filete de saliva escorrendo da sua boca aberta.

Numa voz enganosamente calma, mamãe pede a Bomi para ir até o banheiro da suíte de meus pais. O castigo dele será ficar num canto do banheiro equilibrando-se numa perna só.

Bomi tenta, mas, depois de alguns minutos, passa a alternar o peso de uma perna atarracada para outra. Imediatamente, mamãe repara.

— Você precisa fazer *soo-soo*? — pergunta de forma gentil.

Bomi esbugalha os olhos.

— Não, tia — responde ele, o peso do corpo congelado sobre uma perna.

A voz dela se altera, fica mais aguda.

— Porque se precisar fazer *soo-soo*, faça nas calças. Por isso é que você está no banheiro. Caso contrário, fique imóvel.

Passam-se vários minutos. Estou sentada na cadeira de veludo preto do quarto e finjo ler o meu livro. Quero me levantar, mas evito fazer qualquer movimento que atraia a atenção para mim. Ponho no rosto uma expressão solidária e torço para que Bomi note, mas não mamãe.

Finalmente, Bomi começa a chorar baixinho. Sinto-me mal por ele, mas uma outra parte de mim fica aliviada por ser ele e não eu o foco dessa humilhação.

O choro irrita minha mãe, que está sentada na cama.

— Pare de chorar — diz ela, estendendo a mão para a vara onipresente e descendo-a sobre a cama para enfatizar o comando.

Bomi tenta engolir o choro.

— Saia do banheiro — ordena ela, mas Bomi está paralisado, os olhos esbugalhados de medo. — Vai me desobedecer? *Chal*, saia já daí! — repete, e desta vez reconheço uma ameaça em sua voz.

Como se em câmera lenta, Bomi ergue o pé do chão, dá um passo e sai do banheiro. Contorna a cama para encarar mamãe. Prendo a respiração.

Ugh! A vara deixa uma marca rubra de fúria no ponto em que toca a perna nua. E mais uma. Por um momento, Bomi parece espantado demais para chorar. Depois explode em lágrimas, o peito todo sacudindo.

— Sem choro. Sem *choro* — ordena ela, e o lábio inferior de Bomi estremece como gelatina na tentativa de estancar as lágrimas.

— Estenda a mão.

Não posso assistir. A vara na perna dá para aguentar, mas esse estender voluntário da mão aberta é o pior dos castigos. Para isso é preciso reunir toda a coragem, coordenar o corpo todo na direção desse gesto, invocar a ajuda de cada músculo e depois fazer um esforço extremo para não retirar a mão no último minuto. Porque está mais que entendido que, se ela errar, se a vara acertar o vazio em lugar da carne macia, haverá mais castigos. Então, o crime original talvez seja esquecido, e o de insubordinação terá prioridade.

Se você não retirar a mão, se fechar os olhos e a mantiver estendida imóvel, se for capaz de se preparar para a corrente elétrica de dor que percorrerá seu corpo a qualquer segundo, ainda assim o primeiro golpe vai parecer um insulto, um choque no sistema. O pior é que, às vezes, mamãe antes bate de leve com a vara na palma da mão da gente, como se pretendesse firmar o braço, e, justo quando relaxamos e baixamos a guarda, a vara corta o ar e encontra seu alvo letal.

Por isso fecho os olhos enquanto o pobrezinho do Bomi fica lá em pé, hesitante, a mão aberta pronta para receber o golpe da vara. Então, no último segundo, como se incapaz de desviar meus olhos do desastre prestes a ocorrer, meus olhos se abrem por conta própria em tempo de ver a vara desenhar um arco no ar. Me encolho, mas no último minuto minha mãe se refreia, como um pescador que decide recolher a linha, e a vara mal toca os dedos de Bomi.

— Hoje não vai haver castigo — diz mamãe, mas Bomi parece não ouvir, o corpo ainda tenso, a mão ainda estendida. — Não vai haver castigo — repete ela. — Em vez disso, vamos só conversar. Me diga — pede mamãe num tom gentil. — Você jantou ontem?

Bomi a encara mudo, tão surpreso quanto eu com o rumo inesperado que tomou a situação.

— Responda.

— J-jantei, tia.

— O que você comeu?

Bomi pensa.

— *Sali boti.*

Um prato feito com carne.

Minha mãe umedece os lábios rapidamente.

— Estava gostoso? Você gostou?

— G-gostei, tia.

A voz é débil, como se Bomi estivesse prestes a desmaiar.

— Que tipo de carne sua mãe usou?

Bomi olha para mamãe com uma expressão confusa, inquiridora.

— Não sei — balbucia ele afinal.

— Não sabe? Pois eu sei. Era carne de rato. Sua mãe serve ratos mortos no jantar.

— Não serve não. — O tom indignado de Bomi é alto, como se a lealdade aos pais lhe permitisse superar o medo.

Minha mãe sorri com perversidade.

— Carne de rato — repete ela. — Me conte, onde é que a sua mãe pega os ratos?

— A gente não come carne de rato — resmunga Bomi, teimoso.

Ugh! A vara acerta as coxas carnudas do menino.

— Me conte — pergunta mamãe de novo. — Onde é que a sua mãe pega os ratos?

E antes que Bomi possa responder, a vara canta de novo.

De repente, Bomi começa a uivar de dor, um som tão alto e assustador que não posso acreditar que algum vizinho não toque a campainha. Olho, desesperada, o relógio, mas não sei direito ver as horas. Sei, porém, que é cedo demais para minha tia chegar do trabalho. Ninguém surgirá a tempo de salvar este menino.

De repente, Bomi para de uivar, como se alguma coisa dentro dele tivesse sido desligada.

— De cima da caixa-d'água — balbucia. — É lá que os ratos moram, num ninho.

Minha mãe se mostra encantada com essa bonança inesperada.

— Em cima da caixa-d'água? No banheiro?

Ele assente.

— E como ela alcança?

— Com um banquinho. Ela põe um banquinho no banheiro, sobe em cima e pega os ratos.

— E depois serve os ratos no jantar?

— É, é. Serve os ratos para mim no jantar. Da caixa-d'água.

E um soluço faz estremecer novamente seu peito.

Minha mãe, de repente, parece exausta. Levanta a ponta do colchão e enfia ali embaixo a vara. Com meiguice, puxa Bomi para si e lhe beija os cabelos ensebados.

— Venha cá, seu menino burro. Amanhã trate de chegar aqui sabendo soletrar na ponta da língua, viu? E se alguém perguntar o que você comeu no jantar, diga que foi carne de rato, entendido?

O restante da tarde ela passa de bom humor, chegando a rir quando Bomi comete um erro de falta de atenção num problema de matemática. Quando o pai do garoto vem buscá-lo no final do dia, ela beija o menino de novo. Bomi abre o seu melhor sorriso.

— Obrigado pela aula, tia. Tchau.

Nessa noite, quando sou arrastada para a visita diária que mamãe faz à casa da minha avó, esbarramos na mãe de Bomi. Como sempre, a mulher parece abatida e apressada.

— Passei um *maja-maasti* no seu filho hoje — comenta minha mãe com uma piscadela. — Ele me disse que você o obriga a comer carne de rato todo dia no jantar. Que você pega os ratos de cima da caixa-d'água.

A mulher fica chocada e constrangida.

— Que grande *dhaap* que ele está me saindo! Só Deus sabe onde ele aprende essas histórias. Deve ser no colégio. Chegando em casa dou uma surra nele por contar mentiras.

Minha mãe faz uma expressão de preocupação.

— Não, não faça isso. Coitadinho, já lhe dei umas palmadas porque ele não fez o dever. Além disso, toda criança mente nessa idade. Olhe só esta aqui. O mesmo problema.

Contemplo o meu sapato enquanto a mulher belisca as minhas bochechas e me diz que preciso ser uma boa menina e deixar minha mãe orgulhosa. Acaso não sei o quanto a mamãe me ama?

❁

MINHA MÃE ME AMA, ela me ama. É o que todo mundo me diz.

Estou ciente do amor cego, incondicional e cheio de sacrifícios de minha mãe porque os vizinhos não cansam de me dizer. E todas as amigas da minha mãe não cansam de me dizer. E o quitandeiro, que é dono da lojinha no final da rua, também. E o mesmo diz a velha toda envergada pela osteoporose, a que mora algumas ruas depois da minha, aquela cujo nome eu nunca lembro. Estou ciente porque todos me levam para um cantinho, porque todas essas mãos, sejam ossudas ou fortes, me puxam pela manga da minha blusa, porque os olhos de todos são tristes e acusadores, porque todas essas bocas se abrem para dizer as mesmas palavras: Por que você trata a sua mãe assim? Por que você é igualzinha a seu pai e ao resto da família dele? Por que não sai sozinha com a sua mãe como faz com as suas tias? Será que não sabe que vida triste ela leva, a pobrezinha?

Durante toda a vida ouvi falar na vida triste da minha mãe. Durante toda a vida eu soube que ela é Uma Pobrezinha, alguém digna de pena e de dó. Todo mundo que conheço me dizia isso. Pior, eu mesma via isso, pois não é verdade que testemunhei aqueles acessos de choro, a boca aberta com falta de ar, os soluços terríveis, de tirar o fôlego? E esses soluços não perfuravam meu coração como uma agulha, não flutuavam como balões negros, como gás venenoso, nos cantinhos mais íntimos do meu coração onde se assentaram como fuligem, escurecendo meus dias, enegrecendo minhas próprias tentativas débeis de ser feliz? Não vi, com espanto e agonia, o rosto da minha mãe todo-poderosa e forte e dona de uma língua capaz de ferir tanto quanto a vara que usa em mim, não vi seu rosto se amassar como papel sob o peso de sua dor animal? O som dos seus soluços inesperados e ressentidos não me deu vontade de desaparecer furtivamente como um bichinho? Não me levou a querer ficar deitada imóvel e me fingir de morta? Não, fingir não, desejar morrer, ansiar o esquecimento, só para não ter de ouvir aqueles soluços de cortar o coração.

Minha mãe teve uma vida triste e, de alguma forma, a culpa é minha. Minha mãe tem um casamento ruim e, de alguma forma, a culpa é minha. Ela mesma me diz, numa ladainha que estou cansada de ouvir, mas que ainda não perdeu seu poder nefasto de me destruir. Por sua causa o meu casamento é ruim, diz ela, e eu acredito. Você não aguenta nos ver felizes, grita ela, e eu acredito. Não dei à luz uma filha, mas uma cobra, diz ela, e me vejo com escamas e presas. Eu devia ter feito um aborto em vez de ter tido você, jura ela, e lhe dou razão. Durante toda a vida acalentarei um desejo tão objetivo e real quanto uma moeda de prata recém-cunhada: nunca ter nascido. Não propriamente uma vontade de morrer ou uma tendência suicida, mas algo mais preguiçoso — apenas um desejo de jamais ter existido.

Às vezes tenho a sensação de que mamãe está errada ao me culpar pelo seu casamento ruim. Eu lembro que muitas vezes Mehroo me abre a porta quando chego da escola e me diz: "Seu pai está de mau humor. Vá alegrá-lo." Ainda no meu uniforme verde, entro no quarto e acaricio a cabeça do meu pai, beijo sua testa larga, faço cócegas em suas orelhas e vasculho minha mente em busca de uma coisa engraçada até, afinal, fazê-lo sorrir. Esse sorriso tímido, modesto, é como mel a lhe escorrer dos lábios. Tenho, então, uma sensação enlouquecida, absurda, de missão cumprida. Quero contar à minha mãe, quero dizer como odeio as brigas silenciosas entre eles, como me empenho para tentar ajudá-los a se entender, mas sua posição é expressa de forma tão direta que não admite argumentações. Também acho que, por ser mais velha, talvez ela saiba algo a meu respeito, a respeito dos meus desejos secretos e das minhas fraquezas, que desconheço. Por isso me calo.

Quando os vizinhos, os amigos da família, os parentes, os professores e os estranhos — todos aqueles com quem minha mãe se queixa — me dão conselhos e tentam me incutir juízo, jamais digo uma palavra. Desvio o olhar, alterno o peso do corpo de um pé para o outro, concentro toda a minha energia em engolir o coágulo de sangue que se forma na minha garganta. Emprego cada grama de autodisciplina na tarefa de não permitir que lágrimas traiçoeiras jorrem dos meus olhos como as chuvas das monções. É muitíssimo importante não chorar na frente dos outros. É muito importante ser segura, espirituosa, uma palhaça. É essencial ser reconhecida pelos adultos como sagaz e engraçada, é essencial, entre meus pares, ser a primeira a lançar um gracejo ou uma piada. Caso contrário, a coisa toda rui e cai por terra. O autocontrole, o aperfeiçoamento da arte de manter uma expressão neutra, tudo isso é muito importante quando se é espião em terra alheia. E eu tenho segredos, ah, se tenho!, guardo segredos de Estado, sei de coisas capazes de derrubar nações, capazes de destruir a ordem estabelecida. Faço jogos imaginários, em que sou uma prisioneira e em que estranhos sem rosto e carecas me torturam para arrancar de mim o que sei. E nem assim eu falo. Para testar minha determinação, me belisco com força, torço a mão nas costas até doer, fico em pé numa perna só até não aguentar mais. Finalmente me convenço de estar em condições de enfrentar meus inquisidores adultos.

O mais difícil é quando contam coisas horríveis e falsas sobre o meu pai. Meu silêncio, então, não me soa corajoso nem nobre. Minha garganta, então, fica vermelha e inflama por causa do nó que se forma ali, e sinto vergonha do meu silêncio, da minha covardia. Então quero gritar e lanhar essas caras pias, esses donos da verdade, porque sei que está sendo cometida uma injustiça. Quero contar a verdade, dizer que já vi meu pai chorar em silêncio, os ombros sacudindo, depois de ouvir de minha mãe alguma coisa especialmente cruel. Quero vomitar todos os segredos da família, mas meu código de honra de espiã não me permite. Nessas ocasiões sinto um autodesprezo tão forte, que tem gosto e cheiro.

— Então você vai ser boazinha com a mamãe agora, por mim? — uma vizinha bem-intencionada me pergunta, depois de um sermão de meia hora. — Promete que vai ficar do lado dela contra o papai?

Às vezes concordo de cabeça. Outras, finjo não ouvir. Mas, mentalmente, sempre murmuro grosserias sobre eles para mim mesma.

CAPÍTULO 3

Após o jantar, Mehroo e eu costumamos dar um passeio. Por volta das oito da noite saímos e vamos até a avenida principal. Então, em vez de dobrar à esquerda, como sempre fazemos, viramos à direita. Em suas camisetas de náilon sem manga e suas *lungis*, as compridas saias-envelope de algodão xadrez, os garçons do velho restaurante muçulmano da esquina extraem baforadas de seus *bidis* e nos cumprimentam quando passamos. Este é o restaurante em que às vezes encomendamos *biryani* de carneiro, um prato de arroz feito com carne e batatas (apesar dos boatos de que eles usam carne de vaca).

— *Salaam wa'alaykum, memsahib* — dizem os rapazes em saudação a Mehroo. — Oi, bonitinha — me dizem sorrindo. — Faz tempo que não vem um pedido de *biryani*, hein?

Cumprimentamos com acenos de cabeça e continuamos a caminhar sem olhar ninguém nos olhos. Nunca se sabe se os homens estão sendo gentis ou abusados. Por isso os tratamos como fazemos com todos os operários do sexo masculino: registramos suas presenças e ao mesmo tempo agimos como se eles não existissem. Demonstramos nossa indiferença limitando nosso cumprimento a um breve aceno de cabeça, para que não interpretem mal nossos sorrisos ou saudações.

Quero contar a Mehroo as coisas horríveis que mamãe me disse hoje, mas morro de medo. Mesmo que eu faça Mehroo prometer não dizer nada, temo que ela deixe escapar algum comentário na próxima vez que as duas brigarem. Aí, mamãe virá para cima de mim com aquele olhar enlouquecido, típico de quando se sente traída ou magoada. Ou pior, talvez Mehroo não comente nada com ela, mas se lembre da minha história amanhã de manhã quando estiver pronta para ir para a fábrica e, na hora de sair, se abaixe para me abraçar, sussurrando em meu ouvido: "Odeio deixar você sozinha." E sentirei mais que de hábito a dor de ser abandonada por ela. Não, o melhor é não contar.

Acabo esquecendo o assunto porque em segundos estaremos na fábrica de tecidos, e a ansiedade faz meu coração disparar. A fábrica é um velho prédio de pedra, fendido pelos altos portões de ferro em arco. Um parapeito de pedra abaulado acompanha o correr de janelas escuras e gradeadas. Eu me viro para Mehroo com um olhar suplicante e, sem palavras, ela me ajuda a subir no parapeito, pondo a mão na parte inferior das minhas costas para impedir que eu caia. Eu me seguro nas grades e espio lá dentro para ter uma visão que nunca deixa de me seduzir. Homens de pernas e braços morenos, muitos sem camisa, com a pele reluzindo de suor, trabalham num enorme aposento cavernoso. Parecem minúsculos diante das máquinas antigas e imensas que produzem tecidos de cores brilhantes. Às vezes, um dos homens ergue os olhos, me vê e me lança um rápido sorriso. Protegida pela janela gradeada, sorrio também. De modo geral, porém, absorvo o movimento e sinto o cheiro da tintura. Observar essa gente trabalhando em equipe me deixa absurdamente feliz, por algum motivo que não entendo. Tudo que sei é que se trata da mesma sensação que me invade quando contemplo os operários da fábrica de madeira do meu pai levantarem toras gigantescas e com elas alimentarem as várias máquinas. Lá, inspiro o odor limpo e cheiroso da madeira e da serragem (odor que para sempre associarei ao meu pai) e sinto a empolgação de testemunhar o nascimento de um produto, algo que terá utilidade no mundo.

Anos depois, como jornalista nos Estados Unidos, circularei pela redação do jornal com essa mesma sensação de felicidade — ao inspirar o odor da tinta de impressão, ao observar a equipe de homens trabalhando lado a lado porém independentes, ao contemplar a criação de alguma coisa — que me invadia durante os passeios com Mehroo.

Mehroo me cutuca.

— *Chalo, ma*, vamos, está na hora de voltar. O pessoal vai ficar preocupado.

— Dois minutinhos — imploro, e, invariavelmente, ela cede.

No caminho para casa, ouço um sermão.

— Você agora está crescida demais para espiar essa gente trabalhando todos os dias. Isso pode ser mal-interpretado...

Não entendo direito o que ela quer dizer, mas seu tom me indica que se trata de uma questão desconfortável. O melhor é não fazer muitas perguntas. Além do quê, se não sei do que se trata, posso tornar a pedir para que me deixe olhar. Na volta para casa saboreio cada momento do passeio na noite fresca e amena, diminuindo o passo à medida que nos aproximamos de casa para que o programa demore mais a acabar. Concluo que gosto do aspecto do mundo quando o céu escurece. Quando crescer, sairei para passear todas as noites, decido.

Quando chegamos em casa, ainda estou animada e sem vontade de ir dormir.

— Vamos jogar alguma coisa, Mehroofui — peço a ela.

— Não, todo mundo já está indo para a cama. Hora de dormir.

— Por favor. Amanhã não tem aula. Cinco minutos.

Ela cede. Ela sempre cede.

Ah, o som da bolinha cor-de-rosa, de borracha dura, rolando pelo corredor de pedra lisinho enquanto, de cócoras, a empurramos para lá e para cá... Quero atirá-la, atirá-la longe, como fazem os meninos de rua que jogam críquete na avenida principal durante as greves municipais, mas Mehroo não deixa. O barulho vai acordar os outros, e o corredor é estreito demais para um jogo de verdade. Posso acabar quebrando uma lâmpada ou algo assim. Por isso me contento em rolar a bola no chão, e não demora para que esse ritmo hipnotizador tome conta de mim. A bola corre por toda a extensão do longo corredor, fazendo um barulho suave de rodopio. Dada a natureza repetitiva, tediosa e singular do jogo, preciso lançar mão da imaginação para imbuí-lo do máximo de animação e suspense possível. Assim, espero até o derradeiro momento antes de tocar com a mão a borracha úmida de suor, de cheiro acre, tentando produzir um friozinho falso no barriga dizendo a mim mesma que ela quase me escapou. Ou finjo ser uma prisioneira para quem o rolar dessa bola é uma forma sub-reptícia de comunicação com a detenta da cela vizinha, enquanto todos os guardas dormem.

Finalmente, minha imaginação seca e vejo o jogo como ele é. Por um segundo, concebo uma imagem impressionantemente clara de mim mesma — uma filha única entediada e solitária inventando histórias para infundir alguma legitimidade num jogo constrangedoramente chato. No momento exato em que penso nisso, bocejo. Mehroo se lança sobre esse bocejo, tirando o máximo de vantagem:

— Vamos, está na hora de dormir — sussurra. — *Chalo*, apronte-se e vamos dormir.

Resmungo, como qualquer criança com dignidade faria, mas Mehroo percebe que é algo superficial.

Quando já estou deitada, ela se aproxima e senta na beira da cama. Beija a minha testa, me faz um carinho, deixa a mão deslizar suavemente por todo o meu corpo. Depois, me dá outro beijo.

— Boa noite — diz ela. — Reze um rápido *Ashem Vahu* e feche os olhos. Deus a abençoe e tenha bons sonhos.

❋

CAIO NO SONO. Mas não durmo muito tempo.

Sinto Mehroo me segurar pelos ombros e me virar de lado e acordo brevemente antes de adormecer novamente.

É que molho a cama. Toda noite, e em algumas delas várias vezes.

Minha família, numa tentativa desesperada de me ajudar, experimentou todas as curas que lhe foram sugeridas. Engoli pós-aiurvédicos e recitei preces. Meses atrás, meu pai me levou ao Jardim Victoria, onde pagou dez rúpias aos vigilantes do zoológico por um pinguinho de xixi de camelo.

Papai fez uma cara sombria quando a urina marrom-escura me foi entregue num copo de papel. Num tom suave, me pediu para cheirar o líquido quente. Recusei, indignada. Envergonhado, meu pai insistiu, implorou, e finalmente concordei.

Dei uma cheirada e imediatamente tive vontade de vomitar.

— Tudo bem, tudo bem, já chega — disse ele rapidamente. —Esperemos que funcione. Deshmukh me disse que foi uma maravilha para o sobrinho.

Houve grande expectativa quando fui dormir naquela noite e uma grande decepção na manhã seguinte quando a mancha acobreada nos lençóis embolados confirmou meu fracasso noturno. Também eu fiquei arrasada, até meu pai me puxar para perto dele e dizer:

— Tudo bem, sinto muito ter feito você passar por aquilo ontem.

Há anos durmo no quarto de Mehroo. Quando eu era menor, costumava dormir no quarto dos meus pais, mas mamãe tem sono pesado e reclamava de acordar com o cheiro da urina e ser obrigada a trocar os lençóis encharcados no meio da noite. Às vezes ela dormia a noite toda, e eu passava a noite inteira deitada nos lençóis molhados. Nas noites em que acordava, mamãe agarrava meu braço e me arrancava da cama, a raiva e o ressentimento não verbalizados atravessando como uma corrente elétrica o meu braço. E, se eu me recusasse a sair da cama, ela gritava comigo, o que deixava meu pai nervoso. Todo o ódio presente naquele quarto me deixava tão aflita que eu fazia mais xixi ainda.

Finalmente Mehroo interveio, e me mudei para o quarto dela.

Toda noite, Mehroo põe na cama um lençol de borracha, azul de um lado e vermelho do outro, da minha cintura para baixo, e estica sobre a borracha um lençol de algodão na horizontal. Além disso, liga o despertador para acordá-la três a quatro vezes durante a noite. Atravessando em silêncio o chão ladrilhado, calçada em sua sandália Bata de borracha azul e branca, ela se inclina sobre a minha cama para ver se o lençol está molhado. Se estiver, ela ergue o meu corpo, pesadamente adormecido, me põe de pé ainda dormindo, dá um jeito para me despir, me limpar e me vestir um pijama limpo, e depois me leva para a cama dela enquanto troca a roupa de cama da minha. Não facilito em nada, já que durmo praticamente ao longo de todo o processo. Quando ela me acorda, resmungo e gemo baixinho. Algumas horas depois, o ritual se repete.

(Tempos depois, quando eu tinha 13 anos, um vizinho gentil com quem minha mãe se queixara do meu hábito nojento me chamou de lado uma tarde e me perguntou se eu já tinha ouvido falar em autossugestão. Eu nem sequer conhecia o termo.

— Antes de ir dormir esta noite, repita várias vezes para você mesma "Eu não vou fazer xixi na cama hoje. Vou me levantar quando sentir vontade. Imagine-se evitando molhar a cama."

Foi o que fiz. Com um fervor inédito na minha vida, repeti para mim mesma "Vou me levantar antes que molhe a cama." Com um desespero feroz recitei essa mensagem antes de pegar no sono.

Funcionou. Desde aquela noite, um problema que causava um bocado de discórdia em minha casa, que deixava minha família com uma sensação de impotência, vergonha e raiva — um problema cuja culpa meus pais sempre tentaram jogar na família um do outro —, simplesmente sumiu. *Vamoose*. A mente triunfou sobre a bexiga.)

Mas esse dia ainda se encontra a anos de distância. Às vezes, Mehroo dá sorte porque, quando acorda, o lençol está seco. Então, minha tia, que pesa menos de cinquenta quilos, ergue meu corpo cheio de sono e me carrega pelo comprido corredor que dá no banheiro. Reclamo de ser acordada, mas ela me cala:

— Silêncio. Os outros estão dormindo. Faça xixi no banheiro como uma boa menina e depois volte para a cama. Mas continue sentadinha um minuto depois de achar que já acabou, *samji ne*? Esvazie totalmente a bexiga.

Ai, minha Mehroo. Que generosidade de espírito, que impulso irracional fez você me amar tão incondicionalmente? Mas... espere aí!

Seu amor nada tinha de incondicional. Ainda me recordo do choque que levei no dia em que, com a maior franqueza, você me disse que, se eu não fosse a filha do seu irmão adorado, mas apenas uma menina da vizinhança, não haveria como garantir que mesmo assim você me amasse. Durante um minuto fiquei muda de decepção. Qualquer um se sente lisonjeado por ser depositário de amor, por ter pago por ele com a própria personalidade fascinante, um charme irresistível e uma natureza nobre. Achamos que o amor é mais que um acidente biológico ou geográfico. Por isso, fiquei desapontada porque a dádiva do seu amor, Mehroo, caíra sobre mim por acaso e não devido à lógica irrefutável da minha personalidade magnética. Depois, porém, pensei: "Ora, o fato é que *sou* sobrinha dela. Nada pode mudar isso. Por que me preocupar com tantos 'e se'"?

E como fomos ligadas pelos laços do sangue e do destino, você me amou intensa e destemidamente como uma adolescente que se apaixona pela primeira vez. Mal posso imaginar que carências o ato de cuidar de uma criança satisfez em você. Talvez tenha compensado a morte prematura da sua mãe. Talvez tenha ajudado a distrair sua mente da peça que a vida lhe pregou alguns anos mais tarde.

De uma coisa eu sei: você sempre resistiu às queixas constantes da minha mãe de que me havia roubado dela, de que assumira o que lhe pertencia por direito, de que fez uma lavagem cerebral em mim para que eu a amasse mais do que a ela. Você enfrentou a insistência diária do meu pai para que se concentrasse mais no trabalho do que em mim, para me deixar aos cuidados de mamãe (não, não, não, Mehroo, eu rezava intimamente, não faça isso, por favor, não faça isso!). Você foi um soldado resoluto, uma linha reta, a estrela-guia, seu amor robusto tão constante quanto a lenta rotação da Terra em torno do Sol, sua dedicação tão confiável quanto o fluxo e o refluxo das marés.

Minha primeira lembrança da infância: é tarde da noite e me sinto afogueada e inquieta porque não consigo dormir. Meu corpinho de quatro anos está cansado, mas não consegue relaxar, contorcendo-se e vibrando como um peixe moribundo nos braços de Mehroo. Ela me põe no colo e caminha para lá e para cá na comprida varanda. Uma brisa fresca penetra na varanda desprotegida e toca nossos rostos como se nos beijasse. A mão de Mehroo alisa minhas costas e dá batidinhas rítmicas que me acalmam. Pá, pá, pá, faz a mão dela, de leve, mas com autoridade. O ritmo é curiosamente primitivo e confortador, como o ronronar de um gato, e me deixa lânguida e sonolenta. Uma enorme sensação de paz, diferente da inquietação febril de alguns minutos atrás, se apossa de mim. Conheço esta mulher franzina de cabelo castanho ondulado que anda para lá e para cá na varanda comigo no colo. Sei que esta mulher me ama. Sei que está sacrificando o próprio sono, permitindo que os braços se cansem com meu peso, parando apenas uma vez ou outra para olhar a lua minguante, porque me ama. A mão pousada em mim, batendo ritmicamente nas minhas costas, começa a parecer um mantra. Ou quem sabe é o meu corpo que entoa um mantra, que vibra de amor e paz. Adormeço sabendo que sou amada.

CAPÍTULO 4

Embora outras garotas impliquem comigo e apesar do fato de Olga D'Mello ser o veneno da minha vida, a escola é um meio de fugir de casa. Embora todos os meus boletins afirmem que sou distraída e que devaneio demais e que dificilmente consigo ficar quieta sentada, gosto da sensação de ordem e da ausência de caos na escola. Lá os adultos não brigam entre si diariamente e a madre superiora não sai batendo a porta da reunião matutina, do jeito que faz meu pai no mínimo uma vez por semana.

Mas amanhã mamãe irá à escola e desconfio que meus dois mundos estejam prestes a colidir. No caminho de volta para casa, programo o momento de entregar a ela o recado que diz que a srta. Bharucha deseja vê-la amanhã, bem como planejo o quanto contar sobre o que aconteceu hoje mais cedo e se vou ou não explicar como a situação desandou tanto e tão rapidamente. Ou será que o fato de tentar me defender vai deixar minha mãe ainda mais furiosa? Como lhe explicar o terror mortal que sinto na presença da srta. Damania e que foi esse terror que me levou a fazer o que fiz?

Estou no terceiro ano do sistema indiano, e a professora de educação física, a srta. Damania, é uma mulher alta, magra, que lembra uma avestruz, com um nariz adunco e dedos compridos e finos que mais parecem garras. Vivo permanentemente com medo dela. Sou uma atleta péssima, uma garota sem graça, frágil e imperdoavelmente distraída. O método de punição da srta. Damania é especialmente cruel e psicologicamente aterrorizador, ao contrário do método das demais professoras. A srta. Davidson, nossa professora de piano anglo-indiana, por exemplo, nos deita em seu colo, ergue os nossos uniformes verdes, de modo a expor nossas calcinhas, e nos aplica uma palmatória na nádega. As freiras usam a palmatória para bater nas juntas e braços das alunas e, vez por outra, recorrem a uns tapas. Mas o castigo da srta. Damania é diferente, e eu sou seu alvo predileto. Ela se aproxima de mim com suas garras à mostra, como uma bruxa de um espetáculo teatral de segunda classe. O tempo que leva para que a mão dela se transforme numa garra e segure com força meu pescoço parece uma eternidade. Então, ela me balança, fazendo a minha cabeça virar levemente para um lado e para o outro. É uma dor das mais peculiares, a das garras dela no meu pescoço, mas o pior é a sensação que ela desperta: como a de afogamento, eu acho, embora não saiba ao certo por quê. Talvez por estar sendo jogada de um lado para o outro por uma força mais forte e poderosa que eu. Mesmo semanas após a última sacudidela, continuo a ter dificuldade para engolir e a achar que as unhas da srta. Damania ainda me apertam a garganta. Posso, facilmente, ignorar os outros castigos ou até mesmo me gabar de enfrentá-los, mas esse para mim é feio e humilhante. Posso levantar do colo da srta. Davidson com arrogância, levar um golpe de palmatória no braço sem pestanejar e sem me desmanchar em lágrimas, mas, ao ser balançada como um rato, meus olhos se enchem de lágrimas, por mais que eu tente evitar. Esse castigo atinge plenamente o seu objetivo — me tornar pequena, impotente e semelhante a um roedor. Quero me esconder do olhar fulminante da srta. Damania; quero me enterrar bem fundo na segurança das fileiras de meninas em uniformes verdes ("papagaios", implicam conosco os garotos da escola vizinha) que me cercam. Eu a odeio com uma intensidade, com uma fúria, que só os impotentes e os sem-voz conseguem sentir. Porque, ao mirar na minha garganta, ela literalmente me emudece, congela as justificativas e as desculpas na minha boca antes que eu possa verbalizá-las.

— Mas, mas... — começo, pronta a fornecer o que me soa como uma explicação totalmente razoável para qualquer que seja o crime por mim cometido, mas jamais consigo ir além dessa única palavra antes de sentir suas garras em meu pescoço.

E sei, com a mesma certeza que tenho de qualquer outra coisa, que ela sente prazer nisso. A srta. Davidson nos espanca com uma certa satisfação, mas há sempre um pestanejo por trás de seus atos, uma sensação de um papel sendo desempenhado — o papel da professora durona, gritalhona, que ainda assim tem um coração de ouro. A madre superiora bate e estapeia com um ar cansado, suspirando enquanto o faz, balançando a cabeça ante o nosso comportamento inimaginável. Ela bate por se sentir obrigada, como se fosse um dever, a responsabilidade de transformar um bando de baderneiras indianas indomadas em meninas educadas, brilhantes e inteligentes. Mas a srta. Damania adora nos aterrorizar. Saboreia ver uma menina se encolher, sua boca se enche de água, antecipando as lágrimas que molharão o rosto dessa aluna. Ela se deleita em nos olhar de cima, esguia e distante como um arranha-céu, enquanto choramingamos e imploramos e tentamos escapar dela. Não basta nos castigar pelos pecados cometidos; é preciso que, primeiro, sejamos humilhadas. Por isso entro em pânico quando me dou conta, na segunda aula, que me esqueci de trazer o tênis de educação física. Tenho no pé o sapato preto de couro do uniforme, mas onde terão ido parar os tênis brancos obrigatórios na aula da srta. Damania? Olho na mochila azul duas, três vezes, como se o meu olhar fosse capaz de, magicamente, produzir o tênis. Há apenas duas semanas, a srta. Damania me alertou para nunca mais esquecê-los. Fez isso diante da turma toda, e agora eu lhe desobedeci. É assim que ela vai ver a situação. Sei muito bem que é melhor nem tentar lhe explicar o ocorrido e pedir que compreenda. Minha garganta se aperta ao pensar na tortura que me aguarda.

Então me ocorre uma ideia tão perfeita que parece uma dádiva. Ainda na semana passada me tornei perita em grafar meus "erres" como faz minha mãe, unindo-os, em vez de separá-los das outras letras. Foi uma espécie de rito de passagem, uma entrada na fortaleza vigiada da idade adulta, praticar os "erres" da minha mãe repetidas vezes e, finalmente, conseguir reproduzi-los. Senti-me adulta e realizada. Agora, me ocorre de repente que posso falsificar lindamente a letra de mamãe. Escrevo bem e sou capaz de imitar à perfeição o estilo dela. Por exemplo, mamãe começa suas frases com "por gentileza" em lugar de "por favor". "Por gentileza, dispense Thrity da..." Posso escrever um bilhete pedindo para ser, por gentileza, dispensada de levar para a escola meu tênis e assiná-lo com o nome da minha mãe. A ideia me parece uma inspiração genial, divina. A empolgação substitui o terror.

Durante o intervalo do almoço, me sento sozinha e, laboriosamente, redijo o bilhete. Preciso me assegurar de que nenhuma das professoras me veja executar a tarefa. Ponho a folha que arranquei do caderno dentro de um livro escolar para que ninguém veja o que estou fazendo. Quando termino, fico satisfeita com a minha primeira obra de ficção. A aula de educação física é a penúltima do dia, e o restante da tarde passa voando.

A srta. Damania ergue os olhos após ler o bilhete.

— Quem escreveu este bilhete? — pergunta na mesma hora.

Fico sem palavras.

Os olhos escuros dela se estreitam:

— Quem foi? — repete a srta. Damania. — Responda já!

— Minha mãe. Eu juro, senhorita, foi ela.

— Menina má — cospe ela. — Mentindo bem debaixo da imagem de Jesus.

Fico presa em minha própria mentira. Infelizmente percebo que não existe alternativa senão ir em frente.

— Juro por Deus, srta. Damania — insisto, cruzando os dedos como se faz quando se jura em vão.

Cruzar os dedos foi um erro. Os olhos da srta. Damania se estreitam quando se concentram em mim. Os meus logo se enchem de lágrimas quando vejo aquelas mãos-garras se moverem na direção da minha garganta. Sinto as unhas dela afundarem na minha carne. Minha cabeça balança de um lado a outro enquanto ela me sacode como a um rato.

— Não, não, não, por favor — choramingo. — Por favor, senhorita, por favor.

— Quem escreveu o bilhete?

O terror me inunda.

— Fui eu, senhorita, desculpe. Eu que escrevi. Por favor, me perdoe, senhorita.

— Menina terrível — cospe ela. — Mentirosa incorrigível. Praga do Egito.

Cada palavra é enfatizada por uma sacudidela.

Quando as outras meninas contam para a gentil mestra de classe, a srta. Bharucha, o que aconteceu na aula de educação física, ela empalidece.

— Este é um recado para a sua mãe — diz ela, me entregando o bilhete. — Peça que ela venha me ver amanhã.

Mamãe chega à escola no dia seguinte, ansiosa para se desculpar por minhas mentiras e meus engodos e pronta para ficar do lado das professoras. Para meu espanto, porém, a srta. Bharucha mal menciona o incidente. Em vez disso, é solidária e solícita e faz uma sugestão: que eu deixe meu tênis de ginástica no armário da sala de aula após a aula de educação física. Assim, não terei que me preocupar em pô-los na mochila. Começo a respirar melhor, mas, justo quando mamãe está se preparando para ir embora, a srta. Bharucha pronuncia a temida palavra.

— Sua filha é muito sensível — diz ela num tom solene. — Terá que aprender a ser um pouquinho mais durona.

Quero enterrar a cabeça no chão de tanta vergonha. Há anos acredito que ser sensível é um defeito, mais uma marca negra, como as outras que me perseguem desde o início da vida escolar: ela conversa e não para quieta nas aulas; não faz jus ao potencial que tem;

comete erros de desatenção; devaneia. A estas, minha mãe acrescenta suas próprias queixas: lê romances demais; esquece as coisas e vive nas nuvens; come mal; não toma seu copo de leite.

A maioria desses rótulos posso descartar. Mas ser sensível me condena, me marca como um alvo fácil para meninas ousadas e imprudentes como Olga D'Mello. Mas seria querer demais esperar que um adulto consiga entender isso.

❁

ELES ESTÃO POR TODO LADO e me assombram. Estão na rua, aparecem silenciosamente como sombras quando paramos no sinal de trânsito, nos observam com olhar faminto quando comemos *pani puri* na praia de Chowpatty. Pior ainda: infiltram-se em meus sonhos à noite.

Ainda assim, os sonhos não são desagradáveis. Quase sempre o sonho é o mesmo, variando ligeiramente no tema: troveja e chove forte lá fora e eu os levo para dentro, enchendo os ônibus escolares com os despossuídos, os sem-teto e os pobres da cidade e transportando-os até o porão da minha escola. O que chamamos de porão na verdade é um cômodo grande e arejado, situado no andar térreo e que dá para o playground. Durante o intervalo matutino, compramos *battatawadas* e Coca-Cola na minúscula lanchonete que fica num dos cantos desse cômodo. Do outro lado ficam os longos bancos de madeira onde nos sentamos para almoçar todos os dias.

No sonho, porém, o aposento está vazio, ou melhor, não tem móveis, mas se encontra repleto até mais não poder da humanidade indesejada de Bombaim. Homens barbados de cabelo embaraçado, crianças esqueléticas de rosto sujo, mulheres magras de dar dó com seus olhos enormes, todos se apinham ali, alguns acocorados, outros de pé e outros deitados em cobertores marrons quase transparentes, embora quentinhos. A chuva, empurrada pelo vento, entra no salão, molhando os que se amontoaram nos cantos, fazendo-os abrir caminho para chegar ao centro, onde não faz tanto frio. Os que estão próximos tentam ajudar com boa vontade, por isso ninguém pragueja nem empurra, nem mesmo quando chega o caminhão de comida com leite e sanduíches. Pelo contrário, há um constante murmúrio de ansiosa empolgação, e o lugar apertado parece acolhedor, não sufocante. Do lado de fora, chove e troveja; aqui a sensação é cálida, aconchegante, como a de sentar diante de uma lareira numa noite fria de inverno, embora o calor nesse cômodo seja gerado pelos corpos dos ocupantes e não por um fogo de origem externa.

Na outra variante do sonho, nosso abrigo é um navio e não o porão da escola. A realidade sólida do porão dá lugar ao balanço do navio sobre as ondas turbulentas. Mas no sonho ninguém fica enjoado, ninguém precisa se debruçar no parapeito para se livrar do jantar. Pelo contrário: todos comem bem, ignorando as ondas que embrulham o estômago e o vento cortante, confortáveis na segurança de estarem em grande quantidade. Estamos todos juntos nisso. Cada centímetro de espaço no navio se encontra ocupado, os corpos amontoados como sardinha em lata, mas ninguém parece se importar com essa proximidade. Mais uma vez o palpitar da humanidade, mais uma vez umidade e frio lá fora e cá dentro o calor potente do contato humano.

Invariavelmente acordo desses sonhos com uma curiosa sensação de euforia porque acredito ter encontrado a solução do problema mais incurável da Índia — a pobreza. Todos os meus livros de educação cívica começam com a frase: "A Índia é um país rico com habitantes pobres." Ora, não precisa mais ser assim. Basta juntar toda noite em algum lugar a população de rua e alimentá-la com leite, sanduíches de frango e Coca-Cola. Não entendo por que os adultos não fazem senão balançar a cabeça com desânimo e declarar que sempre haverá os pobres.

Tentei certa vez contar à srta. Carlson o meu sonho, tentei descrever o jeito como adormeço no aconchego do calor dessas imagens e como me sinto feliz ao acordar. Suponho que a minha esperança seja a de que ela me ajude a escrever uma carta à primeira-ministra ou algo do gênero, mas a srta. Carlson apenas me escuta durante alguns minutos e depois me beija a testa dizendo que sou uma boa menina e que é uma pena eu não ter nascido católica. Depois, como sempre, eu lhe dou dez *paisa* do dinheiro da minha merenda e ela me vende um santinho. Nesse dia, porém, recuso o santinho:

— Não, srta. Carlson, não é preciso. Fique com o santinho hoje. Pode vender para outra aluna.

Os olhos azuis dela ficam embaçados. O rosto rosado, enrugado como uma folha de papel amassada, enrubesce.

— Que boa filha de Deus você é, meu bem — diz ela. — Não se compara àquelas pagãs, àquelas pragas do Egito. Talvez queira entrar para o convento um dia.

Embora não seja uma freira de verdade, a srta. Carlson mora com as freiras no convento por motivos que desconheço. Percebo que ela acaba de me fazer o maior elogio, e suas palavras fazem eu me sentir culpada. Não recusei o santinho por uma questão de piedade ou caridade, mas porque minha mãe me fez prometer não levar para casa mais nenhum retrato de santo. Como dou à srta. Carlson dez *paisa* todos os dias em troca de um santinho, a coleção está se tornando inadministrável. E mamãe é supersticiosa demais para jogar fora qualquer dos santinhos depois que os dou a ela.

— Umas sanguessugas, essas freiras. Até a sua querida srta. Carlson, mesmo não sendo uma freira de verdade — resmunga minha mãe. — Aceitar dinheiro da merenda de uma criança! Como se o que cobram de mensalidade não bastasse. Tudo bem, *baba*, você pode continuar a lhe dar o dinheiro, mas pelo menos não aceite mais santinhos. Diga a ela para vender para outra *bakra* incauta. Vai ser mais lucrativo para elas, assim.

Se nem a srta. Carlson entende o meu sonho, não adianta tentar conversar com nenhum outro adulto. Com seu cabelo branquinho, que ela usa num corte pajem de menino, seu corpo baixo, magrinho como o de um duende, e seu coração doce e bondoso, a srta. Carlson é um misto de santo e criança inocente. Se ela não entende, ninguém há de entender.

Além disso, ainda me encolho ao recordar o episódio de alguns meses atrás.

Roshan saiu da escola numa sexta-feira com seis amigas e parou na Dipeta, a padaria aberta pela minha família alguns anos atrás. Mehroo deu às meninas hambúrgueres de frango, bolo de chocolate e Coca-Cola. Elas foram embora de barriga cheia e bem-humoradas. Eu me comportei admiravelmente enquanto as meninas mais velhas estavam presentes, mas, assim que viraram as costas, comecei a choramingar.

— É a minha vez — exigi, puxando a mão de Mehroo. — Quando vou poder trazer as minhas amigas?

Mehroo estava distraída, atendendo um freguês.

— Na semana que vem — respondeu ela, embrulhando alguns pães. — Se quiser, podemos fazer uma festinha para algumas amigas suas na Dipeta sexta-feira que vem. Mas não convide mais que três ou quatro, certo?

Eu prefiro convidar minhas colegas de escola para ir à Dipeta a para ir à minha casa para uma das nossas festas. No meu aniversário havia festas intoleráveis, para as quais as meninas bobas, bem-comportadas e de fala macia da vizinhança eram convidadas. Me obrigavam a cortar o meu bolo especial com uma faca decorada com um laço de cetim cor-de-rosa. Depois vinha o momento de agonia, quando os adultos pediam às meninas de voz bonita para entoar uma canção. As meninas riam, guinchavam e se empurravam, corando envergonhadas. Por serem tímidas, era preciso insistir com elas para cantar. Eu não me juntava ao coro que lhes pedia para cantar. Sabia que, invariavelmente, as garotas exibiriam suas vozes agudas, afetadas, e que invariavelmente escolheriam uma música idiota, como "Strangers in the Night". Essas meninas eram boazinhas e eu não queria nada com elas. Nada tinham a ver comigo.

Passei a maior parte da semana seguinte tentando decidir quem convidar, mas a ideia de ter que deixar de fora alguma amiga me deprimia ao extremo. Além disso, uma outra coisa me incomodava. A sexta-feira chegou sem que eu tivesse convidado uma única colega. Em vez disso, me aproximei dos meninos de rua que sempre rondavam a loja.

— Estão vendo essa confeitaria? Meu pai é o dono — expliquei às crianças de cara suja da minha idade. — Chamem seus amigos e apareçam daqui a uns dez minutos. Vai haver um monte de coisa para comer e beber.

Todos me olharam boquiabertos durante alguns segundos e depois saíram correndo, aos berros.

Em minutos estavam de volta. Mehroo e meu pai, que parara na loja na volta da fábrica, ergueram os olhos e se depararam com um grupo de 12 crianças paradas do lado de fora, algumas rindo de empolgação, outras se cutucando e se empurrando, algumas pulando num pé só.

— Que diabo é isto? — perguntou papai, saindo da loja para dispersar o bando.

As crianças estavam prontas para voar como pombos se papai desse mais um passo em sua direção.

Me pus na frente do meu pai e lhe bloqueei a passagem.

— São meus amigos — informei rapidamente. — Mehroo disse que eu podia convidar meus amigos para uma festinha hoje. Roshan teve a vez dela na semana passada. Em vez das minhas colegas de escola, decidi convidar meus amigos da Dipeta. Agora vocês terão que dar a eles o que comer.

Mehroo começou a dizer algo para comprovar sua inocência, mas eu estava olhando para o meu pai. Observei várias expressões atravessarem seu rosto: aborrecimento, surpresa, confusão e, finalmente, uma resignação zonza.

— Tudo bem, Thrituma. Você venceu. Mas só desta vez, viu? Não podemos fazer isso a toda hora.

Voltei para o lugar onde as crianças aguardavam pacientemente.

— Entrem, entrem — disse eu, mas elas hesitavam, esperando que papai lhes desse permissão. Meu pai me puxou de lado:

— Não podemos deixar que entrem todas na loja, entende? — sussurrou. — Os pés e as mãos delas estão muito sujos. Vão espantar os fregueses. Diga para virem até a porta e esperar ali. E não posso lhes dar garrafas de Coca-Cola. Terão que se contentar com picolés.

— Está bem, papai — concordei, sem querer abusar da sorte.

O grupo se reuniu na pequena entradinha que leva à loja. Mehroo pegou os pratos de papel vermelho e branco com o nome Dipeta escrito neles e encheu cada um com bolinhos e hambúrgueres de frango. Cortou alguns *daar-ni-puris* em pedaços iguais e dispôs os pedaços nos pratos. Enquanto isso, diante do freezer, papai pegava os picolés.

— Que sabor, que sabor? — perguntava eu ao grupo, mas a maioria das crianças era tímida e acanhada demais para responder. Um dos meninos mais corajosos lá no fundo do grupo finalmente gritou "laranja", mas o restante continuou a me fitar com seus olhos enormes.

Mehroo começou a distribuir os pratos, e as crianças os recebiam, excitadas. De posse dos pratos, porém, demonstravam incerteza quanto ao que fazer. Ficaram ali de pé, em silêncio, aguardando algum comando ou sinal. Peguei um dos pratos das mãos de Mehroo e mordi um hambúrguer.

— Comam — ordenei, e eles comeram, sem tirar os olhos do meu rosto enquanto mastigavam suas guloseimas, observando uns aos outros.

Passados vários meses do incidente, os adultos ainda falam dele, repetindo-o sempre que desejam impressionar um amigo da família. Põem ambas as mãos nos meus ombros e se gabam do quanto sou solidária e sensível. Mas cada vez que a história é contada me encolho, pois um gesto espontâneo e impensado é transformado em algo diverso. Parte do motivo que me levou a procurar os meninos de rua foi porque me seduziam seus jogos e brincadeiras e eu queria ser incluída neles. Foi por necessidade minha que me senti atraída pelos meninos de rua, mas, quando a história é contada, eles passam a ser os necessitados. Ao mesmo tempo, Roshan me lança um olhar estranho quando ouve a história, porque percebe aí uma crítica implícita: enquanto ela convidou as colegas de escola, Thrity procurou os pobres, os marginalizados. Será que os adultos não veem que, sem querer, estão nos jogando uma contra a outra? Fico pasma com a insensibilidade deles.

E não quero mais saber de seus elogios. Por isso não compartilho com eles a minha solução para o problema da pobreza. Sinto que estou sentada sobre um importante segredo de Estado, mas não há nada a fazer. Talvez um dia eu tenha a oportunidade de discutir meus planos com a primeira-ministra em pessoa. A Índia, então, deixará de ser pobre.

CAPÍTULO 5

DURANTE ANOS, A MOÇA DO OVOMALTINE foi a minha mãe de verdade. Ninguém sabe disso.

A moça do Ovomaltine tem cabelo comprido, liso e preto e um rosto redondo com covinhas. Seus dois filhos, um menino e uma menina, não se parecem em nada comigo. São crianças radiantes, felizes e alegres como dois cachorrinhos. Toda tarde, chegam da escola, largam as mochilas e vão à cozinha, onde a mãe as aguarda com duas xícaras fumegantes de Ovomaltine. Imagino que esteja escuro e chovendo lá fora, que já começa a trovejar quando os dois se sentam na cadeira da cozinha, um lugar seguro e quentinho, e compartilham as histórias fascinantes do dia com a mãe bonita e de fala serena.

O que mais gosto, porém, na moça do Ovomaltine são as mãos. Quando ela põe a tampa de metal na lata grande e marrom de Ovomaltine, a câmera fecha um *close* naqueles dedos longos, finos e bem-cuidados. É difícil descrever a melancolia e a carência que sinto no escurinho do cinema quando contemplo essas mãos graciosas. Para mim elas significam maternidade. Imagino que sejam capazes de suavizar todas as minhas asperezas, irregularidades, que possam apagar a dureza da minha vida e transformá-la em algo saudável e sem farpas. Essas mãos podem me salvar, podem me afastar da beira do precipício no qual estou prestes a cair — do mundo de sombras, desespero e falta de raízes no qual estou prestes a entrar. Imagino que essas mãos tenham poderes curativos, a capacidade de consolar, acalentar, restaurar e reconstruir. Não sei ao certo o que desmoronou em mim, o que precisa de reconstrução, mas anseio, ainda assim, pelo resgate.

Só que a moça do Ovomaltine continua na tela. Tem seus próprios filhos de celuloide e não vem me salvar. Assim como eles, eu também tomo leite — às vezes com Ovomaltine, às vezes com Horlicks, às vezes com xarope de framboesa, mas, ao contrário deles, não estalo os lábios depois de engolir a última gota. Ao contrário deles, sou alérgica a leite, mas parece que ninguém nunca notou isso. Minha mãe considera uma ofensa pessoal a seus dotes maternais o fato de eu não gostar de leite. Ela me impinge o líquido com uma espécie de fervor religioso. Mas me recuso a aceitar essa conversão forçada. Sempre que posso, jogo fora o leite na pia da cozinha. Certa vez Mehroo me pegou em flagrante. Com lágrimas nos olhos, ela me disse:

— A rua está cheia de crianças famintas e você desperdiça seu leite precioso. Devia ter vergonha!

Já ouvi esse discurso muitas vezes, mas sua lógica me escapa. Acho que essa é mais uma razão para não tomar o leite, de modo que todos esses bebês famintos possam ficar com o meu quinhão. Durante vários meses, refleti sobre tal paradoxo, convencida de que só a minha tenra idade me impede de solucionar o enigma.

Minha mãe também insiste para que eu engula um ovo cru toda manhã, seguindo fielmente o conselho do médico da família, um alcoólatra que me tratou de um problema sério de pulmão aos seis anos de idade. Nenhum adulto me diz o que tenho no pulmão (anos mais tarde, quando pergunto a um deles se tive tuberculose, eu o vejo remexer-se constrangido e bater na madeira para não dar azar, mas não extraio qualquer resposta direta. "Não exatamente" é o mais próximo a que jamais chegarei de um esclarecimento).

Encaro a gema amarela nadando em seu mar transparente e imagino um olho seguindo todos os meus movimentos. O olho me observa enquanto eu o observo. O olho me observa enquanto faço uma careta. Agora, o olho observa enquanto eu inclino a caneca de aço inoxidável e a levo à boca. Glub. O olho agora flutua no espaço dentro de mim. Às vezes, quando engulo, sinto o ovo como uma dor surda nas minhas costas à medida que desce. Se me queixo com minha mãe, ela diz:

— Viu? Isso é sinal de fraqueza. Você precisa comer mais.

Sei que comida é o sinal taquigráfico de mamãe para amor. Sei que se trata de uma das poucas formas que ela conhece para expressar o que sente por mim. Pelas histórias da minha avó a respeito dos tempos difíceis que se seguiram à morte súbita e prematura do marido, deduzi que minha mãe e os irmãos cresceram na pobreza. Descobri que, quando os contracheques regulares pararam de chegar, a família passou a viver da pensão minguada do meu avô e da caridade de outros parses. Conheço o valor que a família da minha mãe atribui à comida e à possibilidade de dar de comer. Certa vez flagrei a irmã dela lambendo um invólucro de manteiga e fiquei pasma, envergonhada. Na minha casa, Mehroo não nos permite sequer lamber os dedos após uma boa refeição. Também sei que, comparada à minha família, de hábitos alimentares espartanos, a família da minha mãe é composta de entusiastas consumidores de carne e de peixe.

No entanto, por mais que eu me esforce, essa ênfase na comida me repugna. Existe alguma coisa constrangedoramente animal e selvagem no desejo da minha mãe de me alimentar. Acho que, se pudesse mastigar a minha comida por mim, ela o faria com satisfação. Mamãe me lembra uma leoa, sobretudo quando rouba pedaços de carneiro e de galinha dos pratos que Mehroo prepara antes de sair para o trabalho e me obriga a comê-los. Às vezes, precisa abrir à força a minha boca porque odeio o gosto de pedaços de carne. Mastigo, mastigo, até a carne ficar ressecada e borrachuda, e depois, vez por outra, engasgo e cuspo. Sua raiva se volta contra mim nessas ocasiões, e seus olhos se enchem de fúria e impotência. Acho que ela então percebe o quanto somos diferentes e me odeia por eu estar me distanciando dela. Não ligo. Eu a odeio nessas horas, odeio e morro de medo da fúria que a leva a enfiar comida em minha boca, odeio a humilhação e a impotência de ter que mastigar e engolir uma comida que me causa repulsa.

E tem mais: estou plenamente consciente de que se trata de comida roubada, sinto vergonha dos movimentos furtivos de mamãe quando ela corre até a cozinha, pesca os pedaços de carneiro de dentro do *daal*, o prato com lentilhas, ou do molho branco preparados por Mehroo e os enfia com pressa em minha boca. Os negócios do meu pai não vão bem, eu sei, e comer carne é um luxo. Além disso, o que está na panela terá que alimentar a família toda e conheço de sobra as consequências: ao chegar em casa à noitinha, pronta para aquecer o jantar, Mehroo perceberá na hora que faltam alguns pedaços. Acusará a cunhada, que vai jurar pela sua mãe mortinha que nada sabe e nada viu. Talvez até mesmo tenha um acesso de choro e acuse Mehroo de fazê-la, propositalmente, usar o nome da mãe em vão. E o segredo ficará atravessado na minha garganta, exatamente como aconteceu com o pedaço de carne mais cedo. A educação recebida no colégio católico — com as freiras repetindo diariamente que mentir é pecado — baterá de frente com as rígidas instruções de mamãe sobre jamais contar aos outros onde foram parar os pedaços de carne. Como sempre, ficarei dividida entre o que aprendo todo dia na aula de ciências morais e o que preciso fazer em casa para manter a paz. Nunca me ocorre contrariar minha mãe e falar a verdade, e o meu papel nesse drama faz com que eu me sinta cúmplice, comprometida e culpada.

Com efeito, a comida complica todo e qualquer aspecto da minha vida. Às vezes, se mamãe ainda não se levantou quando me visto para ir à escola, consigo escapar porta afora sem tomar o meu leite antes que algum adulto me pegue. Meu caminho para a liberdade, porém, é curto e termina dois lances de escada depois, no saguão do prédio. Rezo desesperadamente para que o velho e vacilante ônibus escolar chegue logo quando escuto os passos de mamãe descendo a escada. Meu estômago se embrulha. Lá está ela, de camisola comprida, com um copo de leite na mão, protegido contra a poeira e as moscas com um pedaço de papelão ou de uma página de jornal.

Abro a boca para protestar, mas então vejo abrir-se a porta do apartamento do térreo e a senhora idosa, de cabelo branco, que nele mora sair para o saguão.

— Tome seu leite, *deekra* — diz ela num tom gentil. — Muitas crianças não têm a sorte de serem tão amadas pela mãe.

Bebo o leite, rezando para que o ônibus escolar não chegue antes que eu termine. Imediatamente, sinto a conhecida sensação de empanzinamento. Juro a mim mesma que, quando crescer e for morar sozinha, nunca mais tomarei leite.

SÃO ONZE HORAS DA NOITE, mas o sono não vem. A febre circula como lava em meu organismo fraco, provocando tremores-relâmpagos no corpo todo. Estou meio delirante de febre, mas ainda assim dá para sentir a ansiedade que percorre este quarto como uma sombra comprida. A toda hora, Mehroo enfia a cabeça pela fresta da porta do quarto dos meus pais, e percebo mamãe, preocupada, balançar a cabeça em resposta à pergunta não formulada de Mehroo: "A febre baixou?" Babu entra no quarto e fica de pé, calado, olhando para mim, as mãos cruzadas nas costas, encostado ao guarda-roupa de madeira. Quero abrir a boca e assegurar a todos que estou bem, mas minha boca está seca e quente e tenho medo de que a tentativa de falar detone um acesso de tosse. Ao mesmo tempo, apesar das ondas de delírio, uma parte de mim aprecia essa atenção toda.

— Vão dormir — diz, finalmente, minha mãe aos outros. — Eu fico com ela. Acordo vocês se houver necessidade.

Cada um dos adultos extrai de mamãe a promessa de que será o primeiro a ser acordado, imediatamente, caso surja qualquer problema. Como sempre, todos se inclinam para beijar a minha testa escaldante, ou melhor, o meu cabelo, porque a testa está coberta com um pano umedecido numa mistura de água e colônia. Quanto mais alta a febre, menor a proporção de água e maior a de colônia, que mamãe derrama generosamente numa tigela de alumínio amassada, especialmente destinada a essa finalidade.

— Durma bem, Thrituma — sussurra Mehroo. — Tente dormir, como uma menina boazinha.

Papai me beija por último. Seus olhos estão injetados devido ao sono inquieto. Uma hora atrás, cansado do longo dia de trabalho na fábrica e exaurido pela sonolência que não consegue combater, ele tentou adormecer no lado que lhe cabe na cama, mas o barulho do entra e sai dos adultos na ponta dos pés o despertou. Além disso, sempre que tenho febre alta, surge esse rancor não verbalizado entre ele e mamãe. Ela o quer a seu lado na vigília, mas, quando ele tenta, ela se ressente da intrusão. Então ele desiste, frustrado, mas ela interpreta equivocadamente tal frustração como indiferença. Sei de tudo isso porque cada um me conta sua "versão" da história quando me recupero de cada surto de enfermidade. Contar a própria versão de uma história é muito importante para as pessoas na minha família. Quase sempre, tento garantir a ambos que me sinto muito bem-cuidada quando estou doente e nunca me dei o trabalho de saber quem se dedicou mais ou quem fez que parte. Isso tranquiliza meu pai, mas ofende mamãe, pois ela conclui, sempre, que o fato de eu não reconhecer que ela se dedicou mais equivale a assumir a defesa do meu pai e ir contra ela.

Tudo isso, porém, só acontecerá alguns dias depois, quando eu ficar boa. No momento, aprecio a maciez do pano frio contra a minha testa, flutuo na glória dos afagos de mamãe no meu cabelo. A febre é tão alta que sinto dor até no cabelo, e os afagos ritmados são curiosamente confortadores. Essas são as únicas ocasiões em que minha mãe me toca com afeto, quando estou doente, e aproveito essa demonstração de ternura. Meu coração se desmancha com tanto amor e gratidão. Quase vale a pena ficar tão doente só para ver esse outro lado de mamãe — gentil, generoso, meigo — emergir da concha dura e quebradiça em que geralmente se encontra fechado, seu amor por mim escorrendo como clara de ovo. Minha mãe me ama, ela me ama, e desta vez não descubro isso porque o padeiro ou os vizinhos me dizem, desta vez ela telegrafa essa informação diretamente, através da carícia suave que seus dedos finos e experientes fazem no meu cabelo. É a moça do Ovomaltine que se tornou real.

Sei que todo esse cuidado resulta do medo, do medo que ela tem de me perder. Independentemente da frequência com que fico doente, minha mãe continua assombrada pela lembrança do problema de pulmão que tive aos seis anos, quando precisei tomar injeção a cada dois dias durante um ano inteiro.

Minhas lembranças daquele ano são desagradáveis — pegar o ônibus apinhado até o posto médico depois de passar o dia todo na escola; fazer o dever de casa na feia sala de espera lotada de gente de cara triste; ficar de pé seminua atrás de uma enorme máquina fria numa sala em total escuridão enquanto o médico examinava meus pulmões; o cheiro forte, acre, do fogão a querosene onde a assistente do médico fervia a seringa e a agulha; a picada aguda na minha coxa magrinha e descarnada; os pesadelos recorrentes de que minha roupa de baixo branquinha ficou empapada de sangue devido a um erro na hora de dar a injeção.

Quase sempre minha mãe me levava a um restaurante iraniano vizinho para me compensar pela visita ao médico. Nele trabalhava um garçom que eu adorava e que, sendo um muçulmano tímido da classe operária, ficava tão encantado de ver uma criança de seis anos de classe média chamá-lo de amigo que invariavelmente me trazia um bônus — um pãozinho com geleia, um bolo *mava*, feito de doce de leite — junto com o nosso pedido. Em geral eu tomava uma Fanta ou uma Mangola e mordiscava uma porção de batatas fritas lambuzadas em ketchup de abóbora. Dependendo da situação financeira, minha mãe às vezes pedia algo para ela beber. Na maioria das vezes, porém, apenas me observava comer, me apressando para que pudéssemos dar início à maratona de voltar para casa de ônibus.

Apesar de tudo, até esse prazer bobo — que eu sabia ser o jeito de demonstrar amor da minha mãe, sua maneira de me dizer o quanto se sentia mal por ter que me submeter à tortura da consulta — vinha com uma etiqueta de preço. Era do conhecimento de todos que minha mãe exigia do meu pai uma mesada fosse qual fosse o estado das finanças dele. O orçamento era apertado na minha casa, mas ela gritava e brigava com papai para obter o dinheiro, que dizia ser para as despesas básicas. Por esse motivo, mamãe considerava necessário manter as nossas idas ao restaurante escondidas do restante da família, principalmente de Mehroo, que, me dizia ela, tacharia essa despesa de supérflua. Para mim era difícil acreditar que Mehroo fosse me negar um lanchinho num restaurante, mas me faltava disposição para discutir com mamãe. Por isso eu prometia não contar sobre essas saídas, mas, de alguma forma, a secretividade empanava o prazer da coisa toda.

O legado desse ano continua vivo. Fiz minha mãe me ver como uma criança frágil e doente e correspondi a essa expectativa adoecendo regularmente desde então. Como agora.

Sei que, no minuto em que eu melhorar — no dia em que a febre não disparar com o pôr do sol, como em geral acontece, tão logo eu passe uma noite inteira sem tossir —, essa ternura e esse afeto explícito sumirão também, serão arrancados de mim como um braço retrátil. Na verdade, este é o sinal que me assegura que fiquei boa mesmo, ouvir da minha mãe a primeira palavra áspera dirigida a mim. Normalmente acontece assim: seu alívio pela minha recuperação se expressa na bronca que levo por ter adoecido (porque não engoli meu ovo diário/ porque andei devagar na chuva sem capa/ porque não comi direito/ porque comi uma laranja ou chupei um limão, contrariando os conselhos do médico/ porque não tenho vigor algum). Sabendo que as coisas se normalizaram, pioro mais a situação ao pedir para voltar para a minha cama, no quarto de Mehroo. Minha mãe me chama de ingrata — *matlabi* —, de cobra, me recorda que passou quatro noites sem dormir cuidando da minha febre e sugere que com meu pai e Mehroo só é possível contar quando tudo vai bem, enquanto a ela cabe sacrificar o sono e tudo o mais por minha causa.

— Todo mundo aqui sabe quanto tempo ele passa em casa quando você está doente — diz ela. — Se estava tão preocupado, pergunte a ele por que só chegou às nove da noite anteontem.

Meu pai entreouve a conversa e se vê obrigado a argumentar que, em primeiro lugar, ela fez apenas o que toda mãe faz pelos filhos desde que o mundo é mundo e que, em segundo lugar, ele estava numa reunião de negócios e alguém precisa trabalhar para sustentar a casa. Minha mãe espera meu pai sair esbaforido do quarto depois desse discurso e, então, olha para mim:

— A culpa é toda sua — afirma num tom amargo. — Você sempre se intromete entre nós dois.

PASSADOS DOIS DIAS da minha recuperação, Babu volta da fábrica com um presente para mim e Roshan. É um filhotinho de coelho.

Alguns meses atrás, um dos fornecedores de madeira deu a Babu duas coelhas, uma preta e uma branca. Meu tio, com seu coração mole, se apaixonou à primeira vista pelas criaturinhas. Iria criá-las na fábrica, decidiu. No dia seguinte, papai levou a família toda de carro para conhecê-las. Tendo crescido em Bombaim, eu jamais vira um coelho de verdade. Na fábrica, o assistente, que por algum motivo misterioso não gosta de animais, declarou que Roshan e eu não devíamos chegar muito perto dos coelhos porque não é novidade que, se um coelho soprar em seu olho, você fica cego. Nós o ignoramos. Babu pôs um braço ao redor de cada uma de nós e nos disse que cada uma podia batizar e escolher uma delas para adotar. Todo mundo se encantou com a branca, o que me levou imediatamente a querer adotar a preta. No final, fui eu que escolhi os nomes altamente criativos de ambas: Pretinha e Branquinha.

Apaixonei-me perdidamente pelos meus novos bichinhos de estimação.

— Feliz? — perguntou Babu, e fiz que sim, enfaticamente, com a cabeça.

As coelhas eram os meus primeiros bichinhos, e fui para a escola no dia seguinte cheia de histórias sobre Pretinha e Branquinha: que comiam alface na minha mão e dormiam numa gaiola de madeira feita pelo meu pai. Até Mehnaz, que o irmão costuma apanhar de jipe na escola com o macaco de estimação empoleirado no ombro, ficou calada e me lançou um olhar devidamente invejoso.

Babu também criou um vínculo imediato com os animais. Até o assistente se maravilhou quando, pouco tempo depois, as coelhinhas já reconheciam os passos do dono e corriam para a porta quando Babu chegava à fábrica todo dia de manhã.

— Bom dia, meus amores — dizia ele, e ia buscar alface para alimentá-las.

— Puxa, Pesi, ao menos vá primeiro ao escritório — dizia sorrindo papai, mas Babu simplesmente olhava de cara feia para o irmão caçula e explicava que as pobrezinhas haviam passado a noite toda esperando por ele para lhes dar de comer.

Então, veio a surpresa. O fornecedor mentira para Babu. Pretinha, afinal, era macho, e, um dia, tão repentinamente quanto uma chuva de meteoros, tivemos uma ninhada de coelhinhos.

— *Saala* mentiroso — gritou Babu na cara do fornecedor, mas o homem apenas sorriu e deu de ombros, afinal, "com coelhos, nunca se sabe". Mas os filhotinhos eram fofos demais para Babu continuar zangado. Ele resolveu criá-los até terem idade bastante para serem dados. Chegou mesmo a obrigar o fornecedor a adotar um deles.

— Afinal, você é o maldito avô, o chefe da família.

E o homem concordou.

Eu estava em êxtase. Ia à fábrica sempre que podia e, se me ocorreu a ideia de que, mais cedo ou mais tarde, os filhotinhos ganhariam o mundo, não pensei muito no assunto. Já me bastava fazer festinha e brincar com as minúsculas criaturas enquanto o pai e a mãe vigiavam de perto, de olho na situação.

Em meio à empolgação, nenhum de nós se lembrou dos gatos vira-latas que rondavam o mercado de madeira. Um dia, porém, quando meu tio chegou para trabalhar, o assistente, abatido, estava à espera de Babu na porta da fábrica, dizendo que tinha más notícias. Um gato matara vários filhotes. Babu soltou um grito de dor e indignação. Quando Pretinho e Branquinha saíram para saudá-lo naquele dia, meu tio achou que ambos caminhavam mais lenta e pesadamente que de hábito e que Branquinha parecia estar de coração partido. Babu não conseguiu fitá-la nos olhos.

Alguns dias mais tarde, apesar dos cuidados por parte de todos, o gato voltou a atacar. Com efeito, apenas o menorzinho da ninhada foi poupado. O coelhinho filhote era quase todo branco, com uma grande mancha preta nas costas. Para Babu, essa mancha era um sinal de que o coelho sobrevivente estava fadado a levar adiante a linhagem familiar. Ele trazia a marca do pai e da mãe, e a tarefa de Babu era providenciar para que sobrevivesse. Por isso, meu tio o levou para casa naquela noite e nos deu — a Roshan e a mim — o bichinho de presente, contando que o gato havia atacado novamente e matado todos os irmãos e irmãs do pequenino e que cabia a nós cuidar com todo carinho dele.

Colocamos o coelho na mesa de jantar e fazemos um círculo à sua volta. Mamãe tem a brilhante ideia de contar a novidade aos vizinhos, e logo a campainha começa a tocar, um bando de gente cercando o coelho a fim de paparicá-lo e afagar-lhe a cabecinha. Estou explodindo de orgulho e felicidade. Mal posso esperar para chegar à escola no dia seguinte e contar às colegas que agora temos um bichinho de estimação *em casa*. Posso até mesmo pegá-lo no colo, mas, conhecendo a minha fama de estabanada, todos os adultos ficam tensos enquanto o seguro.

— Cuidado, cuidado — murmura Mehroo.

Mas sou tão cuidadosa quanto Nossa Senhora com o menino Jesus. Passados alguns minutos, Babu pega o coelhinho de volta e o põe na mesa.

— Ele deve estar cansado. Os coelhos precisam de muito sono — diz ele. — Vamos deixá-lo dormir.

— Mas ainda não demos um nome a ele — exclamo. Parece um absurdo deixar que um animal de estimação vá dormir sem antes ganhar um nome. Mas, quando Babu me pede para inventar algum, minha mente tem um bloqueio.

— Pretinho-Branquinho? — respondo, mas até aos meus ouvidos o nome soa tão mal que nem espero pela resposta dos adultos.

— Ora, vamos, o batizado pode esperar até amanhã de manhã — diz Mehroo. — Afinal, o pobrezinho vai passar a noite dormindo, então não precisa de um nome. Vamos deixá-lo em paz agora.

Botamos o coelho sem nome e sem irmãos numa caixinha de papelão que Freny acolchoou com trapos. Quase imediatamente ele pega no sono. Sinto algo se remexer no meu peito, uma sensação de tamanha ternura que chega a ser algo físico. Talvez eu o chame de Angel. Todos lhe damos boa-noite, um por um.

— Boa noite, Deus te abençoe. Seja bem-vindo ao nosso lar doce lar — diz Mehroo quando chega sua vez.

Acordo cedo no dia seguinte e a primeira coisa que me vem à cabeça é o coelho. Todo mundo ainda dorme, e o único barulho que se ouve na casa é o de roncos e respiração. Sigo direto para a caixa de papelão e espio lá dentro, esperando encontrar o coelho acordado.

Olho, mas tudo que vejo são as cobertas. Levanto as beiradas, mesmo me dando conta da impossibilidade de o coelho ter entrado debaixo delas. Minhas mãos se impacientam mais e mais enquanto tateio a caixa toda. O coelho não está lá dentro.

Vou ao quarto de Babu e o acordo. Ele me lança um olhar sonolento.

— O coelho — digo, ansiosa. — Ele não está na caixa.

Babu levanta da cama num salto.

— Você o perturbou durante a noite? — indaga meu tio num tom severo.

— Não, eu juro. Fui lá vê-lo faz dois minutos.

Babu também verifica a caixa. Nada de coelho.

A essa altura a casa toda acordou. Em todos os quartos as luzes são acesas, e todos esfregamos os olhos cheios de sono enquanto iniciamos a busca pelo coelho sumido.

— Vamos ver embaixo das camas — diz papai. — Ele deve estar escondido. Não devíamos ter deixado tanta gente vir vê-lo ontem à noite. O pobrezinho deve ter se assustado.

Como sou o membro mais jovem e mais ágil da família, me ofereço para me enfiar sob todas as camas e procurar. Freny me entrega uma lanterna para que eu enxergue melhor. Nada de coelho.

Estou na sala quando ouço Babu soltar um grito. Ele está na varanda, debruçado no parapeito, metade do corpo para fora. Acaba de ver algo branco e preto na rua, parecendo uma bola de papel amassado. Corro para a varanda, mas Babu me corta o caminho.

— Não — diz ele. — Não venha aqui. Fique... Fique onde está.

Eu congelo. Uma sensação de pavor me sobe das pernas e meu coração, de repente, parece feito de cimento, tão pesado está. Babu nem veste a camisa; desce as escadas e sai na rua vestido em seu *sadra* e em calças de pijama. Passam-se minutos. Papai vai até a varanda e, quando volta, lança um olhar rápido, de alerta, para Mehroo — sei muito bem que não me cabe notar esse olhar, mas eu noto. Todos se calam, e a atividade frenética dos últimos minutos cessa por completo enquanto aguardamos Babu.

Ouvimos seus passos pesados subindo a escada. Quando ele entra, seus olhos estão vermelhos e os ombros, caídos.

— É ele. Só Deus sabe como, mas ele saiu da caixa e foi até a varanda. Nunca me passou pela cabeça que...

Ele se interrompe e estremece, e todos vemos logo o que está pensando, no voo assustador da criaturinha e sua aterrissagem, com um baque, dois andares abaixo.

Quero uivar, vomitar, socar alguma coisa até minhas mãos sangrarem, me ferir de algum jeito. Ainda sinto a maciez do coelho em meus dedos. Talvez eu o tenha assustado botando-o no colo, talvez tenha intimidado tanto o bichinho que ele tentou fugir dos meus abraços atirando seu corpinho macio no vazio traiçoeiro. Talvez tenha sido a minha vaidade, o meu plano de me gabar dele na escola, a causa de tudo isso.

Como se lesse a minha mente, Freny diz:

— A culpa é minha. Eu devia ter pegado uma caixa mais funda. Se ele não conseguisse sair da caixa, nada disso teria acontecido.

— Não é culpa de ninguém — diz papai. — Aconteceu, só isso.

Mas dá para ver que ele não está convencido do que diz.

Babu sai da sala e vai tomar banho. Quando a mulher que recolhe o lixo toca a campainha, ele lhe dá uma gorjeta de cinco rúpias para retirar da calçada o corpo despedaçado do coelho.

— Com delicadeza, por favor — pede Babu. — Ele era o nosso bichinho de estimação. Trate-o com dignidade, sim?

A mulher assente, estranhando o fato de estar sendo paga por algo que faria de graça.

Papai e Babu saem para a fábrica sem tomar café da manhã. Não tenho essa sorte. Como sempre, sou obrigada a engolir meu ovo e meu copo de leite antes de descer para esperar o ônibus da escola. Resolvo não contar às minhas colegas o que houve. Não posso correr o risco de ouvir algo cruel ou alguma gracinha. Se Olga ou uma das outras tratarem do assunto como piada, não sei se vou conseguir me controlar. É melhor não dizer nada.

Quando Babu chega à fábrica, Pretinho e Branquinha não correm para recebê-lo. Pretinho se aproxima de Babu após um tempo, mas Branquinha não chega perto nem quando é chamada para comer sua alface. Quando Babu vai até onde ela está, Branquinha o encara brevemente e depois fecha os olhos. Babu fica arrasado.

— Ela sabe — sussurra para o meu pai, que descarta o comentário e manda Babu ter bom senso.

— Como ela iria saber? — argumenta. — Ela é uma *coelha*, faça--me o favor! E, de qualquer jeito, foi um acidente. Suas intenções eram as melhores possíveis.

Mas Babu está inconsolável. E o fato é irrefutável: esta é a primeira vez que Branquinha não veio recebê-lo à porta. A rejeição do bicho fere como faca, multiplicando por dez a culpa do meu tio.

À tarde, Babu já tomou uma decisão. Liga para Shantilal, um outro fornecedor de madeira, cujo filho de dez anos adora Pretinho e Branquinha, e fecha um acordo. Se Shantilal quiser, pode ficar com os coelhos. Sob duas condições apenas: terá que criá-los em casa, não no mercado, e precisará ir buscá-los imediatamente.

Fico boquiaberta quando Babu chega em casa e conta que deu os coelhos. "Mas Roshan e eu somos as donas", tenho vontade de gritar. "Pretinho e Branquinha eram nossos, não seus. Você devia ter nos consultado."

Mas são muitas as razões que me impedem de dizer essas palavras. Primeiro, tenho plena ciência do quanto Babu está sofrendo. Sei como se sente responsável pela morte do filhote de coelho e o quanto a rejeição de Branquinha o magoou. Sei que até mesmo o ato de dar os dois coelhos é, na verdade, uma demonstração de amor, embora para mim seja difícil desenrolar toda a teia de traição, sacrifício e culpa que dá origem a isso.

Em segundo lugar, sei que Branquinha e Pretinho nunca pertenceram de verdade a mim e a Roshan, que Babu estava sendo generoso quando permitiu que reivindicássemos a propriedade das duas criaturas que dependiam dele para sobreviver. Pela primeira vez, entendo vagamente o vínculo entre amor e responsabilidade. Somos responsáveis por aqueles que amamos, percebo, e, se abdicamos dessa responsabilidade, não podemos afirmar que amamos.

Por último, sei que o mundo ainda é dos adultos e embora, em sua generosidade e misericórdia, eles finjam compartilhá-lo conosco, no final das contas o mundo continua a ser deles. São eles que decidem quando estamos crescidos o suficiente para deixar de brincar de boneca, dar os brinquedos que, segundo eles, já passamos da idade de usar e quando está na hora de se livrarem de animais de estimação que acreditávamos serem nossos.

Por isso, me junto ao restante da família na tarefa de consolar Babu e de concordar que ele fez o melhor possível, dadas as circunstâncias, e que os coelhos terão uma vida melhor na casa de Shantilal do que na fábrica, onde haveria sempre a ameaça dos gatos vira-latas.

E me uno à família em nossa conspiração do silêncio. Jamais mencionamos Pretinho e Branquinha de novo, embora às vezes eu veja Babu de pé na varanda contemplando o local onde imagino que o filhote de coelho tenha caído. Na vez seguinte em que visito a fábrica, reparo que o viveiro foi desmontado. É como se Pretinho e Branquinha nunca tivessem existido.

CAPÍTULO 6

É UMA NOITE DE MAIO, e a animação em casa é febril. Corro pela casa como um carro de bombeiros, ciente de estar aborrecendo todo mundo, mas incapaz de ficar quieta. Parte da minha empolgação é puro teatro, com a finalidade de alegrar Mehroo, de legitimar sua própria espera ansiosa. Por outro lado, não é de esperar que qualquer filha se comporte assim quando o pai retorna de uma viagem de dois meses ao exterior? Não se comportavam assim os filhos do barão Von Trapp? Não irrompiam, felizes, na sala quando o pai voltava de uma viagem?

Por alguma razão, não vamos ao aeroporto pegar meu pai quando ele chega de uma estadia de dois meses no Japão, onde visitou a Expo 70. Caí no sono, exausta, e, quando a campainha finalmente toca, às três da manhã, nem por isso deixo de acordar e pular da cama antes que ela soe uma segunda vez. Assim, estou de pé à porta quando esta se abre para revelar um homem alto, magro, de expressão solene, vestido num terno marrom escuro e envergando uma gravata estreita. Quando, porém, seus olhos se fixam nos rostos sorridentes dos parentes — Babu em sua *sadra* e calças de pijama listradas, minha mãe e minhas tias usando os vestidos de algodão de andar em casa, minha prima Roshan de pijama sem mangas e eu de pijama de cetim —, seu rosto se ilumina. Durante um segundo, ele parece desorientado, sem saber quem beijar e abraçar primeiro, mas então nos jogamos todos em seus braços e o poupamos de tal escolha, somos um exército com várias cabeças, lábios prontos para beijar e braços preparados para abraçar.

— *Bhai*, minha gente, *kem che*? Como vão as coisas? — ele consegue, por fim, indagar ao irmão.

Estou acocorada no chão e puxo a perna da sua calça, esperando que ele se dê conta da minha presença, quando as luzes no apartamento vizinho se acendem e a porta é escancarada. Tia Perviz, a senhora idosa que mora ao lado, atravessa rapidinho o corredor e se posta à entrada do nosso apartamento.

— Ora, ora, Burjor — diz ela —, você ficou muitos meses ausente. Seja bem-vindo de volta à sua família e ao seu lar.

Papai, obrigado a se desvencilhar dos nossos braços, abraça rapidamente Perviz para agradecer a acolhida. Sinto os adultos à minha volta se retesarem ante tal intrusão em nossas hostes, ante a recepção abortada, ainda que racionalmente apreciem a delicadeza de Perviz de permanecer acordada até altas horas a fim de saudar meu pai na sua chegada.

Sou eu quem se beneficia da intrusão de Perviz, pois na onda de adultos se abre uma brecha e, finalmente, papai consegue me ver. Ele se ajoelha, e seus olhos cálidos e brilhantes me fitam no mesmo nível dos meus.

— Oi, Thrituma — me diz baixinho. — Senti tanta saudade de você.

De repente uma timidez terrível me invade, como se ele fosse um estranho para mim. Quando papai me abraça forte de encontro ao peito, percebo meu corpo endurecer e preciso lutar contra o impulso de me afastar. Mas, antes que ele ou algum dos adultos note, ouvimos o resfolegar dos homens que vêm subindo os dois lances de escada de madeira com as pesadas malas do viajante. Os homens são operários da fábrica, e Babu os chamou aqui precisamente para isso. A chegada das duas malas enormes provoca uma nova rodada de euforia. Liberto-me do abraço do meu pai e sigo a bagagem. Os dois operários puseram as malas nas costas, e Babu, apressado, lhes indica o caminho da sala de estar, onde ambos, gemendo devido ao esforço, parecem dispostos a largar as malas no chão imediatamente.

— *Saala*, idiotas — repreende Babu. — Vocês têm serragem na cabeça em lugar de miolos. O que acham que há nestas malas, barras de ouro, que não quebram? Ponham no chão com cuidado, com cuidado.

Os dois sorriem, fartos de conhecer os breves acessos de fúria do meu tio, como também o seu coração mole. Pesi mete a mão no bolso do pijama, de onde extrai duas notas de dinheiro, que enfia na mão de cada um.

— Muito bem, podem ir — diz ele. — Comprem um *mithai* amanhã para comemorar que meu irmão chegou são e salvo.

Os dois vão embora, agradecendo com um gesto e cumprimentando timidamente meu pai na saída.

— Está tudo bem na fábrica? — indaga ele à guisa de despedida, e fico desapontada por ser apenas isso o que lhe ocorre dizer aos funcionários.

Há um movimento na porta. Mehroo, percebendo que Perviz se prepara para entrar e se pôr à vontade no apartamento, raciocina rapidamente. Bocejando de maneira teatral, ela diz:

— *Chalo*, está ficando tarde. Podemos abrir as malas amanhã. Meu *bhai* está cansado. Acho melhor irmos todos dormir.

Meus dedos do pé se encolhem de vergonha diante do fingimento óbvio de Mehroo, mas, se repara, tia Perviz nada diz. Estica, por sua vez, os braços e também finge estar com sono.

— Boa ideia — concorda. — *Bas*, eu fiquei acordada apenas para ver o meu Burjor um minutinho. Agora posso dormir em paz sabendo que ele está bem e em casa.

Uma vez dentro de casa, meu tio cumpre o ritual noturno de fechar o trinco e a tranca da porta da frente. Os adultos dão a impressão de estarem dispostos a seguir a sugestão de Mehroo de deixar as malas intocadas até o dia seguinte. Eu, porém, me sinto roubada, pois pedi ao meu pai uma boneca japonesa que anda e fala e quero saber se ele se lembrou de trazer. Nenhuma das cartas que escreveu para casa mencionava a compra de uma boneca. Sei que jamais conseguirei pegar no sono se não tiver certeza de que a boneca veio.

Puxo a manga da sua camisa.

— Por favor, papai — insisto. — Quero abrir as malas agora mesmo. Por favor, não posso esperar até amanhã.

Quando ele me olha, seus olhos parecem cansados e cheios de sono, mas então ele balança a cabeça, como se para livrá-la das teias da sonolência, e sorri.

— Eu também não vou conseguir esperar até amanhã — diz ele, puxando do bolso do terno um molho de chaves. — Você abre a primeira mala.

Com cuidado e orgulho, como se carregasse a tocha olímpica, pego a chave e a enfio na pequenina fechadura da mala maior.

— Para a direita — recomenda Babu. — Gire a chave para a direita.

Abro a fechadura, torcendo para que esta seja a mala que traz a boneca.

De início, não a vejo porque as camisas do meu pai estão impecavelmente dobradas sobre a caixa. Há, também, montanhas de moedas de ouro do tamanho do punho de um homem espalhadas em cima da bagagem.

— Meu Deus — murmura papai —, elas devem ter caído.

Ele pega uma moeda e a estende para mim. Percebo, então, que se trata de chocolate embrulhado em papel dourado. A moeda de chocolate está macia e molenga.

— Derreteu — exclamo, e minha mãe se abaixa para recolhê-las, uma por uma, antes que o chocolate escorra na mala.

Mal posso conter a empolgação agora, pulando num pé e noutro. Como sempre, os adultos riem e, como sempre, eu faço mais palhaçadas para obter mais risadas. Tenho quase nove anos e já me cabe o papel de palhaça da família, a criança cômica que desanuvia a tensão. Eu me empolgo e começo a puxar as camisas bem-passadas do meu pai, jogando-as para fora da mala como se estivesse cavando um buraco na terra, até que Mehroo pousa a mão com firmeza em meu ombro e me obriga a parar.

— Comporte-se — diz ela com autoridade. — Aja como uma mocinha. Dois minutos a mais não lhe farão mal.

Mas fazem, sim. Os minutos parecem torturantemente inacabáveis, até que, por fim, chegamos ao fundo da mala e ali, numa enorme caixa cor-de-rosa e branca envolta em papel celofane transparente, está a minha boneca japonesa. Solto um grito. Ele lembrou.

Alguém retira com cuidado a caixa da mala e abre a tampa. Uma boneca grande, corada, com olhos permanentemente abertos é depositada em minhas mãos. Fico desapontada porque ela não está de quimono, mas o desapontamento some quando meu pai puxa um cordão redondo e branco na parte de trás do pescoço da boneca e dela brota um turbilhão de palavras em japonês, que papai traduz para mim. Puxo o cordão sozinha, mas a impaciência me leva a usar força demais; o cordão apenas ricocheteia e a boneca faz um barulho como se prestes a sufocar.

— Não, puxe devagar e solte com calma, assim — ensina meu pai.

Uma torrente de palavras torna a sair da boca da boneca. Fico extasiada.

Alguém abre a segunda mala, mas já perdi o interesse. Continuo a puxar o cordão, saboreando o som das palavras ininteligíveis. Alguns outros presentes são colocados ao meu lado, mas os contemplo com certa indiferença. Reparo nos metros de tecido que meu pai trouxe para todas as mulheres, ouço os gritinhos de prazer das agraciadas, mas nada disso me interessa. É quando uma espécie de quietude baixa na sala, seguida por uma breve exclamação da minha mãe e das minhas tias, e isso me chama a atenção. Sentado de pernas cruzadas no chão, meu pai puxa uma grande caixa azul de dentro da mala.

— Este é o maior tesouro, um tesouro que me enche de orgulho e de alegria — diz ele. — Um aparelho de chá completo da melhor das porcelanas, casca de ovo.

Ele lança um rápido olhar para mamãe e minhas tias e prossegue:

— Infelizmente não é aqui para casa, mas um presente para Thakoor, um agrado profissional. Ele nos ajudou bastante durante os tempos difíceis, como vocês sabem.

Minha mãe parece prestes a protestar, mas minhas tias assentem, engolindo a decepção óbvia, e mamãe acaba por se sentir obrigada a fazer o mesmo. Papai sorri, um sorriso súbito e feliz.

— Mas, se a minha associação com os japoneses der certo, haverá muitos aparelhos iguais a este aqui para casa, se Deus quiser.

Os outros adultos sorriem e concordam, habituados como são a fazer todo tipo de sacrifício em prol dos negócios familiares. Ainda assim, posso ouvir os suspiros que todos se esforçam para não deixar escapar. Estão decepcionados e tentam ao máximo não demonstrar. Meu pai deve ter ouvido também, pois contempla com tristeza a caixa por um minuto e depois se senta ereto como quem tomou uma decisão.

— Ao menos deem uma olhada nas peças antes que eu me desfaça delas — sugere. — Mehroo pode colocar de volta na embalagem depois.

Ele abre a caixa com o mesmo cuidado com que manusearia um suflê. Cada xícara e cada pires se encontram individualmente embrulhados em papel de seda branco, e papai usa o lenço para pegá-los um por um e pousá-los com cuidado no jornal que Mehroo abriu no chão. Curiosa e animada com a reverência com que os adultos admiram o aparelho de chá, largo a minha boneca e corro para o lugar onde meu pai está sentado.

— Deixa eu ver, deixa eu ver — exclamo, segurando uma das xícaras.

— Cuidado, meu bem — diz papai, as sobrancelhas se arqueando em alerta. — É muito delicado...

Não sei direito o que acontece a seguir. Tento pôr a xícara no chão e, não sei como, ela bate mais forte do que previ e, sei lá como, pousa de lado, deixando na minha mão apenas a asa. Fico olhando horrorizada para a asa na minha mão e meus olhos começam a marejar, apavorada, quando vejo o horror refletido nos rostos dos adultos à volta. Obrigo-me a encarar meu pai, mas seu rosto é uma máscara. Apenas os lábios entreabertos denunciam sua decepção.

Quero uivar, soluçar, pedir desculpas, me amaldiçoar por ser sempre tão estabanada, quero me enroscar e me enfiar dentro de mim mesma e sumir, mas qualquer dessas coisas romperia o silêncio que se instalou na sala. Tudo aconteceu tão depressa — o orgulho na voz do meu pai, sua tristeza por ser obrigado a dar de presente o aparelho de chá, o jeito cuidadoso como manuseou aquele tesouro e a minha destruição impulsiva, descuidada — que ninguém sabe exatamente como reagir. Finalmente, vejo minha mãe e Mehroo simultaneamente estenderem as mãos na direção dos meus ombros: ao que parece, pretendendo me afastar antes que eu cause mais prejuízos. Fico tensa, esperando as reprimendas e críticas acerca do meu comportamento estouvado e impulsivo que, tenho certeza, não tardarão, mas ouço a voz do meu pai:

— Tudo bem — diz ele. — Afinal, é só uma xícara. Amanhã, na fábrica, vou colar a asa de tal maneira que Thakoor jamais saberá que foi quebrada.

Nenhum de nós se convence. Continuo querendo morrer. Vendo isso, papai segura meu rosto com as duas mãos.

— Tudo bem — repete, desta vez sorrindo. — Não se preocupe. Sei que não foi de propósito. Agora vamos lá, há mais presentes para abrir.

Já passei oito anos da minha vida convivendo com meu pai. Embora ele não passe, em boa parte, de uma sombra em minha vida, não tenha efetivamente desempenhado o papel importante que Mehroo assumiu, não se destaque de forma clara das outras pessoas que habitam a minha existência, há muito, muito tempo sei que o amo. Hoje, porém, pela primeira vez, ao ouvi-lo dizer essas palavras, ao vê-lo lutar para fazer sumir o nó na própria garganta, chego a uma nova e feliz conclusão: *gosto* do meu pai. Gosto deste homem alto, sério e bondoso sentado diante de mim. Gostaria dele ainda que ele não fosse meu pai.

❁

Algumas semanas após voltar do Japão, meu pai me leva para almoçar no Café Paradise, cujo dono é um parse. O Paradise, com seus murais modernos de Adão e Eva nus no Jardim do Éden, é um dos meus restaurantes prediletos. Pedimos, cada um, o nosso prato preferido — filé de frango para mim; espetinhos de frango para ele. Enquanto almoçamos, papai me fala do Japão, dos restaurantes elegantes em que jantou, da bela recepção promovida pelos seus anfitriões japoneses. Escuto durante algum tempo, mas depois minha mente começa a divagar. De repente, eu o silencio.

— Pai, por favor. Fique quieto um instantinho.

Ele me olha, confuso, mas obedece. Fecho os olhos e baixo a cabeça. Passados alguns segundos, ergo novamente o olhar.

— Pronto. Pode voltar a falar.

— O que estava fazendo, Thrituma? Por que me pediu para calar a boca?

— Imaginei que estava almoçando com o imperador do Japão.

Meu pai joga a cabeça para trás e solta uma sonora gargalhada, gargalhada que percorre uma oitava inteira, subindo e descendo pelas notas. Ouvindo isso, Jimmy, o dono do restaurante, dá uma olhada de onde está, atrás da caixa registradora, e seu rosto se ilumina. Toda vez que saímos juntos do Paradise, Jimmy me diz o quanto o deixa feliz a proximidade que existe entre mim e meu pai.

Papai agora pega a minha mão e a beija.

— Deus a abençoe. Que todos os seus sonhos se realizem. Que você possa um dia almoçar de verdade com o imperador do Japão e outras pessoas célebres.

Que alegria! Adoro fazer meu pai gargalhar. Adoro fazê-lo deleitar-se com as minhas fantasias, adoro a criança que existe nele, que o leva a partilhar a ânsia de sonhar alto.

❁

Como uma foto Polaroid, meu pai adquiriu nitidez para mim depois que voltou do Japão. Antes, era uma figura fugaz na minha vida, alguém que entrava e saía esvoaçando da minha vida, a dupla pressão de um trabalho que lhe exigia muito e de um casamento desgastado conspirando para afastá-lo de casa. De vez em quando, brincava de "Seu Motorista" comigo, um jogo em que ora eu, ora ele, sentávamos atrás do outro na soleira elevada da porta do seu quarto e fingíamos dirigir um ônibus. No entanto, os piqueniques, as férias de verão e as aulas de natação — um convívio com os pais que minhas colegas consideravam natural — nunca tivemos.

Mesmo assim, meu pai fazia o maior sucesso junto às minhas amigas. Era aquele sujeito impulsivo que certa vez deu uma volta de carro pelo parque levando a mim e duas colegas sentadas no capô. Um dia, na data do meu aniversário, ele nos levou depois da festa até a rua para dar leite a todos os cachorros vira-latas das redondezas.

Porém, o que mais encantava — e espantava — minhas amigas era a insistência do meu pai em afirmar que era meu irmão mais velho e não meu pai.

— Este é o meu pai — começava eu, toda vez que ele me levava de carro para a escola por eu ter perdido o ônibus.

— Não — corrigia ele em tom alto e franzindo ligeiramente a testa. — Não sou pai dela, sou o irmão mais velho.

Minhas colegas de classe olhavam para mim e depois para o sujeito relativamente jovem de cabelo escuro que acabara de subir a escada, dois degraus de cada vez.

— Tio, por favor, fale a verdade — alguém finalmente implorava, e ele cedia com um sorriso.

Então ele me puxava para perto dele e dizia:

— É, sou pai dela, mas ela também é a minha melhor amiga.

Eu tentava me desvencilhar dele, envergonhada e orgulhosa ao mesmo tempo. E as outras meninas, lembrando-se de seus pais envelhecidos, com suas caras sérias e severas, suspiravam.

No meu aniversário de sete anos, meu pai declarou que, em lugar de incomodar os pais das minhas amigas, levaria todas elas em casa. Nos amontoamos feito sardinha em lata, oito ou nove meninas às gargalhadas, uma em cima da outra, no velho Hillman preto do meu pai.

— Muito bem, quem quer ser entregue primeiro?

Ninguém se apresentou. Ninguém estava a fim de ir para casa.

— Ela primeiro, tio — disse Anita, apontando para Roxane.

— Eu, não! — protestou Roxane. — Escolha outra.

Papai encontrou meu olhar no retrovisor e ergueu ligeiramente as sobrancelhas para me alertar sobre o que viria a seguir. Assoviando desafinado, ele dirigiu até a rotatória mais próxima e contornou-a uma vez.

— O.K., vamos ficar rodando aqui até alguém se oferecer para ser entregue primeiro — disse ele.

As passageiras riram em uníssono quando papai deu a segunda volta. Na quarta vez, todas já se entreolhavam confusas e buscavam no meu rosto alguma orientação. Mas continuei olhando resolutamente para a frente. Na sexta volta, as meninas se remexiam e cochichavam, de vez em quando emitindo um risinho tímido. A essa altura, papai cantava "It's a hap, hap, happy day", o que acabou quebrando o gelo e convencendo as garotas de que elas estavam na companhia de um doido — um doido engraçado, mas doido.

— Tudo bem, tio, me deixe primeiro — falou uma delas. — Pode me deixar primeiro.

— Combinado — respondeu meu pai. — Quem será a próxima?

No dia seguinte na escola, a professora me parou no corredor.

— Parece que as meninas se divertiram bastante na sua casa. Mas me diga uma coisa: é verdade que o seu pai ficou contornando a mesma rotatória quatorze vezes antes de deixar a primeira menina em casa?

— Ninguém queria ser a primeira — expliquei. — E não foram quatorze vezes.

A professora balançou a cabeça.

— Entendo. Talvez eu ligue para seu pai e lhe peça algumas dicas de disciplina para usar nas minhas aulas.

Assim como eu, meu pai não tem um pingo de senso prático. Essa característica o distingue do restante da família. Se aparecemos com flores em casa, Mehroo lhe passa um sermão por jogar dinheiro fora.

— Traga frutas ou legumes, algo útil. Para que servem estas flores que estarão murchas daqui a dois dias? Não posso alimentar as crianças com flores.

A mesma ética governa os presentes que ganho da minha família. De aniversário, me dão blusas de poliéster e calças de gabardine. Só quero usar jeans. Ninguém me dá jeans. Morro de vontade de ter um sapato de camurça, mas os adultos dizem que a poeira de Bombaim vai deixá-lo imundo, por isso, lá vem mais um par de sapatos de couro preto. É tão difícil achar um sapato que satisfaça a minha exigência de conforto e a exigência de elegância da minha família, que todos os vendedores da sapataria Metro, em Colaba, me odeiam. Estou convencida disso.

Todo mundo sabe que devoro livros como se fossem barras de chocolate, que adoro música. Ainda assim, nenhum adulto jamais me compra um livro ou um disco de presente. Aliás, talvez seja até bom que não me deem o tipo de presente que me agrada. Diante do pouco que conhecem do meu gosto, eu acabaria ganhando livros de poliéster e discos de gabardine.

❋

MEU PAI VIVE SE REMOENDO.

É uma velha sina de família, esse hábito de remoer. Meu avô também foi assim. É desse jeito que meu pai se refere a ele, como alguém dado a remoer. Ele rumina, pondera e rememora obsessivamente o passado. Recorda desfeitas e ofensas e vexames, coleciona-os como outras pessoas colecionam conchas. Seu rótulo é o mesmo que recebi das freiras no colégio: hipersensível. Considera-se um homem sem sorte, um homem cujas realizações não fizeram jus a seus talentos. Trabalha mais que qualquer outra pessoa que conheço, mas sei que apesar disso o negócio da família se parece com os velhos ônibus B.E.S.T. que transitam pelas ruas de Bombaim — roncando, chacoalhando, resfolegando, funcionando bem num dia e quebrando no outro.

Somos parecidos, meu pai e eu. Sei disso desde que ele voltou do Japão, porque, depois do incidente com a xícara de chá, começamos a passar muito tempo juntos. Desenvolvemos o hábito de ir contemplar o mar ao menos uma vez por semana. Às vezes mamãe vai conosco, e essas ocasiões são diferentes de quando estamos sozinhos, meu pai e eu. Mamãe reclama sem parar do jeito como meu pai dirige, pede que reduza a velocidade e implica com ele até eu me sentir tensa como uma corda de violino.

Posso parecer uma versão mais jovem da minha mãe, mas, por dentro, sou a cara do meu pai. Somos iguais em todos os aspectos importantes. Vejo seu rosto nos dias escuros e chuvosos, vejo como o vento e a chuva o deixam melancolicamente feliz, como o anima esse tempo cinzento, feioso, e percebo a minha própria alma refletida nele. Também adoro esse tempo, quando o céu fica sombrio e pesado de chuva. Assim como meu pai, gosto mais do mar quando ele se encapela e se enfurece, do que quando está tranquilo e bem-comportado. Também entendo muito bem essa sensação complicada de melancolia, porque é nesse estado que escrevo meus poemas e romances. É uma sensação que, ao mesmo tempo, temo e acolho de bom grado. O tempo ruim desperta alguma coisa dentro de mim, faz com que eu me sinta grande e imponente, do tamanho do mundo, pronta a engolir, com um rugido próprio, o oceano que ruge. Desprezo o céu normal, límpido e ensolarado de Bombaim porque ele faz com eu me sinta pequena e comum e... nada mais que eu. Não me sinto impelida a sair de mim mesma, não me sinto poderosa e capaz de qualquer coisa, do jeito como acontece num dia tempestuoso.

Nunca discutimos essas coisas, meu pai e eu. Na verdade, nem tenho certeza se ele sabe como me sinto ou se apenas crê que também "gosto" de dias chuvosos. Mas percebo tudo isso nele, e, assim, nos acho mais próximos. Já tenho um radar bem-treinado para identificar a solidão nos outros, ou ao menos é o que suponho. Imagino poder reconhecer essas pessoas em qualquer lugar, que algo na maneira como sondam o céu ou na expressão vazia em seus olhos me diz que elas são como eu.

Meu pai por acaso é um dos meus, ainda que nos expressemos de forma diversa. Meu pai é duplamente amaldiçoado: embora sofra da mesma sensação aguda de solidão que eu, não é um escritor. Por isso não dispõe da válvula de escape que me permite expressar a solidão no papel, evitando que eu enlouqueça. Em lugar de escrever, meu pai cantarola. Nos crepúsculos úmidos, quando as ruas da cidade ficam banhadas numa claridade dourada e laranja, quando o céu de Bombaim se esvai em um sangue rubro e roxo, meu pai cantarola.

Estamos passando de carro pela Marine Drive, a caminho de Nariman Point, e meu pai cantarola uma canção chorosa e nostálgica. Em seguida, começa a cantar, apesar de nunca saber mais que seis frases de qualquer letra de música. A voz é levemente anasalada e rica e grave, uma bela voz, embora ele nem desconfie, pela simples razão de que jamais lhe disseram isso. Isso porque quase sempre meu pai canta no carro, como se precisasse de movimento para soltar a voz. Nunca me pede para cantar com ele, e mesmo que pedisse eu não o faria. Tenho uma voz péssima e o fato me envergonha à beça. Além disso, sou tímida demais para cantar em voz alta. Essa é uma das coisas que me espanta no meu pai — ser capaz de cantar fácil e naturalmente, como se o canto não passasse de uma extensão da fala. Estou habituada a excursões escolares e festas de aniversário, em que as meninas que sabem cantar precisam de estímulo e insistência para soltar a voz. Mesmo assim, não faltam risinhos, empurrões constrangidos e um embaraço geral.

— "*I, I, I, I love you very much... I, I, I, I think you are grand...*"/ "Eu amo você pra valer... Sem você não consigo viver" — entoa ele agora.

Essa é uma das duas canções alegres do seu repertório. A outra é "It's a hap, hap, happy day". Mas não sossego enquanto ele não canta a minha favorita, uma canção de ninar lenta e suave em híndi, que chama o sono de mansinho. Quando eu era menor, meu pai costumava cantá-la para mim nas noites em que, ensopada em suor, a febre alta me impedia de dormir. Ele sempre acariciava os meus cabelos enquanto cantava, e a carícia ritmada mais o timbre daquela voz criavam um ninho no qual eu conseguia dormir. Peço, agora, que cante essa música, e imediatamente ele concorda. Como sempre acontece quando a canção é essa, ele me puxa mais para si, deixando uma das mãos no volante enquanto a outra me aninha sob seu ombro. A voz fica mais nasal e lacrimosa e ele espicha cada nota para intensificar ainda mais o apelo nostálgico. Os pelinhos do meu braço, invariavelmente, se arrepiam. Se ele nota, não diz nada.

Felizmente, essa cantiga de ninar não produz em mim o efeito estranho de outras canções. Desde bebê, reajo violentamente a certas músicas e sons. Nessa época, costumava vagar pela vizinhança toda manhã uma velha puxando uma vaca descarnada e carregando um saco de feno. Passantes e moradores dos prédios próximos lhe davam moedas para alimentar a vaca. Assim ela obtinha seu magro sustento. Mas não era a aparência esquálida da mulher ou do animal que me despertava pena. Um bebezinho ainda, eu não enxergava nem uma nem outra. Em vez disso, era o lamento constante, prolongado e trêmulo com o qual a velha implorava às pessoas para alimentarem sua vaca, era isso que me perturbava terrivelmente. Diariamente, ela passava sob a nossa varanda, a voz fina subindo até o segundo andar. Toda manhã, deitada no meu berço, eu explodia em lágrimas quando ouvia aquela voz. E assim foi durante meses, até que Mehroo teve uma ideia. Procurou a dona da vaca e lhe prometeu uma quantia mensal fixa desde que ela não ficasse se lamentando debaixo da nossa janela.

O lamento da dona da vaca foi apenas o primeiro de uma série de sons que iriam me encher de medo e tristeza. Certas canções que todos consideram alegres e animadas despertam em mim a mesma reação devido a uma determinada nota mais grave. Minha reação é tão intensa que ouvi-las no rádio passou a ser insuportável.

— Desligue o rádio — peço à minha prima Roshan, mas ela apenas me olha de um jeito estranho.

— É uma música de sucesso — responde ela. — A minha preferida. Esqueça o rádio.

Às vezes saio da sala aos prantos. Outras, trinco os dentes e tento aguentar a música até o fim. De vez em quando, procuro explicar o que sinto a Roshan ou a algum dos alunos de mamãe, que ouvem rádio durante o almoço.

— Essa música me faz muito mal — justifico.

Quase todos são mais velhos que eu e já ostentam no olhar aquela expressão de espanto confuso que os adultos adotam quando a gente tenta lhes dizer alguma coisa realmente importante.

— Se não gosta da música, é só sair da sala — sugere um deles.

Na maioria das vezes, eles apenas riem.

— Doida, essa menina é doida — ouvi de passagem um comentar com outro.

E aumentam o volume.

Meu pai e eu chegamos a Nariman Point e ele encontra um lugarzinho onde estaciona confiantemente o carro. Esta é uma das raras ocasiões em que não paramos no caminho para comprar sanduíches de frango ou uma galinha *tandoori* para comer no carro enquanto contemplamos o mar. Já sou suficientemente crescida para me dar conta de que papai é um perdulário e que esse hábito cria problemas em casa. Mehroo com frequência deplora o fato de não termos dinheiro sequer para pagar o açougueiro, que diariamente põe nossas despesas na conta. Papai promete lhe dar dinheiro para os gastos domésticos assim que receber um determinado cheque. Se Mehroo reclama com Babu, ele lhe diz para falar com meu pai, mas depois pede dinheiro à esposa, Freny, a única da casa que tem um emprego fora da fábrica. Em geral, Freny comparece com a ajuda pedida.

Independentemente da sua situação financeira, meu pai tem dificuldade para me recusar seja o que for. Quase sempre quando vamos até a praia, eu o vejo tirar do bolso as últimas notas a fim de me comprar alguma guloseima. Só que agora estou crescida demais para conseguir aproveitar o presente sem pensar em seu custo para o restante da família.

Esta noite, infeliz porque recusei sua oferta de me pagar o jantar, ele insiste para comprar algo para mim dos ambulantes que se aproximam do carro. Recuso e começo a lhe passar um sermão sobre as virtudes de economizar dinheiro, mais ou menos como ouvi Mehroo fazer. Ele ouve em silêncio.

— Pai, poupe pelo menos duas rúpias por dia. Lembra-se daquele cofrinho que dei a você de aniversário? A ideia é você guardar um pouquinho todo dia. Por favor. Só duas rúpias. É o que as freiras do colégio dizem: não importa o quanto se poupe, um pouquinho é melhor que nada.

Ele então balança a cabeça e diz:

— Não, Thritu, não me peça isso. Não sou do tipo de homem capaz de poupar um pouquinho todo dia. Quando chegar a hora de poupar, vai ser *phaat*, um montão de uma vez!

CAPÍTULO 7

A SINETA TOCA, avisando que está na hora da aula de redação — minha predileta do dia. A professora, srta. D'Silva, entra na sala com o dever de hoje. Ainda na semana passada ela leu a minha redação em voz alta para a turma toda. Fiquei sentada na minha carteira, meneando a cabeça, orgulhosa, enquanto a srta. D'Silva chamava a atenção da classe para certos trechos do meu trabalho. Agradou-lhe, sobretudo, o que dizia: "O sr. Brown postou-se no meio da sala disfarçado de Papai Noel." Segundo ela, a frase mostrava uma sofisticação rara na minha idade.

— Este é o resultado de ser uma leitora voraz — disse a professora, perguntando em seguida se sabíamos o significado da palavra "voraz".

Todas as cabeças se voltaram na minha direção, mas minha mão permaneceu onde estava, sobre a carteira, e mantive os olhos baixos, temerosa de revelar que não fazia a mínima ideia do significado da palavra e na esperança de que todo mundo interpretasse meu olhar baixo como sintoma de modéstia.

Mas agora é hora de brilhar de novo. Sou desajeitada, nada atlética e desordenada, além de péssima em matemática e medíocre em praticamente tudo o mais. Redação é uma das poucas áreas em que me saio indiscutivelmente bem, e por isso aguardo as duas horas semanais dessa matéria com a mesma ansiedade com que a maioria das crianças pensa em chocolate. Antes que a srta. D'Silva termine de escrever o tema de hoje no quadro-negro, já aperto com firmeza meu lápis na mão, pronta para dar a largada. Mas justo na horinha em que meu lápis se apronta para beijar a folha de papel em branco à minha frente, a srta. D'Silva diz uma coisa que vira do avesso o meu mundo.

— Agora ouçam, meninas. Só para variar, tentem pela primeira vez na vida não criar personagens louros de olhos azuis. E, pelo amor de Deus, que tenham nomes reais, ou seja, nomes indianos, e não sr. Jones e sr. Henderson.

Congelo. Me dá um branco. O lápis que seguro, tão carregado de possibilidades um minuto atrás, de repente parece flácido e pesado. Pela primeira vez na minha curta vida, vivencio algo semelhante a um bloqueio de autor. Nem desconfio de como seja criar personagens cuja aparência e fala sejam diversos daqueles que povoam os livros que cresci lendo. Tento dar a eles nomes indianos, mas só consigo pensar em Colin, Jack e Susan. Procuro imaginar a aparência de um personagem indiano, mas não sei como criar alguém que não tenha cabelo ruivo cacheado ou cabelo liso castanho-claro. Quanto a inventar um personagem que fale como nós — que diga *yaar* e *men* em vez de "*I say, old chap*" e "*Jolly good, old man*" —, nem imagino por onde começar. Até hoje, meus personagens sempre comeram *scones* (bolinhos assados na chapa) e tortinhas de mirtilo, em lugar de sanduíches de *chutney* e *bhel puri*, e esse salto culinário e cultural me parece impossível, aterrador e desconcertante, uma verdadeira virada na ordem natural das coisas.

Porque, mais que filha dos meus pais, sou filha de Enid Blyton.

Como todas as minhas colegas, cresci lendo os livros de Enid Blyton, decorei trechos inteiros deles, encontrei neles a minha rota de fuga. Resolvi mistérios com o Clube dos Sete, vivi incríveis aventuras com os Cinco. Passei a perna nos empavonados guardas ingleses com os Cinco Detetives. Matriculei-me no colégio interno com as meninas do Mallory Towers, o internato inglês, que entravam escondidas nos quartos das amigas para lanchinhos de meia-noite e veraneavam no interior da Inglaterra. Desenvolvi paixonites tanto pelo calado Colin, de cabelo cacheado, quanto por Georgina, a moleca extrovertida. Vivo como hóspede no mundo das senhas secretas e confrarias, no mundo da cumplicidade, da aventura e do mistério juvenil. Chorei lágrimas sentidas de tanta vontade de ganhar um *cocker spaniel* como Scamper, o cachorro de Peter do Clube dos Sete.

Minha obsessão por Enid Blyton teve início alguns anos atrás. Até então, eu lia os gibis de Archie e Riquinho que minha prima Roshan pegava na biblioteca Jaffer. Um dia, porém, minha tia Freny chegou em casa com um livro do Clube dos Sete, alegando que eu já tinha idade bastante para ler livros de verdade. Fiquei petrificada. Estava convencida de não ter idade suficiente para ler romances, certa de ainda precisar continuar lendo os livros que contivessem figuras além de apenas palavras.

— Experimente — disse Freny. — Se não gostar, eu devolvo.

Assim, extremamente ansiosa, abri o livro. E descobri, com enorme surpresa, que as palavras não eram mais difíceis do que aquilo a que eu me habituara. E, na página 4, já estava inteiramente envolvida na trama. Descobri, também, que ler uma história completa era muito mais gratificante do que ler um gibi. Terminei a leitura na noite seguinte e pedi mais. No sábado, Freny me levou à biblioteca Jaffer e me registrou como sócia. Assim, numa modesta biblioteca situada numa rua movimentada de Bombaim, teve início o meu caso de amor com os livros.

Aliás, tenho vivido tão intensamente no mundo fictício das cidadezinhas inglesas, que conheço mais desse mundo que da cidade quente, entulhada e equatorial de homens e mulheres morenos em que moro. Nada do que leio, seja na escola ou em casa, reflete o meu mundo real. Em casa, leio um romance de Enid Blyton por dia. Na escola inglesa de ensino médio, aprendemos híndi como língua estrangeira.

Meus livros escolares de literatura contêm poemas de Wordsworth e textos de Dickens. Nada de escritores indianos, salvo um ou outro trecho de épicos hindus, ou seja, do Mahabharata ou do Ramayana. Esses, porém, soam como história antiga, e também, ambas as narrativas são mitológicas e fica difícil descobrir como adaptar esses relatos, numa linguagem inflamada, dramática, à minha própria vida. Sob alguns aspectos, as aventuras dos jovens heróis sardentos e de olhos azuis de Enid Blyton na Inglaterra campestre guardam mais semelhança com a minha vida do que as buscas dos heróis de pele morena do Mahabharata, cuja aparência talvez lembre a minha, mas cujo mundo de carros de guerra, arqueiros e cavalaria do mundo antigo nada tem a ver com uma criança urbana criada na Bombaim do início dos anos 1970.

Minha professora aparentemente não se dá conta do terremoto semântico que provocou na minha vida com suas palavras, mas, pela primeira vez, suo a camisa para escrever uma história, fitando o vazio enquanto mastigo a ponta do lápis, fazendo algumas tentativas débeis e depois apagando as palavras com a minha borracha perfumada, a que tem a estampa do Fred Flinstone. Vasculho o cérebro em busca de nomes indianos masculinos. Raj? Ram? Até para os meus tenros ouvidos, eles soam prosaicos e vazios. Dou uma olhada à minha volta. Muitas meninas na sala são católicas, se chamam Susan, Brenda e Carol, o que em nada me ajuda. Com relação às não católicas, fico subitamente confusa quanto a serem ou não "indianos" aqueles nomes. Afinal, não canso de ouvir da minha família que o meu nome é persa? Será que pode ser considerado indiano? Será que nomes indianos "genuínos" são apenas os hindus?

Nessa noite, em casa, tenho vontade de fazer essas perguntas a mamãe, mas fico perdida quanto à maneira de formulá-las. O que faz com que eu me sinta inadequada e pouco à vontade. Pela primeira vez na vida, percebo que escrever não é a catarse fácil, quase espontânea, de emoções que sempre achei que fosse. Que escrever é mais que compor um poema de aniversário que a gente sabe que vai agradar à mãe. As palavras da srta. D'Silva desencadearam alguma coisa, embora eu não saiba como chamá-la. Mas reconheço vagamente que escrever é — pode ser — uma tarefa complicada e importante. E que está ligada a outras coisas, como cultura e nacionalidade e a história do lugar onde se mora. Eis, então, uma noção novinha em folha: a de que escrever não é sempre a mesma coisa, e de que o lugar onde se vive define quem somos e, por isso, altera a forma como escrevemos. Fico, ao mesmo tempo, animada e confusa diante do fato de que o simples pedido para mudar a descrição física dos nossos personagens me conduza por um caminho novo, me obrigue a pensar em coisas que jamais me ocorreram antes. Ao mesmo tempo, percebo nitidamente o quanto é equivocado o meu raciocínio e como, passado um tempo, meu cérebro se recusa a continuar trilhando esse caminho porque não possuo as ferramentas necessárias para tanto. Num lampejo, entendo algo novo: assim como ler e escrever se interligam, o mesmo acontece com perguntas e respostas. É preciso saber formular uma pergunta para obter a resposta correta. Essa descoberta me fascina, e eu a rumino mentalmente durante o restante da noite.

QUANDO PAPAI E MEHROO chegam da fábrica nessa noite, vejo que ele está de bom humor.

No jantar, meu pai nos conta uma história:

— O *kamdar* gritou comigo hoje na fábrica — diz ele, com um sorriso malicioso. — Tudo por culpa de Mehroo.

O *kamdar* é um muçulmano alto, de barba grisalha e ar distinto que há anos trabalha como assistente da fábrica. Sempre envergando um conjunto branco de *kurta* e calças largas que se mantém imaculado, por mais que as camisas brancas engomadas do meu pai cheguem em casa cobertas de graxa e serragem, o *kamdar* é um sujeito de fala macia porém de expressão grave, que jamais hesita em dizer o que pensa na presença do meu pai, a quem ele trata como um irmão caçula brilhante mas não muito cosmopolita. Quase sempre esse tratamento diverte o meu pai. De vez em quando, ele se queixa de que o *kamdar* anda extrapolando e se esquecendo de quem é o patrão. Mas papai também é grato pela lealdade feroz, quase como a de um proprietário, que o assistente demonstra pelo negócio. O *kamdar* administra a fábrica com um ar patriarcal, possessivo. O jeito com que se refere a ela leva o ouvinte a crer que foi seu avô que a fundou. É ele quem repreende e vigia os operários mais jovens, matutos que deixaram seus vilarejos no norte e se mudaram para Bombaim, indo parar na fábrica do meu pai. O mercado de madeira onde se localiza a fábrica tornou-se mais que um emprego para esses homens; virou um lar. Eles dormem a céu aberto em suas redes estreitas, cozinham seus jantares cheirosos em minúsculos fogareiros a querosene que reluzem ao cair da tarde. Tomam banho do lado de fora, antes que meu pai chegue para trabalhar, e só Deus sabe onde arrumam água para beber e se higienizar.

O *kamdar* gosta especialmente de Mehroo. Mantém sobre ela uma vigilância paternal, protetora, por ser ela a única mulher que aparece para trabalhar diariamente num lugar exclusivamente masculino. Quase todos os comerciantes do mercado são muçulmanos antiquados, casados com mulheres que cobrem o rosto com o *purdah* quando saem de casa. Como única mulher — e solteira, ainda por cima —, Mehroo deveria ser o alvo de muita fofoca e chacota, mas não é assim. O outro lado da moeda do conservadorismo muçulmano é uma espécie de cavalheirismo e respeito tipicamente indianos em relação às mulheres. Talvez o escudo de Mehroo seja uma certa noção de galanteria desses homens. Ou quem sabe a ostensiva postura protetora que ambos os irmãos adotam desestimule qualquer tentativa de flerte ou insinuações. Decerto a própria Mehroo, com seu rosto sério, sua dedicação óbvia aos dois irmãos, sua obstinação e devoção ao trabalho, não dá ensejo a nenhuma investida sexual. De todo jeito, quando cheguei à idade de me impressionar com o pioneirismo da minha tia caseira e doce em se infiltrar numa indústria só de homens, Mehroo era sócia comercial do meu pai fazia tanto tempo que a maioria dos demais comerciantes havia muito a aceitavam no meio.

Meu pai continua a sorrir.

— *Saala*, como aquele *kamdar* falou grosso comigo! E tudo por causa da sua Mehroofui.

— O que houve?

O *kamdar* se postou à porta do escritório refrigerado do meu pai e ouviu meu pai gritando com a minha tia.

— Roupas novas! — ele ouviu meu pai censurar, e aproximou mais o ouvido da porta a fim de escutar melhor. — Roupas finas, caras... Gastança!

— Por favor, Burjor — o *kamdar* escutou minha tia argumentar —, me perdoe desta vez. Deixe passar...

O sujeito se enfureceu. Ficou andando para lá e para cá do lado de fora, esperando meu pai sair da sala. Então, explodiu:

— *Burjor seth*, que Deus o perdoe pelo que ouvi da sua boca hoje — gritou ele. — Durante todos esses anos em que trabalhei para o senhor, nunca imaginei que este dia chegaria. *Arré, seth,* esta mulher tem sido uma mãe para o senhor. Criou-o como uma vaca cria seu bezerro. E é assim que o senhor retribui? Que vergonha! Até Alá acharia difícil perdoá-lo.

Confuso, meu pai perguntou:

— O que eu fiz de errado? Só estava tentando...

— Errado, *seth*? O que o senhor fez de errado? Gritar com a pobre da sua irmã porque ela comprou roupas caras? Olhe aqui, senhor, por que ela não pode gastar algum dinheiro com ela mesma? As mulheres têm lá suas vontades. Os negócios vão bem, *Inshallah*. E isso porque ela faz a contabilidade. E o senhor grita porque ela gastou um pouco do próprio dinheiro...

Meu pai desatou a rir.

— *Saala, bevakoof* — disse ele. — Gritei com ela para obrigá-la a comprar roupas novas, seu idiota, não porque as comprou. Já viu os trapos que ela usa todo dia? Fiquei zangado porque ela se recusa a aceitar dinheiro para fazer compras. Disse a ela o mesmo que você acabou de me dizer, que o dinheiro também é dela e que precisa gastá-lo. Se não acredita em mim, pergunte a ela.

O *kamdar* ficou mortificado.

— Louvado seja Alá. Por favor, me perdoe, *seth*. Conheço a sua família há tantos anos que devia ter imaginado logo. Mehroobai tem sorte de ser sua irmã. Deus abençoe os três. Seu velho pai sentirá orgulho do senhor mesmo estando no céu.

Todos rimos quando papai chega ao fim da história.

— Que vergonha, Mehroo — repreende minha mãe. — Coitado do meu marido, que passou um aperto por sua causa.

Fico tensa um instante, esperando detectar irritação no tom de mamãe, mas nada encontro. Mehroo sorri sem jeito e dá de ombros, meio constrangida.

Relaxo e me permito saborear o momento. Quem dera todas as refeições fossem como esta.

❁

ACONTECE.

Até hoje nunca provei um *scone* e sei agora que as minhas muitas neuroses, meu medo de altura, jamais me permitirão ser uma moleca despreocupada como Georgina, mas ao menos um dos meus sonhos "Enid Blyton" se concretizou.

Sou agora a orgulhosa proprietária de um *cocker spaniel* de pelo dourado igualzinho ao Scamper do Clube dos Sete.

Chego em casa de uma festa certa noite e encontro a nossa rua mergulhada na escuridão. Falta luz na vizinhança toda. Papai me aguarda ao pé da escada com uma lanterna na mão. Quando chegamos lá em cima, a família toda me espera na porta. Há velas nos corredores do apartamento.

— Venha — chama meu pai. — Tem alguém esperando por você na sala.

Assim, a minha primeira visão do meu bichinho se dá à luz de uma lanterna. Ele está enroscadinho e deitado numa caixa forrada, os olhos bem fechados. As orelhas amarelo-ouro são quase tão grandes quanto o corpo, o rabo é absurdamente curto e o narizinho fofo, que mais parece um botão, brilha como couro preto. É gordo e tão pequenininho que cabe na mão do meu pai.

A felicidade é tamanha e a gratidão tão profunda que não há palavras para expressá-las. Olho para o meu pai e depois para o cãozinho, que acaba de acordar. Embora esteja escuro, percebo o olhar de expectativa no rosto de todos os adultos. Eles esperam que eu diga alguma coisa, mas não existem palavras para expressar o que sinto. Não, nada é suficiente, exceto este grito de alegria e esta dança maluca a que me dedico agora, pulando num pé e noutro. Os adultos sorriem, e eu continuo a extravasar a minha felicidade até que o bichinho se assusta com o barulhão que faço e começa a chorar. Paro na mesma hora.

Esperei tantos anos por este cachorro, chorei tanto por sua causa, pedindo e implorando um bichinho de estimação, sonhei com ele tantas vezes, que não me ocorre chamá-lo de outro nome que não Scamper. Desde o momento em que seguro nos braços essa coisinha peluda dourada que se contorce e fareja, só penso nele como Scamper.

— Oi, Scamper — sussurro. — Oi, garotão.

Mas na manhã seguinte, Mehroo vem falar comigo.

— Você tem que escolher outro nome para o cachorrinho — diz ela.

Fico consternada.

— Por quê? Sempre quis ter um cachorro chamado Scamper. Todo mundo sabe disso.

— Tem um problema. Os empregados não vão conseguir pronunciar esse nome. É melhor pensar em algo menos complicado.

No final, nós o batizamos de Ronnie. Como se isso servisse de ponte entre o Oriente e o Ocidente. Alarga-se o abismo entre a vida que levo mentalmente e a vida que efetivamente vivo. O sonho "Enid Blyton" jaz esquecido nas páginas de um livro do Clube dos Sete.

CAPÍTULO 8

Duas revelações estrondosas em dois dias. É quase insuportável.

A primeira diz respeito a Mehroo. Papai e eu estamos a caminho do mercado Crawford para comprar frutas quando ele deixa escapar um comentário sobre o noivo falecido de Mehroo. A terra para de girar por um momento. Eu nunca sequer soube que Mehroo algum dia se apaixonou, quanto mais que já ficou noiva. Tenho 12 anos, quero dizer ao meu pai. Como ninguém jamais me falou disso até agora? Em vez disso, porém, apenas escuto enquanto ele conta toda a triste história.

Alguns anos após a mãe morrer de tuberculose, a própria Mehroo pegou a temida — e quase sempre fatal — doença. Quando ela se curou, meu avô, desesperado, mandou-a para um sanatório na estação de inverno de Panchgani para que se recuperasse. Meu pai ficou desconsolado. Desde a morte da mãe, Mehroo se tornara, ao mesmo tempo, irmã e mãe para ele. Mais, até — quase sempre, ela era a única pessoa capaz de alcançar o pai, cuja dor tornara tão distante quanto uma estrela no céu. Meu avô, um homem culto e gentil, descobriu que os filhos impetuosos, ativos, eram mais do que ele podia aguentar. Sem saber, começou a se ressentir da algazarra, das brincadeiras, das gargalhadas, porque sentia que tudo isso perturbava, violava o mundo silencioso que construíra para si. Assim, temendo os longos silêncios da casa, meu pai não queria que a irmã partisse.

Durante todos os anos que convivi com Mehroo, nem uma vez sequer ela falou dos meses passados em Panchgani. Mas meu pai se lembrava de não ter reconhecido a irmã quando a família foi visitá-la alguns meses mais tarde. Ao ver a jovem de cabelo castanho arrumado em duas tranças grossas, com as bochechas vermelhas como morangos e macias como creme, ele a confundiu com uma inglesa. Por esse motivo ficou atônito ao ver meu avô envolver essa estranha num abraço.

— Oi, *pappaji* — disse ela.

Nossa, é Mehroo, pensou meu pai.

O brilho em seu rosto não se devia apenas à boa alimentação e ao ar puro da montanha, descobriu sem demora a família. Mehroo estava apaixonada. Conhecera no sanatório um outro paciente com tuberculose, por quem se apaixonara. O nome dele era Rumi, tinha 25 anos e trabalhava como engenheiro da Aeronáutica. Morava em Karachi, centenas de quilômetros ao norte de Bombaim. Décadas mais tarde, vi uma velha foto em tecnicolor dos dois juntos. Rumi é alto e esguio e tem um basto bigode escuro arrematando os lábios carnudos. Veste um terno escuro. Mehroo é mais baixa, porém seus olhos cintilam de juventude. Nenhum dos dois sorri na foto, mas, apesar do formalismo do retrato posado, a proximidade do casal é palpável. Ambos parecem perdidamente apaixonados.

Durante os primeiros dias após a volta de Mehroo para casa, meu pai se descobriu tímido e sem jeito em sua presença. A irmã mais velha que, depois da morte da mãe, lhe dava banho, preparava sua comida, lhe vestia o uniforme antes de vestir o dela, havia sido substituída por essa estranha serena e levemente misteriosa. E Mehroo, por sua vez, se maravilhou diante da mudança que viu nos irmãos:

— Como vocês dois cresceram enquanto estive fora! — disse ela, em parte para si mesma.

Passados alguns dias, porém, depois que reassumiu as responsabilidades domésticas e que retomou os cuidados com os irmãos — eles haviam ficado a cargo das tias mais velhas, incumbidas de ajudar com os meninos —, foi como se ela jamais tivesse se ausentado.

Os três homens da casa, contudo, percebiam a proximidade de uma nova perda e temiam que dessa vez fosse para sempre.

— Não quero que você vá embora — exclamou com veemência meu pai depois que a irmã lhe explicou a situação. — Se o seu Rumi é tão fantástico, que se mude para Bombaim e venha morar conosco.

— Tente entender, meu irmão — disse Mehroo com brandura.

Meu pai, porém, permanecia inconsolável.

Meu avô se mostrou igualmente teimoso. Preocupava-se com a saúde da filha e com a sua separação da família. Já estava decidido, quando a tia materna de Rumi, Perin, apareceu com o intuito de defender o pedido de casamento do sobrinho.

— Ele é um bom rapaz de uma boa família, Hormazdji — disse Perin. — A sua Mehroo será tratada como uma rainha pela nossa família, eu garanto.

Mas Hormazd não se convencia.

— Dois tuberculosos se casarem... — argumentava. — Qualquer médico desaconselharia. E se houver problemas mais tarde, Deus nos livre?

— Tolice, Hormazdji, tolice. Os dois estão curados agora, graças a Deus. Tenho fé de que Ahura Mazda vai cuidar para que continuem saudáveis.

Hormazd tentou, então, outra tacada:

— Mehroo cuida desta família desde a morte da minha adorada esposa. Sou um viúvo com dois filhos para criar. Com o meu emprego no banco, como darei conta sozinho? Karachi é tão distante, fica do outro lado do país. Quem sabe quando verei minha Mehroo de novo?

Mas Perin estava preparada para enfrentá-lo:

— Rumi me pediu para lhe dizer que ele próprio trará Mehroo a Bombaim no mínimo uma vez por ano. Ele tem uma família grande aqui. Os dois podem se hospedar conosco. Ou com vocês — acrescentou rapidamente.

Mas o medo da tuberculose assombrava o meu avô. Já bastava a filha única ter contraído a mesma doença que levara sua jovem esposa. Ele não podia permitir que ela se casasse com um homem que carregava os mesmos germes temidos. Assim, recusou-se a permitir que Mehroo se casasse com Rumi. Mehroo ficou arrasada, mas não lhe ocorreu contrariar a vontade do pai.

Durante dois anos, porém, correspondeu-se em segredo com Rumi. Cartas endereçadas a ela de Karachi chegavam na casa da sua melhor amiga e lhe eram entregues na faculdade. Ela respondia antes de voltar para casa, à noite. Os irmãos estavam a par disso e conspiravam para que o pai não descobrisse.

Não sei ao certo como meu avô acabou se inteirando das cartas. Mas, nessa noite, pai e filha tiveram uma conversa. Ninguém sabe o que disseram um ao outro, mas, depois de despedaçar o coração da filha durante dois anos, Hormazd, de repente, cedeu. Mehroo estava livre para se casar com Rumi.

Os preparativos para o casamento, que teria lugar em Bombaim, começaram imediatamente. Tia Perin ajudou Mehroo a escolher o sári do noivado e o do casamento. Compraram-se roupas para a família do noivo. Meu pai e meu tio também entraram no clima, quase delirando de empolgação diante da perspectiva de um casamento na família. Apesar da sombra da separação iminente, uma rara sensação de alegria e diversão envolveu todo mundo.

Meu pai ainda se lembra do dia em que chegou a má notícia. Faltavam exatamente dois meses para o casório. A campainha tocou e a tia de Rumi — a mesma que poucas semanas antes ajudara Mehroo a escolher o sári do casamento — entrou esbaforida.

— Cadê Mehroo? — perguntou ela ao meu pai.

Então, antes que ele respondesse, ela correu para a cozinha.

Mehroo ergueu os olhos da bancada da pia, onde picava cebolas. Os olhos lacrimejavam por causa das cebolas, e o rosto estava afogueado devido ao calor de Bombaim.

— *Su che*, tia Perin? — indagou. — O que houve?

A mulher deu um passo na direção da sobrinha.

— Mehroo, Rumi morreu — disse ela, ab-ruptamente. — Estava com pneumonia há dois dias apenas...

O restante cabe a mim imaginar. Meu pai não se lembra do que se seguiu àquele momento terrível em que o luto e a morte entraram na vida da família pela segunda vez. Cenário nº 1: Mehroo continua a picar cebolas por mais um segundo, de forma mecânica, à semelhança dos corpos que se contorcem mesmo após serem degolados. Cenário nº 2: a faca cai das suas mãos trêmulas, fazendo-a pular para trás a fim de evitar o gume afiado. Então ela começa a gritar, levando Perin a crer, por um momento, que a faca lhe tenha ferido o pé. Cenário nº 3: Mehroo encara Perin em horror mudo. Esbugalha os olhos enquanto as palavras contaminam todo o seu corpo e, então, desaba calada no chão.

PAPAI TERMINA DE CONTAR A HISTÓRIA. Não sei ao certo se ele tem ideia do quanto fui afetada, porque me comporto como sempre faço quando meu coração se despedaça: dou um jeito de apagar qualquer expressão do rosto. Não quero que meus olhos reflitam a dor que sinto. Escolho com cuidado perguntas que não traiam o tumulto e a incompreensão que se instalam em mim. Aviso a papai que vou esperar no carro enquanto ele faz compras no mercado Crawford. Quando ele se afasta, permito-me ficar boquiaberta de espanto, permito que meus olhos se encham de lágrimas não derramadas, permito-me sentir a picada da traição e do choque.

Confissão: de início, basicamente tenho pena de mim mesma. Como membro mais jovem da família, alguém de quem Mehroo cuidou desde o berço, simplesmente aceitei o fato de que minha tia me amava mais do que a qualquer pessoa no mundo, de que sua vida começou, com efeito, após o meu nascimento. Ah, sim, claro, eu sabia do seu amor pelos irmãos, sabia o quanto adorava o pai, mas é diferente. Essas pessoas sempre fizeram parte da minha vida, eu as conheço, portanto não constituem qualquer ameaça para mim. Não competiam comigo; são parentes. Logo, não contam.

Mas e esse estranho saído das brumas do passado para a luz da realidade, como lidar com ele? Esse homem criado pelo relato do meu pai, esse morto ressuscitado pelo poder das palavras, onde enterrá-lo agora? Por que considero meu rival esse homem que Mehroo amou antes mesmo que eu nascesse? Por que sinto como se Mehroo tivesse me enganado, me traído? Como devo agora imaginar minha tia franzina e solteirona, essa figura unidimensional em preto e branco que sempre imaginei existir apenas para me amar? Agora que, repentinamente, foi recolorizada em todos os seus matizes, agora que preciso reconhecer sua humanidade, seu direito de amar quem bem entender sem pedir a minha autorização, o que faço com a imagem de papelão que criei e que jaz, amassada, a meus pés? E por que sinto ciúme de um homem que morreu vários anos antes que eu nascesse? Afinal, ele está morto, e eu, viva. Será que essa vingança não basta?

Então de repente ouço a mim mesma, e o meu egocentrismo se desmancha, sinto uma dor tão aguda, tão profunda, que fico sem ar. Mehroo foi ferida dessa maneira monstruosa, e eu de nada sabia. Moro na mesma casa onde mora uma mulher que foi vítima duas vezes da morte do amor, mas, ainda assim, é ela que cuida de mim, que me acalenta. Tenho 12 anos, idade suficiente para saber como é o fim do amor, como ele se ergue diante de nós como um muro de tijolos, impedindo qualquer vislumbre do futuro.

Ao chegar em casa, tenho vontade de perguntar a Mehroo sobre Rumi, quero lhe dizer o quanto lamento, quero, ao menos, deixar claro que conheço a história. E que entendo. Mas me calo. Não sei bem por quê. Não existe explicação para o meu silêncio, exceto talvez a seguinte, com toda a sua conveniência: seja por que motivo for, aprendi bem cedo na vida a proteger uma determinada parte lá no fundo de mim, a não revelar nem mesmo aos que me amavam um determinado núcleo, um determinado nervo exposto demais, vulnerável demais. Quanto mais profunda e intensamente eu sentia as coisas, mais defendida me tornava. Quanto mais calada e introspectiva ficava por dentro, mais expansiva e falastrona me sentia compelida a me mostrar. Havia dentro de mim um espaço branco que eu morria de medo de partilhar com quem quer que fosse. A ironia é que eu sabia ter herdado de Mehroo essa malfadada hipersensibilidade, minha pele fina, essa capacidade assustadora de me magoar com facilidade. Sabia, do jeito instintivo como as crianças sabem das coisas, que os olhos de Mehroo escondiam uma tristeza crua que ecoava a minha.

Assim, nessa noite, me aproximo da minha tia enquanto ela dorme em sua cama de solteiro e lhe beijo a testa. Ela entreabre seus fluidos olhos castanhos e pergunta:

— O que foi, Thrituma?

Balanço a cabeça, tentando manter de lado o nó na minha garganta.

— Nada.

Mas não basta. Por isso lhe faço o maior elogio que conheço:

— Seus olhos me lembram os de um cavalo velho. Nunca vi olhos mais bondosos.

Ela sorri.

A SEGUNDA REVELAÇÃO acontece no dia seguinte, quando papai e eu levamos Ronnie, meu *cocker spaniel* amarelo, ao veterinário. Paramos no estacionamento grande, espaçoso, do hospital de animais e, apesar da minha preocupação com Ronnie, já me vejo respirando melhor nesse lugar tranquilo e agradável. No entanto, Vishnu, o assistente, nos informa que o nosso veterinário tirou férias de um mês e deixou outro em seu lugar. Ficamos meio contrariados, mas tomamos nossos lugares no banco duro de madeira e aguardamos a nossa vez.

A porta se abre e a nova veterinária se apresenta. Meu queixo cai. É a moça do Ovomaltine em carne e osso. O cabelo escuro da médica está preso num coque e o rosto não tem covinhas, mas sua voz macia, baixa, e as mãos graciosas que afagam a cabeça de Ronnie me dizem que se trata, ainda assim, da moça do Ovomaltine. Ela enverga um sári de gaze rosa-claro e usa brincos de prata e sorri meigamente para mim, acaricia meus cabelos e me diz para eu não me preocupar, que o meu cachorro vai ficar bom. Estou encantada. Quero lhe dizer que ela é a minha mãe de verdade, a mãe há muito perdida, quero lhe contar que sou adotada e fui criada por lobos, tendo passado a vida toda esperando por ela. Mas de repente me lembro de Mehroo, da sua dedicação e da história triste que ouvi ontem, e me sinto confusa. De repente me ocorre que já tenho mães demais e que uma outra, por mais bonita, encantadora e carinhosa que seja, só vai complicar a situação. Penso em todas as mães que tenho e sei que devia ser grata e ficar satisfeita, mas não consigo espantar essa sensação de desalento, de vazio, de desolação que sinto por dentro.

Tem mais uma coisa a me confundir: o jeito como a moça do Ovomaltine fala com meu pai. Seus olhos estampam uma expressão inquisitiva, especulativa, que reconheço mas ainda não entendo. Os dois falam baixinho e durante toda a conversa ela acaricia o meu cachorro. Escuto meu pai dizer "O apetite não é o mesmo" e "Fez as necessidades dentro de casa", mas mal presto atenção. Porque o que me atrai, o que me hipnotiza, é a expressão no rosto do meu pai. Ele parece fascinado, solitário e melancólico, e levo um minuto para perceber que essa sua expressão é a mesma que a minha. Levo um minuto inteiro para perceber que meu pai e eu ansiamos pelas mesmas coisas — gentileza, amor, beleza e doçura — e que nenhum de nós dois encontrou nada disso na minha mãe. Essa percepção enche meus olhos de lágrimas e dou meia-volta e murmuro que vou lá fora brincar com os outros bichinhos.

Não sei quanto tempo se passou, mas vejo meu pai sair com Ronnie, que, como sempre, resiste à coleira. A moça do Ovomaltine está a seu lado e quando me vê, sorri. Ela se inclina um pouco para que nossos olhos fiquem no mesmo nível e me diz que Ronnie vai ficar bom, que eu não me preocupe. Meu pai sorri, agradecido, e estende a mão para ela.

— Obrigado — diz ele, em tom suave.

— Não há de quê — responde a veterinária. — Foi um prazer conhecer vocês.

Papai e eu caminhamos abraçados na direção do carro. Quando saímos do estacionamento, vemos a moça do Ovomaltine se encaminhando de volta para a clínica. Seu sári cor-de-rosa reluz como um halo ao sol da manhã.

Voltamos para casa calados, perdidos em nossos próprios pensamentos. Então meu pai deixa escapar um suspiro, um suspiro comprido, pesado, que me compele a dizer:

— Ela foi bem legal, não foi? Na verdade, gostei muito mais dela do que do nosso veterinário.

— É — diz ele. — Ela foi bem legal.

Então, como se incapaz de guardar para si por mais tempo as palavras, acrescenta:

— Foi assim que sempre sonhei que seria. Que me casaria com uma mulher assim, doce e carinhosa.

Fico esperando ouvir mais, mas ele se cala.

Quero dizer ao meu pai que o entendo — entendo tanto o sonho quanto a frustração de não realizá-lo. Quero lhe contar da minha fantasia com a moça do Ovomaltine e de como vi hoje, pela primeira vez, a fantasia se tornar real. Quero dizer a ele que queremos as mesmas coisas, ele e eu, e que entendo que o fato de não tê-las abriu um vazio, um ponto embotado, em cada um de nós. Quero lhe contar o que a mamãe faz e me diz quando ele não está por perto, falar do tamanho do meu medo e da minha solidão, quero que ele dê marcha a ré e volte à clínica veterinária e peça à moça do Ovomaltine para fugir conosco, para algum lugar, muito, muito distante da nossa vida, para mergulhar em queda livre num mundo de sonhos e possibilidades.

Não digo nada.

Observo Ronnie, com a cabeça para fora da janela e as orelhas tremulando ao vento, e fico calada. Engulo o bolo que se forma na minha garganta, contemplo a paisagem e pisco até secar as lágrimas dos olhos.

Desse dia em diante, porém, carregarei a dor e a nostalgia de outro alguém junto com as minhas, de modo que a minha tristeza não será somente minha. Estarei ligada ao meu pai por laços mais profundos do que a geografia acidental do nascimento e do sangue. Daí em diante, verei meu pai como companheiro de jornada, um camarada chamuscado e traído pelo mesmo ideal inatingível. Meu pai, me darei conta, tinha também sua própria moça do Ovomaltine.

Durante anos falaremos sobre aquele dia na clínica veterinária, de forma casual às vezes, nostálgica noutras. O episódio se transformará no nosso código particular para traduzir o que falta em nossas vidas, para expressar as porções incompletas de nós.

E esse desejo insatisfeito nos marcará, fazendo com que nos reconheçamos no escuro, fazendo com que sejamos mais que pai e filha. Seremos confidentes. Irei confortá-lo, aguentarei sua cruz, passarei décadas pedindo permissão ao universo para ser feliz em minha própria vida, diante da consciência que tenho do seu sofrimento.

E para sempre buscaremos escapar das sombras da realidade enfadonha — ele das teias de aranha de um casamento falido, eu da prisão do mito da maternidade — e passaremos a vida procurando voltar à fantasia de celuloide brilhante da moça do Ovomaltine.

CAPÍTULO 9

Parse Doida.

Ganho o apelido de uma professora do quarto ano e ele pega, me seguindo qual uma sombra ao longo dos meus anos na escola.

É uma reputação de peso à qual fazer jus. Estimulada pelas caricaturas dos parses nos filmes híndi, a Parse Doida faz o possível para estar à altura do seu papel. Nenhuma proeza é escabrosa demais, nenhum feito, ousado demais. De repente, essa parse se torna guardiã da reputação de todo um grupo cujas excentricidades já têm sabor de lenda. Cabe a ela passar adiante esse legado arrogante.

Sua reputação é confirmada no sexto ano, quando chega ao colégio numa segunda-feira e conta às amigas que descobriu um novo passatempo: quebrar vidraças com os punhos fechados (que fique claro que ela só fez isso uma vez e, além disso, a vidraça já se encontrava rachada, motivo pelo qual não houve consequências. Tais detalhes, desnecessário dizer, não são mencionados quando a história é contada).

No sexto ano, porém, surge uma concorrente para o título de Parse Doida. Anita Khalsa é uma menina alta, grandalhona, com um sorriso largo e contagiante, diretamente saído de um romance de Billy Bunter. A mãe é uma mulher de modos suaves, imponente; sua reação típica à filha é um meneio incrédulo de cabeça, que no entanto indica certo divertimento, como se ela fosse incapaz de acreditar que deu à luz essa menina engraçada que mais parece uma girafa.

Durante algum tempo, corremos lado a lado na disputa, mas no Dia da Língua Azul ela me ultrapassa por uma questão de milímetros e agora é a mais doida das parses doidas. Acontece o seguinte: na aula de biologia aprendemos que a tinta de escrever é feita de óleo de peixe. No dia seguinte, Anita chega à escola com um vidro novinho de tinta Parker azul real lavável. Como só nos permitem usar canetas-tinteiro na escola, andamos o tempo todo com uma caneta-tinteiro, um vidro de tinta e folhas cor-de-rosa de papel mata-borrão. Por isso, o fato de Anita levar para a escola um vidro de tinta não levanta qualquer suspeita. No meu colégio, as freiras encaram esferográficas com a mesma desconfiança que dispensam aos preservativos.

— Invenções abomináveis — dirá a irmã Hillary se pegar alguma de nós com uma esferográfica pagã. — Estragam a letra de qualquer um. Meninas de boa família usam caneta-tinteiro.

Pouco antes do intervalo para o almoço, Anita faz uma declaração bombástica. Após o almoço, vai beber a tinta.

Engolimos a toda disparada o almoço que nos chega pelas mãos dos entregadores. São homens magros mas musculosos que toda manhã recolhem em casas particulares centenas de almoços acondicionados em marmitas de metal de três andares e os entregam em escolas e escritórios em toda a cidade. Meu carregador próprio surge na escola equilibrando na cabeça uma caixa comprida de madeira do tamanho de um barco pequeno. Costumo fantasiar que mato aula para segui-lo e observar como ele abre caminho num trem lotado com essa prancha de madeira na cabeça.

Depois do almoço, voltamos para a nossa sala, no segundo andar, da maneira mais discreta possível. Se as professoras ouvirem falar da performance programada por Anita, sem dúvida acabarão com a festa. Este é o primeiro ano em que ocupamos uma sala com porta, e tiramos o maior proveito da privacidade que isso nos confere. Um mês atrás, houve a infame guerra de sapatos, na qual, por algum motivo misterioso que nenhuma de nós foi capaz de recordar depois, tiramos os sapatos e os atiramos umas nas outras. Chovia forte lá fora, transformando o gramado num campo encharcado de lama mole. À certa altura, à medida que a guerra foi ficando mais animada, o sapato de alguém saiu voando pela janela aberta e aterrissou na lama, dois andares abaixo. Comemoramos a aterrissagem do sapato até que Zenobia, uma menina plácida de pele clara, dona de uma personalidade doce, se ofereceu para resgatá-lo. Observamos da janela e aplaudimos quando ela recuperou o sapato coberto de lama, erguendo-o triunfante para que todas nós víssemos. Mas justo quando ela já ia voltando para a sala, alguém teve uma ideia brilhante. Já que Zenobia estava lá embaixo, podíamos atirar mais sapatos na lama. E foi o que fizemos.

Quando adentrou a sala naquela tarde, a sra. Pereira foi saudada por quarenta alunas risonhas sentadas em suas carteiras, ostentando sapatos molhados e cobertos de lama. Mas havíamos treinado bem a sra. Pereira, que jamais desenvolvia uma conversa conosco se pudesse evitar. Quem sabe aonde levaria isso? Uma pergunta sobre os sapatos molhados podia levar a uma resposta envolvendo um túnel para a China, caso ela não tomasse cuidado. Assim, ela ignorou as poças de lama no chão, abriu o livro e começou a ler para a turma.

Com efeito, havíamos transformado a sra. Pereira numa perita em evitar perigos, conquista da qual nos orgulhávamos. Dia após dia, semana após semana, sistematicamente havíamos minado sua coragem, de tal forma que agora ela levava um susto quando alguém abria a boca e se encolhia quando uma de nós levantava o braço.

— Professora, professora — chamou Roxanne, balançando freneticamente o braço erguido.

A sra. Pereira ergueu os olhos, com uma expressão desconfiada, do exemplar de *David Copperfield*.

— O que foi, Roxanne?

— Por favor, professora, não entendi uma coisa que a senhora disse. O que é uma fita elástica? A senhora pode explicar?

— Uma fita de elástico. Agora, silêncio.

O restante da classe se deliciou com a interrupção e com a irritação óbvia da sra. Pereira.

— Essa foi brilhante, *yaar* — alguém sussurrou para Roxanne.

Dois minutos se passaram. Henrietta levantou o braço.

— Professora, com licença. Professora?

A sra. Pereira parecia irritada.

— Sim?

— Eu só queria perguntar uma coisa, professora. Posso comer esta maçã na sala?

Todas nós prendemos a respiração. Comer na sala era um tabu, um pecado equivalente a escrever com caneta esferográfica.

Mas a sra. Pereira estava nervosa.

— Não. Pode. Quer dizer, faça o que quiser. Mas agora chega, fiquem em silêncio. Chega de perguntas.

— Sim, sra. Pereira. Obrigada, sra. Pereira — entoou a turma inteira, naquele tom cantante que sabíamos ser capaz de enlouquecê-la.

Henrietta deu uma sonora mordida na maçã, passando-a depois para a vizinha de carteira. Passamos a fruta de mão em mão como se fosse um baseado, programando cada mordida para o momento preciso em que a sra. Pereira começava uma nova frase.

Quando o sino tocou, indicando o final da aula, a professora zonza fechou o livro e fugiu da sala antes mesmo que nos levantássemos para lhe desejar bom-dia. Nós nos entreolhamos, indicando com um aceno de cabeça a nossa satisfação. Mais uma aula vitoriosa.

Dois dias depois, preparamos mais uma surpresa para a sra. Pereira. Ela abriu a porta da sala e se deparou com uma decoração misteriosamente alterada. Tendo puxado as compridas fileiras verticais de carteiras para o fundo da sala, nós as rearrumamos, de modo que agora todas as carteiras se achavam alinhadas horizontalmente em três longas fileiras. O ventilador de teto girava enlouquecido sobre uma sala com três quartos de espaço vazio. E ali estava a nossa obra-prima: tínhamos pendurado três mochilas de pano no ventilador, de modo que, quando ligado na velocidade máxima, como naquele momento, as mochilas rodopiavam qual demônios, o bordado de espelhinhos na de cor verde refletindo o sol do meio-dia.

A sra. Pereira registrou a mobília rearrumada e a sala quase vazia com uma expressão indiferente no rosto. No entanto, estremeceu involuntariamente ante o perigo das mochilas voadoras, como se olhasse uma guilhotina pronta a degolá-la. Começamos a rir e a nos cutucar umas às outras, esperando que ela reagisse ao nosso projeto de decoração ou, no mínimo, desligasse o ventilador.

Em vez disso, a sra. Pereira empurrou a mesa do professor, afastando-a alguns centímetros das mochilas giratórias, abriu seu livro e enterrou o rosto nele. "Capítulo cinco", comandou, numa voz monocórdia.

Anita e eu nos entreolhamos, arrasadas. A mudança das carteiras havia sido ideia dela e a da obra do ventilador, minha. Diante, porém, da reação modesta da sra. Pereira, nenhuma das duas parecia muito brilhante. Senti uma admiração involuntária e um tanto invejosa pela nossa professora. E imediatamente assumi o compromisso de inventar uma outra peça para lhe pregar no dia seguinte, capaz de provocar uma reação mais forte.

Então agora alguém fecha a porta da sala, enquanto outra aluna se oferece para ficar de vigia, atenta a qualquer aproximação de uma das professoras. O restante da turma faz um círculo em torno de Anita, que destampa o vidro de tinta com um floreio e o leva aos lábios. Todas nós fazemos uma careta.

— *Men*, Anita, não! — exclama alguém. — E se for tóxico?

Mas as bochechas de Anita estão coradas e seus olhos cintilam de um jeito que nos assegura que a decisão já foi tomada.

— Vocês não prestaram atenção na aula de hoje, meninas? — indaga ela numa voz aguda, impostada, balançando o dedo na nossa direção, exatamente como faz a sra. Pinto. — Tintas são feitas de óleo de peixe. E óleo de peixe faz bem.

Antes que possamos impedi-la, Anita inclina a cabeça para trás e engole um terço da tinta. Engasga de leve, mas não para de beber.

Observando-a, fico dividida entre duas sensações contraditórias. Por um lado, sou tomada de admiração por Anita. Por outro, sei que terei que descobrir um jeito de superá-la, a fim de recuperar o título de Parse Doida.

Mas o que sela a minha admiração e o meu afeto por Anita é o seu ato seguinte. Inclinando novamente a cabeça, ela bebe mais um pouco de tinta. Então, lambe os beiços. Este gesto é que quebra o silêncio preocupado, atônito, que baixou sobre nós, e detona as palmas.

Anita sorri. Seus dentes estão azuis.

❊

ESTOU NA FESTA DE ANIVERSÁRIO da minha amiga Diana, uma das garotas mais populares da escola. Esquelética porém rija, ela é, nas palavras de admiração de mamãe, uma menina "versátil" — boa aluna e atleta competitiva. As freiras e professoras adoram Diana, pois não só ela é brilhante e inteligente, como também educada e bem-comportada. Para completar, pertence à elite parse — o pai é um médico renomado, oriundo de uma família famosa pela sofisticação e cultura. Por isso sei que se trata de um privilégio ser convidada para a festa de aniversário de Diana.

A casa é grande, com pé-direito alto e paredes pintadas de creme, o tipo de casa que me compele a baixar a voz quando falo. Essa casa, essas pessoas são diferentes da minha casa e da minha família de um jeito que consigo sentir mas não verbalizar. A mãe de Diana é uma mulher de fala mansa, culta, que faz o possível para entreter o grupo de meninas bagunceiras, todas alunas do sexto ano. Jogamos uma variedade de jogos do tipo "Charada" e depois chega a hora de comer. A mãe da aniversariante se dirige a nós:

— Será que algumas de vocês poderiam ir até a sala ao lado e pegar umas cadeiras? Vamos precisar de mais do que essas aqui.

Imediatamente me ofereço para ajudar e vou com duas outras colegas até o cômodo vizinho, onde a irmã mais velha de Diana está sentada no chão em posição de ioga com algumas amigas. Como sempre, somos ignoradas. Um disco gira na vitrola. Ouço a canção, mas ela me soa totalmente desarmônica e não entendo uma palavra. Ergui uma cadeira e estou saindo com ela quando escuto a irmã de Diana dizer:

— Não me canso desta música, mesmo já tendo ouvido um milhão de vezes. Prestem atenção na letra. É poesia. Garanto que vai se tornar a marca registrada dos anos 1960.

— Como se chama? — indaga uma das meninas mais velhas.

A irmã de Diana reage com incredulidade.

— Você não conhece "The Boxer"? — exclama. — Vai ser um clássico do rock, pode escrever.

Não faço ideia de sobre o que ela está falando. Mas os pelinhos em meu braço se arrepiam e uma onda de empolgação me invade. De onde venho, ninguém se refere desse jeito a uma música. De onde venho, música é algo para ser assoviado, e um luxo supérfluo, assim como flores, artes e museus. Ninguém que conheço jamais me sugeriu prestar atenção à letra de uma música. Me encanto com o que a irmã de Diana disse, o toque de arrogância em sua voz, com a confiança em seu jeito de falar, a maneira como as outras concordam solenemente com a cabeça, como se pertencessem a uma tribo secreta. De repente, não quero me relacionar com as garotas tolas e infantis que devoram sanduíches de frango à minha volta. Quero voltar para a outra sala e me juntar ao círculo sagrado das meninas mais velhas, quero ouvir de novo aquela música, tão atentamente quanto elas, quero entender as palavras na voz murmurante do cantor, quero ser crescida o bastante e inteligente o bastante para construir frases maravilhosas, inexplicáveis e glamourosas como "Garanto que vai se tornar a marca registrada dos anos 1960".

Mas estou presa às garotas com seus sanduíches de frango. Não tenho segurança suficiente para me levantar da mesa e pedir para ser incluída em outro círculo. Também sei que, como a maioria das irmãs mais velhas, a irmã mais velha de Diana não me dará a menor bola. Uma tristeza modorrenta me invade. Assim como as palavras da srta. D'Silva abriram por um momento as cortinas de um outro mundo, assombrosamente complicado, e me permitiram vislumbrá-lo brevemente, o mesmo se deu com as palavras da irmã de Diana. Mas a cortina se fechou de novo, me exilando, como sempre, no mundo de garotas risonhas que cantam "Born Free" e "A Spoonful of Sugar", que dizem coisas previsíveis, vazias, em lugar de fazer declarações inexplicáveis, chocantes, que me causam arrepios de empolgação. Uma sensação amarga de nostalgia e perda se aloja em meu estômago e desdenho meu sanduíche parcialmente comido.

— Você está bem, Thrity? — pergunta a mãe de Diana. Respondo que sim com a cabeça, tentando não deixar transparecer meu sofrimento.

Sou diferente dessas garotas risonhas à volta da mesa. Sei disso agora. Há um outro mundo lá fora, um mundo onde talvez haja um lugar para desajustados como eu. Mas o que fazer para entrar nele é um mistério maior do que qualquer um que o Clube dos Sete já tenha desvendado.

MINHA OBSESSÃO POR ENID BLYTON finalmente esmoreceu com a chegada da idade adulta, mas não sem um último aplauso. Tudo aconteceu no dia em que Freny me disse, delicadamente, que eu já estava velha demais para continuar adorando essa autora, assim como — sim, também — os romances de Billy Bunter e Nancy Drew, e que estava na hora de começar a ler algo mais adequado à minha idade, como as obras de Mills e Boon.

Fico atônita. Como assim, abrir mão dos meus amados companheiros de infância cujas vidas conheço mais que as das minhas colegas de escola? Peter, Georgina, Colin, Scamper, bem como Billy e Bessie Bunter, que sempre me fizeram companhia quando os adultos se achavam ocupados demais para mim e corriam de um lado para o outro como se presos a seus próprios círculos de mazelas. Abandonar voluntariamente amigos tão leais seria um ato de traição vil. Recordo as horas sem conta passadas lendo esses romances, a ponto de decorar páginas inteiras — talento que eu costumava exibir com constância, até a noite em que levei um tapa de mamãe na frente da senhora idosa que morava no térreo. Tínhamos acabado de voltar de uma reunião de pais e mestres, na qual a sra. Patel se queixara do meu hábito de repetir a última palavra que ela dizia.

— Isso faz com que as outras alunas pensem que ela está zombando de mim — disse a professora. — Não sei ao certo se ela faz isso para se mostrar ou não.

E embora eu tenha balançado a cabeça negando com veemência essa hipótese, mamãe concluiu que a reclamação era genuína e de alguma forma associada à minha capacidade de decorar trechos inteiros de livros. No ônibus, voltando para casa, ela me disse que eu teria que parar, imediatamente, com as duas manias irritantes. Prometi obedecer, motivo pelo qual ambas ficamos pasmas quando comecei a recitar parágrafos de *O último trimestre nas torres Malory* enquanto subíamos a escada do prédio. A porta do apartamento térreo se escancarou no exato momento em que a mão de mamãe atingiu a minha boca, e, por um segundo, a vergonha e o espanto me impediram de chorar. Era a primeira vez que a minha mãe me batia na frente de um estranho. Ela começou a balbuciar uma explicação para a vizinha do térreo, e subi correndo as escadas, dois degraus de cada vez. Mas o tapa funcionou. Desse dia em diante, perdi meu talento para decorar textos. Na maior parte do tempo, não me importava com isso, mas, às vezes, a sensação era de perda, como a de alguém que se esquece como fazer um truque de baralho que foi repetido durante a vida toda.

Por isso, quando ouço Freny me pedir para abrir mão de Enid Blyton, isso soa como mais uma perda. Estamos no quarto dela e de Babu tendo essa conversa, e um retrato emoldurado do profeta Zoroastro adorna a parede amarelo-esverdeada. Com um floreio dramático, me aproximo dele, fico na ponta dos pés e toco a parte inferior da moldura.

— Juro por Deus que jamais pararei de ler Enid Blyton. Esses livros são os únicos que desejo ler pelo resto da vida.

Freny reprime um sorriso.

— Tudo bem — diz ela. — Mas se algum dia quiser ler alguma outra coisa, me avise.

Duas semanas depois desse juramento de devoção imorredoura a Enid Blyton, por acaso pego um dos romances de Roshan. Na capa, um homem alto com uma vasta cabeleira escura, vestido numa camisa branca larga e calças pretas e justas, arrebata do chão uma moça de cintura fina e longos cabelos ruivos. Depois de verificar se Roshan não está por perto, folheio o livro, parando num trecho que parece descrever uma tórrida cena de sexo.

Fui fisgada. Muito prazer, Brad, Luther e Hal. Adeus, Fatty, Peter e Colin. Adeus, Georgina, a moleca. Muito prazer, donzela Daphne.

CAPÍTULO 10

Jesse tem sobrancelhas bastas e desgrenhadas, que ela puxa compulsivamente sempre que tenta se concentrar, um topete ruivo malcuidado e uma calça jeans cor-de-rosa.

É por causa da calça cor-de-rosa que ficamos amigas.

Por algum motivo, os adultos odeiam a calça jeans de Jesse, sentem-se agredidos por ela, interpretando-a como sintoma do seu espírito indômito e da sua natureza incontrolável. A calça jeans os leva a pensar que Jesse é uma não conformista imprevisível, que olha de cima do seu longo nariz parse para o jeito simplório, tipicamente classe média deles. Como quase tudo isso é verdade, eles a odeiam. Ninguém no nosso bairro — onde todos vivíamos e morríamos de acordo com o código onipresente: "O que os outros vão pensar?" — ousa usar uma calça jeans cor-de-rosa. Do mesmo modo, nunca se ouviu falar de uma adolescente que ligue tão pouco para a própria aparência a ponto de calçar tênis em lugar de sapatos de salto alto, que se interesse mais por livros do que por joias, que prefira prata a ouro, que passe a mão impacientemente pelo cabelo curto, em vez de pentear longas tranças. Para piorar ainda mais as coisas, Jesse fala abertamente de seus vários relacionamentos platônicos com os ex-colegas de classe, comentando o assunto com uma descontração natural totalmente desconectada da pudicícia afetada que se espera que as garotas adotem ao se referirem a rapazes. Segundo boatos, Jesse se apaixonou por um colega muçulmano e seus pais, escandalizados, a despacharam para a casa da avó em Bombaim. No entanto, se está a par dos boatos que pairam à sua volta como um negro enxame de abelhas, Jesse nada faz para contradizê-los.

Em vez disso, ela descreve com grande afeição a pequena cidade onde cresceu e a escola mista liberal e progressiva que frequentou. Assim, ela consegue irritar ainda mais o pessoal aqui do bairro. A maioria das famílias parses em boas condições financeiras manda os filhos para colégios católicos, onde nos gabamos de receber uma ótima educação das freiras irlandesas e inglesas. Jesse, porém, zomba das nossas antiquadas escolas particulares — o jeito como nos separam em "alas" ou grupos batizados com nomes de santas, o fato de nos esforçamos nos torneios interescolares anuais, como se ganhar medalhas para o nosso colégio fosse a expressão máxima do nosso propósito na terra. Na escola que frequentou, conta ela, o desmazelado porém brilhante diretor dava um prêmio a cada aluno que praticasse um esporte. E o prêmio em si já era bem revelador — em lugar das medalhas marciais, de prata e ouro, que ganhamos, os alunos da escola de Jesse eram agraciados com uma fita. Enquanto repetimos da boca para fora frases feitas do tipo "O importante não é ganhar, mas competir", a escola de Jesse põe isso em prática.

A maior ofensa, porém, reside no fato de que Jesse não parece se sentir ardorosamente grata por estar em Bombaim, como gostaríamos. Afinal, nascemos aqui, residimos na maior cidade da Índia. Em nosso orgulho pela cidade, em nosso pesar por qualquer um que não seja daqui, somos tão arrogantes e bairristas quanto os nova-iorquinos. Queremos que os recém-chegados reconheçam a dádiva de estar em Bombaim, queremos que comemorem esse privilégio. Mas Jesse insiste em continuar falando da sua tediosa cidade natal — ao menos é assim que imaginamos a pequena porém movimentada cidadezinha — como se fosse um lugar digno de orgulho.

Tenho 13 anos quando Jesse vem morar com a avó no apartamento contíguo ao nosso. Mas nos conhecemos há anos, já que ela e a irmã caçula costumavam passar todos os verões com a avó. Nosso apartamento e o dela partilham uma porta de comunicação na varanda. A irmã de Jesse, Perin, apenas dois anos mais velha que eu, vivia sendo enxotada, juntamente comigo, de um e outro apartamento, pois as meninas mais velhas — Jesse, Roshan e as vizinhas do terceiro andar — se uniam contra nós e nos evitavam como se fôssemos leprosas.

É o livro *Sede de viver* que sela a nossa amizade.

Alguns meses depois da sua mudança para Bombaim, esbarro em Jesse na padaria em frente ao prédio. Ela espera que eu termine de comprar pão, e voltamos juntas para casa. Choveu hoje mais cedo, e as ruas estão escorregadias sob a luz laranja do crepúsculo.

— Que tarde bonita — comento, quase para mim mesma.

— É mesmo. Faz lembrar aquela música da banda Moody Blues, "Voices in the Sky". Conhece?

Abano a cabeça para indicar que não, e Jesse começar a cantar baixinho, numa voz bonita, nostálgica, que me percorre como um calafrio.

Bluebird, flying high
Tell me what you sing
If you could talk to me
What news would you bring?

Pássaro azul que voa alto
Me diga o que você canta
Se pudesse falar comigo
Que novidades me traria?

De repente, me sinto absurda e loucamente feliz. A música e a voz melancólica de Jesse ecoam com perfeição meu sentimento de lobo solitário que, desde que me entendo por gente, me invade ao cair da tarde.

Chegamos à entrada do meu bloco no prédio. Jesse para de cantar, me encara por um segundo e diz:

— Reparei que toda tarde quando chego do colégio você está sentada na cadeira de balanço da varanda. Fazendo o quê? O dever de casa?

— Eu fico escrevendo — murmuro.

— Como assim? — diz ela em seu falso sotaque sul-indiano.

— Fico escrevendo... poesia — respondo, sentindo meu rosto corar.

Mas Jesse não reage de modo a me constranger, não me chama de poeta nem me pede para lhe mostrar alguma poesia minha. Em vez disso, diz:

— Acabei de comprar um disco 45 que acho que você vai gostar. Quer passar lá em casa depois do jantar para ouvir?

Provoco uma reação de estranheza em casa quando aviso que vou dar um pulinho no apartamento de Jesse. Percebo que Roshan leva um susto, como se sua proximidade de Jesse em idade fizesse dela a convidada lógica. Finjo não notar a mágoa e a vergonha em seu rosto.

A canção é "Vincent", de Don McLean. Conheço esse cantor porque "American Pie" é uma das músicas favoritas da irmã Hillary, mas nunca ouvi "Vincent". Desde a primeira frase — "*Starry, starry night*" —, me apaixono, hipnotizada pela voz sedosa e pura de Don McLean, pela melodia perfeita e a letra impressionista e pungente. "*Frameless heads on nameless walls*"... Como alguém consegue compor uma frase tão poética? Nesse momento, meus poemas patéticos minguam e morrem mortes anônimas, enterrados nos cadernos em que nasceram.

O disco chega ao fim.

— De novo — peço num tom abafado. — Pode pôr de novo?

Minha intenção é decorar a letra antes de voltar para casa. Apesar do escuro — Jesse apagou todas as luzes da sala, para ouvirmos o disco numa paz absoluta —, tenho a impressão de ver um olhar de aprovação no rosto de Jesse.

Tocamos a música sete vezes seguidas. Quando a última nota se esvai, exclamo do meu jeito habitual, excessivamente dramático:

— Rezo a Deus para conseguir, antes de morrer, escrever um poema com metade da beleza que tem essa música.

Para minha surpresa, Jesse faz uma careta.

— Não reze para isso. Se quer escrever um bom poema, leia bons poetas. O que acha que Deus vai fazer, escrever o poema para você?

— Você não... não acredita em Deus? — pergunto, sem querer ouvir a resposta.

— Não — responde Jesse diretamente. — E também não acredito nessa conversa fiada de Senhor Zoroastro isso, Jesus Cristo aquilo.

Engulo em seco. Sou capaz de defender a calça jeans cor-de-rosa de Jesse, mas não acreditar em Deus já é outra história.

Depois, porém, penso no jeito como Jesse cantou "Voices in the Sky" mais cedo, na pureza e na melancolia da sua voz e na maneira como ficou sentada de olhos fechados enquanto ouvia Don McLean cantar "Vincent", parecendo estar numa igreja. Entendo, então, que embora seja ateia, Jesse acredita em algo supremo e belo. Me dou conta pela primeira vez de que é possível rezar sem crer em Deus, que é possível se apaixonar de tal maneira pela beleza pungente do mundo, que só isso já é uma espécie de religião.

— Sabe, Van Gogh também não acreditava em Deus — diz ela, o que me traz de volta ao presente.

— Van quem? Quem é esse?

— Van Gogh? É um pintor, a letra de "Vincent" fala sobre ele. Nunca ouviu falar dos impressionistas?

Balanço a cabeça, muda, o desespero me invadindo o corpo como uma febre. Jamais me dei conta de quanta coisa existe para se conhecer no mundo e do pouco que conheço. Nem sequer imaginei que Don McLean estivesse cantando sobre uma pessoa de verdade. Convenço-me de que Jesse agora vai me virar as costas, desiludida.

Pelo contrário: ela sai apressada da sala e volta com um livro pesado, impresso em papel brilhante. É um livro de arte, intitulado

Vincent. Jesse o entrega a mim e eu viro as páginas com a mesma reverência que qualquer papa usaria para manusear a Bíblia.

São pinturas de um louco. Isso fica óbvio assim que começo a folhear o livro. Um riso, misto de deleite e espanto, me escapa dos lábios. Me encanto ao virar cada página, sentindo uma alegria tumultuosa, enlouquecida, à medida que me surgem diante dos olhos sóis gigantescos, abrasadores, céus espiralados, linhas tortas, pinceladas insanas e passionais.

Jesse se senta ao meu lado, puxando os pelinhos das sobrancelhas enquanto contemplo os quadros. Seu rosto demonstra expectativa enquanto observa o meu, e de repente me ocorre que ela torce para que eu goste tanto do livro quanto ela, que busca a minha adesão exatamente como busco a sua amizade. A ideia me diverte, me apavora e delicia.

— A marca de Caim — murmura ela, desviando o olhar do meu rosto.

— Como?

— Desculpe. Não é nada. Só a frase de um livro que adoro, *Demian*. O autor é um alemão chamado Hermann Hesse.

Faço com a cabeça o sinal de que registrei. Já desisti de acompanhar essa garota estranha, brilhante, que é um misto desconcertante de segurança expansiva e sensibilidade vulnerável.

No fim de tarde seguinte, estou sentada na minha cadeira de balanço tentando escrever um poema que capte o céu dourado do cair da tarde, quando Jesse bate na porta de comunicação da varanda.

— Abra — grita ela, quando ergo os olhos do caderno.

Ela me trouxe dois presentes, os primeiros de uma longa série. O primeiro é um exemplar do livro de arte que me mostrou ontem. O segundo, um livro chamado *Sede de viver*. Trata-se de um volume grosso, de aparência séria, o tipo de leitura para adultos, e Jesse me explica que é a biografia de Van Gogh. Meu coração se desaponta ao ouvir a palavra "biografia". Basicamente leio romances de Mills e Boon, não sei se dou conta de um livro como este. Depois, porém, de dizer todas as coisas que meninas parses educadas, de boa família, costumam falar quando recebem um presente ("Ora, você não devia gastar o seu dinheiro suado comigo, minha nossa!"), aceito os dois livros.

Mais tarde constato, impressionada, que nunca tinha recebido um livro de presente. Estou habituada a ganhar roupas e sapatos da minha família.

Igualmente estranho para mim é o fato de Jesse ter escrito uma dedicatória no livro. Sei que, se algum dia eu resolvesse dar um livro a uma amiga, mamãe ou Mehroo pediriam para que eu nada escrevesse nele, caso a amiga decidisse trocá-lo por outra coisa. O fato de Jesse ter escrito no livro e inviabilizado sua devolução demonstra tamanha autoconfiança que constitui mais uma novidade em toda essa experiência.

Leio a dedicatória: *Para Thrity. Por seu amor à cor e à luz.*

Pronto, a máscara caiu. Essa garota estranha, impetuosa e excêntrica me conhece melhor que os meus próprios pais. Vamos ser amigas, afinal. Estou fadada a defendê-la, a protegê-la, a lutar pelo seu direito de usar calça jeans cor-de-rosa. Sei que essa amizade cobrará um preço, que nunca mais poderei fingir ser a menina boazinha e tranquila que todos os vizinhos adoram. Jesse vai exigir que eu escolha um dos lados.

Por seu amor à cor e à luz. Mas na verdade não existe alternativa, existe? Jesse enxergou através de mim, não se deixou enganar pelo numerito mocinha bem-comportada e vislumbrou uma alma tão inquieta e desafiadora quanto a sua. Já faz anos que secretamente venho separando as pessoas que conheço em dois grupos — as que vivem com o pé na terra e as que vivem com a cabeça na lua. Jesse, decididamente, pertence ao segundo grupo.

Sede de viver. Pois é precisamente isso o que, de repente, sinto também.

❁

LEIO A BIOGRAFIA DE VAN GOGH em dois dias.

E aprendo mais sobre os mistérios da minha própria vida do que a respeito dele. Tudo que nunca fez sentido para mim antes — por que nunca me sinto à vontade na multidão, por que sempre defendo o oprimido, por que não desejo as coisas que costumam alegrar a maioria das minhas amigas, por que o céu do entardecer me deixa melancólica e solitária desde que me entendo por gente, por que algumas músicas produzem em mim um efeito devastador — de repente, tudo isso fica mais claro.

Há muito tempo sou uma desencaixada. Tenho agora um companheiro: o pintor holandês louco, morto muito antes que eu nascesse. *Sede de viver* mexe comigo de um jeito peculiar. De uma hora para outra, adoto uma ligeira gagueira e passo as mãos pelos cabelos no que imagino como um gesto excêntrico, errático. Começo a encarar com enorme desconfiança eventos familiares e ocasiões festivas, como casamentos, mantendo-me afastada da alegria e da futilidade que tais comemorações exigem. Por um período breve, carrego sempre comigo um caderno, fingindo compor poemas, mesmo quando não me ocorre qualquer inspiração poética. Recuso-me a aceitar carona do meu pai para a escola, preferindo ir a pé ou de ônibus, na tentativa de rejeitar os pequenos privilégios da abastança, à semelhança do que fez o jovem Vincent ao virar as costas à própria família de abastados comerciantes de obras de arte.

Se repara nessas mudanças, Jesse não diz nada. Em vez disso, continua me entupindo de livros, até que os nomes Monet, Dali, Turner e Degas saem da minha boca com a mesma facilidade com que chamo minhas colegas de classe. Nos fins de semana, visitamos livreiros que se aboletaram na calçada na Fonte Flora e uso meu próprio dinheiro para comprar livros de arte. Um dia espero ter uma coleção que concorra com a de Jesse.

Esses livros dão lugar a outros. Jesse me apresenta Shaw, Dostoiévski, Hesse, Tchekov, Steinbeck. Mergulho no mundo da literatura, me encanto com o humor mordaz de Shaw, com a moralidade dos russos, com a confiança ostensiva dos americanos. Leio tanto que às vezes tenho dificuldade de focar e recordar a minha própria vida. Minha cabeça é um redemoinho de palavras, diálogos e nomes de personagens. À noite tenho sonhos estranhos, nos quais cataratas de palavras brotam de mim, uma ladainha incessante e fácil numa linguagem bela em que os termos se unem como contas num colar. Acordo no dia seguinte e ponho tudo no papel.

Escrevo poemas, contos, ensaios. Às vezes me sinto incorpórea, sem qualquer resquício de carne e ossos para me manterem de pé. Em vez disso, as palavras me mantêm composta, um corpo-fantasma fadado a desaparecer se estas sumirem, como o desenho de uma linha, passível de ser apagado.

Troco as blusas cor-de-rosa e estampadas por *kurtas* brancas, aquelas batas que batem abaixo do joelho, e me recuso a sorrir em fotografias, adotando, em vez disso, uma expressão séria, erudita. Parte da minha atitude, contudo, é genuína — Jesse despertou em mim um desejo de conhecimento que nenhuma professora, nenhuma freira, nenhum livro acadêmico jamais conseguiu despertar. Pela primeira vez na vida, não quero a saída fácil, o caminho dos preguiçosos.

Todo fim de tarde, Jesse e eu nos postamos em nossas respectivas varandas, debruçadas no parapeito, e conversamos até o céu passar de laranja a azul-cobalto e, finalmente, escurecer por completo. Falamos de música, de arte, de literatura, e com frequência comentamos sobre a claridade inconstante do dia. Me sinto realizada e revitalizada com essas conversas, como se elas preenchessem um vazio que eu sequer sabia existir. Vivo faminta por qualquer porção de conhecimento que possa fluir através de Jesse, armazenando tudo como fazem os cães com seus ossos. Mehroo chega até a varanda várias vezes e me chama para jantar, mas ignoro. Minha fome de mundo é maior do que o próprio mundo e não há costeletas de carneiro e *okras* que consigam saciá-la. Muitas vezes me pergunto que rumo tomaria a minha vida caso Jesse não tivesse se mudado para o apartamento vizinho quando o fez, e então sinto vontade de chorar de gratidão por essa virada do destino. Indago a mim mesma se não teria acabado virando uma dessas inúmeras garotas afáveis, dóceis e convencionais que enchem a vizinhança. Cheguei mesmo a levantar essa questão com Jesse uma vez, mas ela balançou a cabeça com impaciência.

— Que besteira! Você teria descoberto tudo isso comigo ou sem mim. É inteligente demais para virar uma Barbie dona de casa ou uma Pollyana.

Dou uma gargalhada, mas não tenho tanta certeza assim.

❁

As coisas não são mais as mesmas para mim na escola nesses últimos anos. Agora sou, inquestionavelmente, uma líder de grupo, famosa pelas peripécias ousadas, por desafiar a autoridade e ser extrovertida.

Nem sempre foi assim.

Anos atrás, eu era o alvo de piadas, a boboca, a boazinha, a que andava atrás das outras, das meninas populares, mais rápidas, mais falastronas, mais francas. Prejudicada pela minha maldita sensibilidade, fingia rir das piadas a meu respeito, mesmo quando por dentro queria morrer. Lia os anúncios de Charles Atlas na quarta capa dos gibis, me identificava com o bundão pateta que levava areia na cara, e imaginava o dia em que me tornaria confiante a assertiva. Nesse ínterim, contudo, eu ria tão alto quanto as outras meninas cada vez que alguém divertia o grupo com uma piada às minhas custas.

— E aí, garota — dizia Olga. — Por que será que um olho seu é menor que o outro? Faz você parecer um corvo envergonhado!

— Um corvo envergonhado? — repetia uma ouvinte qualquer. — Olga, *men*, você tem cada uma!

E eu engolia o ódio por Olga, alojado qual uma pedra na minha garganta, e abria um sorriso de elogio ao seu humor sagaz.

Então, um dia, resolvi mudar. Postei-me diante da pia do banheiro em casa e decidi que estava na hora de pôr fim às brincadeiras. Eu não tinha bem certeza de como quebrar essa fôrma em que me acomodara, esse papel de bufão bem-humorado para o qual haviam me escalado, mas sabia que, para guardar um pingo de autoestima, precisaria acabar com ele.

Então fiz algo revolucionário. Quando Olga fez uma piada sobre o fato de as minhas pernas serem tão curtas a ponto de terem feito Deus pensar em me dar de cortesia uma escada, fiz o seguinte: nada. Não me juntei às outras nas gargalhadas. Não entrei no coro de elogios à inteligência e ao humor de Olga. Simplesmente fiquei ali parada, olhando para ela de cara séria, com uma expressão tão vazia quanto uma parede.

E Olga entrou em pânico. O chão sob seus pés balançou, algumas fissuras pequenas, embora ainda invisíveis, surgiram à sua volta, embora ela não tenha conseguido detectar o que mudara. Apesar de constatar que havia algo diferente, que o equilíbrio de poder de alguma forma se invertera, ela não soube identificar a causa. Olhou para mim sem graça, como se, pela primeira vez, percebesse que precisava da minha cumplicidade, da minha simpatia servil para manter sua posição de poder. Na verdade, observando as várias emoções — incômodo, desconfiança, vergonha, medo — que seu rosto redondo estampou, percebi pela primeira vez o quanto ela precisava de mim para brilhar. Senti algo semelhante à onda de poder detonada pela heroína.

— Que foi, *men*? — perguntou ela, numa tentativa desesperada de impedir que aquela força invisível se transferisse dela para mim. — Por que está com essa cara de quem comeu e não gostou?

Senti um pânico-relâmpago ante esse desafio ostensivo. Mas então me lembrei da resolução de alguns dias antes e, quando falei, foi numa voz firme e, felizmente, livre do tremor emocional que costumava tingi-la.

— Puxa, desculpe — respondi. — Só não achei graça no que você disse, foi isso.

Olga cuspiu uma resposta e passou alguns dias tentando desesperadamente recuperar sua antiga glória, mas a maré tinha virado. E essa foi minha primeira aula sobre o poder da mudança transformadora.

No oitavo ano, já sou uma das alunas mais populares da sala. As freiras me adoram, porque invento músicas para comemorar todos os festejos e dias santos, as professoras gostam de mim porque, durante o recreio da tarde, ajudo as alunas "lentas" em história e inglês, e minhas amigas demonstram uma admiração embasbacada pela minha disposição de jamais recusar um desafio.

E é então que Jenny vem de Nova York para Bombaim.

CAPÍTULO 11

JENNY, NA VERDADE, é três anos mais velha que a maioria de nós, mas entrou no oitavo ano porque todo mundo sabe que a instrução que teve nos Estados Unidos é muito inferior à nossa. Correm boatos de que o irmão despachou-a de Nova York de volta para a Índia depois de flagrá-la seminua com o namorado, boatos que imediatamente a fazem parecer uma deusa de um outro planeta. Todas nos maravilhamos diante da incongruência entre a sofisticação nova-iorquina de Jenny e seus simplórios pais idosos que, de vez em quando, vemos na escola. Os pais dela são católicos de Kerala; a mãe é uma mulher tímida e introvertida que mal fala uma palavra em inglês.

Jenny é tudo menos simplória ou tímida. Com seu sotaque americano, seu onipresente chiclete e suas gírias casuais, ela é uma explosão de glamour numa escola em que a maioria das alunas se conhece há anos. Jenny é também muito bonita, com sua pele cor de chocolate e seu cabelo negro azeviche arrematado por uma franja que lhe chega aos olhos grandes e negros. Ao contrário do restante de nós, vive comendo balas e chocolates, mas o açúcar em nada prejudicou os dentes grandes, alvos e perfeitos. Seu jeito de falar é diferente do nosso — ela usa "toalete" em vez de banheiro e pede uma "Coca" em lugar de refrigerante. Ao mesmo tempo, enlouquece as freiras ao insistir em usar o uniforme curto, para exibir as coxas musculosas. Enquanto as outras alunas puxam as meias até a batata da perna, Jenny prefere as suas na altura do tornozelo. Em poucas semanas, já estamos todas dobrando as meias para ficarem mais curtas.

Nossa primeira conversa é sobre música. Numa coincidência feliz, Jenny e eu pegamos o mesmo ônibus para chegar ao colégio, no qual ela entra cerca de vinte minutos antes de mim.

— Ei, gostei daquela brincadeira que você fez na aula do sr. Singh ontem — me cumprimenta Jenny um dia, com uma pronúncia que lembra muito a dos artistas de Hollywood. — Ouvi dizer que você curte rock. Que bandas você costuma ouvir?

Mas quando respondo que são os Beatles, Jenny parece decepcionada:

— É, eles são legais, mas e quanto a coisas mais novas? Deep Purple, por exemplo, você gosta?

— Ah, sim, gosto muito dele — minto.

Jenny fica sem graça.

— Bem, na verdade é um grupo.

Sinto minhas orelhas enrubescerem. Estou convencida de que essa americana glamourosa, três anos mais velha que eu, não vai querer nem chegar perto de mim depois disso, tendo descoberto a impostora que sou, a "descolada" que pretendo ser. Assim, tenho uma surpresa feliz quando embarco no ônibus escolar na manhã seguinte e Jenny me entrega um disco do Deep Purple, *Burn*.

— Tome — diz ela, casualmente. — Trouxe para lhe emprestar. Tire um tempinho para ouvir e depois me diga se gostou.

Eu tiro um tempinho e ouço. E gosto. Pergunto a Jenny se ela gostaria que eu lhe emprestasse alguns dos meus discos e, na mesma hora, Jenny responde que vai descer do ônibus comigo um dia destes na volta da escola e dar uma olhada na minha coleção. Fico encantada com essa informalidade natural capaz de dispensar um convite. É tão diferente da sociedade sufocante e presa a regras com que estou acostumada!

No entanto, quando chego com Jenny em casa uma tarde, dá para ver de imediato que os adultos não vão com a cara dela. Minha mãe fica desconcertada ao ver o quanto Jenny é mais madura e fisicamente mais desenvolvida em comparação à maioria das minhas amigas palermas. Mehroo se mostra perturbada pela aparente falta de modos de Jenny. Ao contrário da postura aduladora, nojentamente educada que as minhas amigas e eu adotamos quando visitamos as casas umas das outras, Jenny é educada porém discreta. Não perde muito tempo conversando com os adultos, preferindo, ir direto para a sala e começar a tocar os discos. E, uma vez na sala, aumenta ao máximo o volume do som. Os músculos do meu estômago se contraem e me preparo para uma bronca. Conforme previsto, Mehroo entra na sala logo depois, tapando as orelhas com as mãos e gritando para conseguir ser ouvida acima da música.

— Está alto demais. Garanto que os vizinhos do térreo também estão ouvindo. Não vou conseguir trabalhar na sala ao lado. Baixem o volume.

Mas, em vez de pedir mil desculpas, Jenny simplesmente crava os olhos escuros em Mehroo, dizendo:

— Tudo bem, tia — diz ela. — A gente fecha a porta.

Mehroo parece tão pasma quanto eu. Nossa família não é do tipo que valoriza a privacidade a ponto de sair por aí fechando a porta na cara uns dos outros. Com efeito, a única porta que fechamos é a do banheiro. Mas Jenny parece feliz em não registrar o caráter revolucionário de suas palavras, e, depois de me lançar um olhar que quer dizer "que tipo de criatura você trouxe para casa?", Mehroo sai da sala.

Na mesma hora, Jenny se levanta e fecha ambas as portas da sala de estar. Mantenho uma expressão neutra e continuo a aparentar a mesma tranquilidade que ela, mas dentro de mim há um torvelinho de emoções — a consciência de que Mehroo se magoará com essa atitude e de que mamãe usará o fato para fundamentar sua antipatia instintiva por Jenny, mas, também, uma sensação triunfante de liberdade e despreocupação que jamais provei antes.

Esta é a primeira de várias experiências do gênero. Duas coisas ficam claras para mim assim que conheço Jenny: a primeira é que a maioria dos adultos que me cercam não gosta dela e se sente pouco à vontade na sua presença. A segunda é que eles nem desconfiam do efeito oposto que provocam em mim os seus conselhos para não me aproximar muito dela. Essa antipatia me leva a procurá-la mais ainda, pois finalmente vivencio o prazer duplo de irritá-los e a euforia libertária de estar com ela. Minha amizade com Jenny me faz sentir-me conectada com os Estados Unidos, me arranca das vias estreitas da minha vida e me transporta para uma terra distante, quase fictícia, uma terra de energia jovem, onde os ídolos de autoridade estão sendo derrubados diariamente.

Em primeiro lugar, contudo, Jenny e eu precisamos crescer numericamente. Nós duas sozinhas não somos capazes de enfrentar todas as forças contrárias — as freiras e as professoras na escola, a minha família e até mesmo as meninas da escola, que se escandalizam com suas histórias francas a respeito do namorado que ficou nos Estados Unidos com o qual ela "fazia coisas", bem como as histórias sobre um colega de classe de Nova York que atirou um vidro de tinta na professora porque ela o aborreceu. Acho que a história da tinta nos escandaliza mais, pois crescemos numa sociedade em que os professores são reverenciados como minideuses. Mas, mesmo assim, logo se juntam a nós duas novas amigas — Patty, uma católica cujos irmãos emigraram para a Austrália, e Yasmin, que pertence a uma família muçulmana progressista. Agora somos um quarteto e estamos prontas para conquistar o mundo.

A escola tem uma enfermaria — um quartinho com uma única cama onde podemos tirar um cochilo quando estamos indispostas. Nesse cômodo há uma escada que leva a uma porta, e um dia Jenny resolve abri-la para ver o que há ali. Descobre um sótão no qual as freiras guardam seus pertences. No entanto, o espaço é suficiente para três ou quatro garotas se sentarem e ficarem tranquilamente conversando aos sussurros (através das paredes podemos escutar o murmúrio abafado das vozes das freiras na enfermaria) enquanto compartilham um cigarro. Patty também faz uma descoberta que nos convence de que estávamos predestinadas a encontrar este cômodo para nele realizar nossos encontros clandestinos — no chão, ao lado das caixas de papelão cuidadosamente arrumadas, está metade de um coco, o cinzeiro perfeito para recolher as cinzas dos nossos cigarros. A casca seca do coco é o nosso talismã, o escudo que nos protege de um flagrante. E, com efeito, nunca fomos pegas no flagra, embora o sr. Narayan, o professor de matemática, costume me lançar seu olhar alerta de águia toda vez que entro em sua aula após uma das nossas sessões.

Algumas vezes escapamos por um triz. Uma tarde, após as aulas, Jenny surge com uma ideia brilhante: em vez de percorrermos o longo caminho até o banheiro feminino para acender um cigarro, podíamos nos sentar no chão, nos fundos da classe e fumar ali mesmo, no chão. Tenho o bom senso de sugerir que talvez seja melhor acender um cigarro de cada vez, para evitar muita fumaça. Durante alguns minutos fumamos em paz. Então, vemos a irmã Hillary passar pela sala de aula e nos abaixamos, torcendo para que ela não nos veja. Mas a irmã Hillary, uma freira calada, que caminha com lentidão e que, segundo os boatos, é levemente retardada, me viu, e se encaminha em nossa direção. O cigarro aceso está na minha mão e é tarde demais para apagá-lo. Fico de pé num salto e corro para perto da porta, tentando manter a irmã Hillary longe das outras. Seguro o cigarro atrás das costas e a encaro.

— Ah, que bom que você ainda não foi embora — diz ela. — Eu queria falar com você a respeito do som.

Gemo interiormente. O sistema de som estéreo do colégio é o orgulho da irmã Hillary, um dos poucos encargos que a madre superiora se sentiu confiante o bastante para delegar aos cuidados incautos dessa subordinada. Como o meu fascínio pela música é notório, e como estou sempre sentada na sala batucando em tambores imaginários, sou a única aluna na qual a irmã Hillary confia para operar o sistema de som nos eventos sociais e outras cerimônias. Ela o faz com toda a solenidade de um prefeito que entrega as chaves da cidade a um convidado ilustre. Mas o lado negativo disso é que, sempre que possível, a irmã Hillary entabula longas conversas a respeito da manutenção e operação apropriadas ao seu precioso aparelho de som. Na maior parte do tempo isso não me incomoda, mas agora, com a fumaça subindo por trás das minhas costas e o calor do cigarro começando a marcar presença nos meus dedos, me sinto presa sob o olhar inocente, tal uma vaca sagrada, da irmã Hillary. Preparo-me para o momento em que ela fareje algo de podre no ar, me pergunte o que estou escondendo às costas, declare que onde há fumaça deve haver um cigarro, mas ela simplesmente continua a conversar comigo. Atrás de mim, ouço Jenny e Patty tentando prender o riso. O cigarro continua a arder cada vez mais próximo dos meus dedos. Finalmente, não dá mais para aguentar.

— Desculpe, irmã. Estou com cólicas. Preciso ir... ir ao banheiro — resmungo. Disparo, então, para o banheiro antes que ela possa dizer uma única palavra. Rezo para não esbarrar em mais ninguém no caminho.

O fato de não sermos flagradas aumenta a nossa audácia. Alguns meses depois de conhecer Jenny, recusei-me a ir para o colégio no ônibus escolar, preferindo pegar um ônibus B.E.S.T. Cansada dos dramas cotidianos de tentar me arrancar da cama a tempo de embarcar no ônibus escolar, Mehroo concordou. Isso significa que posso ficar com as minhas três amigas após o fim das aulas. Algumas vezes por semana, juntamos o nosso dinheiro e vamos até a loja de bebidas a alguns quarteirões da escola. Nas primeiras investidas, nos revezamos na compra e contamos ao balconista mentiras mirabolantes de que estamos comprando coisas para nossos pais, mas logo fica claro que, desde que possamos pagar, ele não se interessa a mínima pela nossa idade nem pelo fato de estarmos comprando bebida ainda vestidas em uniforme escolar.

Escondendo as garrafas marrons de cerveja em nossas mochilas, partimos para a casa de Yasmin, pois seus pais só chegam do trabalho muito mais tarde. Um pouquinho antes da casa dela fica o nosso quiosque de *paanwalla* favorito, onde paramos para comprar três maços de Gold Flake.

Então consagramos o lar muçulmano, religioso e abstêmio de Yasmin ao encher de cerveja Kingfisher copos que jamais viram uma gota de álcool antes. Ouvimos *Fernando*, do Abba, *Smoke on the Water*, do Deep Purple, e *Band on the Run*, do Wings, inúmeras vezes. Cantamos junto, Pat dedilhando uma frenética guitarra fantasma, enquanto Jenny finge executar a percussão, o cabelo negro e liso esvoaçando para lá e para cá como o de Ringo. A fumaça cinza-azulada dos cigarros enche a sala, enquanto Jenny tenta me ensinar a soprar círculos perfeitos no ar. Faço um O perfeito com a boca, como ela ensina, mas, sei lá por quê, meus círculos mais parecem um C ou um L.

— Ai, garota — diz Jenny, balançando a cabeça e exibindo seus deslumbrantes dentes alvos.

Um torpor preguiçoso sobe pelas minhas pernas e se aloja em meu estômago à medida que bebo. Sinto a ambição deixar meu corpo, de modo que já não me importa coisa alguma exceto prolongar essa sensação agradável.

Tamanha falta de ambição se reflete nas minhas notas. No nono ano, a maioria dos professores está a ponto de desistir de mim, e mamãe fica fora de si, fazendo questão de me recordar que as provas finais, que determinarão se vou ou não me formar no ensino fundamental, já serão no ano que vem. Papai repete as ameaças de me arrumar um emprego de empacotadora numa fábrica se eu não me formar.

Mas eu não ligo a mínima. Pela primeira vez, estou descobrindo um mundo de agradável alheamento, um alívio bem-vindo para a atmosfera espinhosa e enervante da minha casa. Ao mesmo tempo, existe a novidade empolgante de sermos nós quatro contra o mundo, uma espécie de reprise de *Butch Cassidy*, descarregando nossos revólveres, explodindo tudo. Depois de passar anos como a garota responsável, sensível e certinha, estou me esbaldando com meu novo papel de menina má e adorando me tornar o tipo de adolescente que preocupa os adultos. Ser uma menina má é libertador e muito mais divertido.

Logo os garotos se transformam numa distração maior do que até mesmo a bebida. Há um monte de garotos na escola Christ Church, que fica a um pulinho da nossa, mas Jenny torce o nariz para eles e diz que são jovens demais e imaturos para nós. Claro que concordamos, pois, quando se trata de questões sexuais, Jenny é a líder inquestionável. Por isso Jenny nos enturma com amigos do seu atual namorado universitário e têm início as tardes passadas no escurinho de cinemas em meio a muitos amassos e beijos. Patty descobre, então, que um primo seu, que é DJ numa discoteca em Apollo Bunder, está disposto a nos deixar entrar na boate de graça nas tardes de sábado, antes de chegarem os frequentadores noturnos. O primo convida alguns amigos, e logo se formam casais. Dançamos um pouco e partimos para mais amassos e beijos. A coisa nunca vai muito além disso, ao menos para mim, porque anos de catequese sobre as virtudes da castidade, mais a ladainha de que os homens não respeitam mulheres que cedem com demasiada facilidade e o quanto é importante ser virgem até o casamento, tudo isso funcionou comigo. Além disso, a ideia de engravidar é assustadora, e todo mundo sabe que as boas moças não usam preservativos. Por esse motivo, faço questão de não dar a impressão de ser fácil, tento conversar com esses rapazes entre as rodadas de bolinação, embora às vezes o tiro saia pela culatra, pois é difícil para um garoto retomar o ardor ofegante da excitação depois que peço sua opinião sobre a Emergência da Índia.

Minhas notas também vêm caindo devido ao Pacto. O Pacto determina que nós quatro tentemos tirar mais ou menos as mesmas notas. Que toda vez que, numa prova, uma de nós parar de escrever, as demais façam o mesmo. É assim que comprovamos devoção umas às outras. Estou levemente consciente, como desconfio de que Yasmin também esteja, de que ela e eu temos mais a perder nesse acordo do que Jenny e Patty. Presume-se que Jenny uma hora vá acabar voltando para os Estados Unidos e que o restante da família de Patty em pouco tempo parta para a Austrália ao encontro dos irmãos dela. Mas Yasmin e eu permaneceremos na Índia, continuando a fazer parte de um sistema educacional impiedosamente competitivo. Teremos que chegar à faculdade com base nas notas obtidas no ensino médio, e diariamente somos bombardeadas com histórias de alunos que alcançaram médias de 99% mas que, ainda assim, não conseguiram entrar nas melhores faculdades da cidade.

Armazeno, porém, essas ideias no fundo da mente e adoto o Pacto, embora, de vez em quando, algum floco remanescente de ambição me faça escrever algumas linhas extras e largar a caneta alguns segundos depois das outras.

QUANDO, PORÉM, TIRO UMA NOTA PÉSSIMA numa prova de literatura, Greta Duke tem um ataque. Dessa vez fui longe demais.

Greta Duke nos ensina história e inglês desde o sétimo ano. Eu estava em casa, gripada, no dia em que a srta. Duke se apresentou à turma, mas, quando apareci no dia seguinte, a sala inteira fervilhava de animação.

— Adivinha só! — explode Brenda. — Espere até conhecer a nova professora de inglês, *men*. Você vai amar! Ela é diferente de todos os outros professores. É muito divertida e...

— E parece jovem e animada e não uma semente seca de *bora* — acrescenta Anita.

— E disse que Shakespeare era muito sexy — interrompe uma terceira, o encantamento da véspera ainda vivo em sua voz.

— Verdade, ela pronunciou a palavra "sexo" — confirma Anita. — Aliás, repetiu várias vezes.

— Calma aí, pessoal — exclamo, com superioridade escorrendo da minha voz. — Não esqueçam, ela é uma professora. Como pode ser tão legal?

Mas eu estava errada. Três segundos após Greta Duke entrar na sala, eu soube que estava errada. Com seu cabelo cacheado na altura dos ombros, a grossa pulseira de prata no pulso e o vestido amarelo-ouro mais curto do que a maioria das professoras ousaria usar, a srta. Duke não tinha nada a ver com as outras professores a que estávamos habituadas, todas gastas e irritadiças. E, quando abriu seu exemplar bastante usado de *Sonho de uma noite de verão* e começou a ler, as palavras de Shakespeare de repente adquiriram vida, colorido e paixão. Crescêramos ouvindo falar de Shakespeare, nos sentíamos intimidadas ante a ideia de estudá-lo, mas a maneira como a srta. Duke explicava a sua poesia fazia o bardo parecer tão acessível e contemporâneo quanto Nancy Drew alguns anos atrás.

— Então, o que acharam? — perguntou ela algum tempo depois, erguendo os olhos do livro. — Gostaram de Shakespeare, meninas?

— Gostamos, sim, professora — respondemos em coro.

A srta. Duke nos lançou um sorriso maroto. Via-se uma pequena falha entre os seus dentes da frente, o que a fazia parecer uma adolescente traquina.

— Ah, vocês todas só gostaram dele por causa do sexo e do romance!

Ficamos escandalizadas. Imagine uma professora falando de forma tão despreocupada a respeito de sexo, chegando até a fazer piada sobre gostar de sexo, como se fosse a coisa mais natural do mundo.

— Não, professora, não — protestamos. — Não é nada disso!

— É a linguagem — arrisquei. — Como é bonita!

Greta Duke me olhou como se ainda não tivesse reparado em mim.

— Você é Thrity, não? Ouvi falar um bocado de você — observou ela, enigmática. As outras alunas se entreolharam, invejosas por eu supostamente ser especial. Eu me remexi na cadeira, sem saber como interpretar as palavras dela.

— E aí? — indagaram minhas colegas no final da aula. — Tínhamos razão ou não?

— Ou não — respondi automaticamente. Mas dessa vez precisei reconhecer: — Vocês tinham toda razão. Ela é fantástica.

Quando cheguei ao nono ano, mais ou menos na época em que minhas notas começam a despencar como a maçã de Newton, Greta Duke e eu tínhamos nos tornado grandes amigas. Ela é a única injeção de ânimo e juventude numa escola em que as freiras, em seus hábitos brancos, e as professoras, todas com seus indefectíveis óculos, mais parecem fósseis do que seres humanos vivos. Ao contrário das outras professoras — e mesmo de algumas alunas mais conservadoras —, Greta Duke não se escandaliza nem se deixa intimidar pelos meus devaneios nem pelo meu papo sobre o poder dos jovens. Vivo ameaçando aparecer na escola num sábado para pintar margaridas amarelas em todas as paredes, falo de organizar um golpe contra as freiras e assumir o comando do colégio. Sempre que posso, organizo abaixo-assinados para protestar contra todo tipo de injustiça, sejam grandes ou pequenas. A parse doida está a mil por hora e agora adicionou alguns termos políticos, como "revolução" e "protesto pacífico", ao seu vocabulário.

A reação de Greta Duke a toda essa minha arenga não vai além de um certo espanto. Um dia, estimulada pelas minhas tentativas de fazer toda a classe assinar mais uma petição contra uma freira especialmente cruel, escancaro as portas da sala dos professores e a invado, o rosto afogueado de empolgação. A srta. Duke está sentada na comprida mesa de madeira, enquanto o sr. Narayan ocupa uma mesa lateral.

— A revolução jovem chegou! — grito, e aguardo uma reação. O sr. Narayan me olha boquiaberto, os olhos amarelos esbugalhados de espanto.

A srta. Duke ergue o olhar lentamente dos trabalhos que corrigia.

— Ótimo. Avise-me quando ela for embora — responde ela num tom neutro.

Saio da sala dos professores devidamente punida.

Mas agora que as minhas notas estão descendo ladeira abaixo, que nem Jack e Jill, a srta. Duke resolve que é hora de falar sério.

— Trate de me ouvir, garota — começa ela uma tarde. — Você tem uma cabeça ótima e a está desperdiçando. Não sou como os outros professores, jamais vi problema na sua amizade com Jenny e o resto do grupo. Sei que sob vários aspectos elas têm feito bem a você. Mas agora que essa história está começando a interferir no seu desempenho escolar, chegou a hora de me ouvir. De hoje em diante, você vai ficar na escola depois do final das aulas e vou lhe dar aulas particulares como dou às outras alunas. Quero ver você na biblioteca depois das aulas.

Protesto, como manda o meu papel, mas secretamente me empolgo. Quando dou a notícia a Patty e Jenny, elas reagem com surpresa, mas então Jenny dá de ombros e diz que espera que uma vez ou outra eu possa passar uma tarde com elas.

Quando conto a mamãe sobre a conversa com Greta Duke, ela se espanta e depois se preocupa. Aparece na escola no dia seguinte e tem uma conversa à base de sussurros com a srta. Duke, explicando que os negócios do meu pai não vão bem e que eles não poderão pagar mais uma professora particular.

— Minha senhora, Thrity não deve ter entendido direito — protesta a srta. Duke. — Não mencionei dinheiro. Na verdade, ela nem vai me tomar muito tempo. Sei que basta que me ouça ensinar às outras alunas para, automaticamente, pegar o ritmo novamente.

Assim, passo minhas tardes na biblioteca da escola, sentada à mesa e fingindo não escutar enquanto a srta. Duke ensina e faz perguntas ao grupo de seis ou sete alunas a quem dá aulas de reforço após o horário regular de aulas. Estou convencida de que uma vez ela me viu enfiar de volta no bolso do uniforme um maço de Gold Flake que estava aparecendo, mas se repara nos cigarros, não reconhece abertamente que fumo nem me passa um sermão sobre o mau hábito. Às vezes vejo Jenny e Patty passarem e sei que estão a caminho da casa de Yasmin para tomar uma cerveja. Ocasionalmente sinto inveja, mas o que me surpreende mais ainda é a raridade com que isso acontece. Porque estou gostando da ideia de aprender, e, a despeito do meu desinteresse fingido, fico eufórica quando, depois de verificar que nenhuma das alunas pagantes é capaz de responder uma pergunta, Greta Duke se vira para mim com um olhar indagador, silencioso, e, como quem não quer nada, dou a resposta correta. Nesses dias, se voltarmos para casa a pé juntas, ela cobra de mim:

— Viu como hoje você respondeu aquela pergunta que nenhuma daquelas patetas sabia? — pergunta ela em sua voz grave. — Você pensa que não reparo em você, garota, mas vejo tudo. Apesar de ficar olhando a paisagem pela janela o tempo todo, mesmo se metade da sua cabeça fica ligada em sei lá que ilha da fantasia, você ainda absorve mais que qualquer uma delas. Imagine do que seria capaz se usasse esta cabeça que tem.

Faço algum comentário tímido ou atrevido, mas por dentro canto como um passarinho. Greta Duke é o primeiro adulto que, mesmo quando me critica, faz com que eu me sinta especial e digna de atenção.

Diferentemente das críticas da minha mãe, as da srta. Duke jamais me apequenam ou enfeiam. Ao contrário, a sensação é de que todos os meus erros são fruto de escolhas que fiz, e por isso não me invade aquele desespero, aquele desalento, quando estou com ela. Afinal, se fiz escolhas ruins, também posso desfazê-las. Mesmo quando se exaspera comigo, dá para ver que a srta. Duke gosta de mim, que eu a divirto, e isso impede que suas palavras me machuquem.

E depois tem o seguinte: apesar de todas as minhas declarações de não ligar para notas e reputação, no fundo eu ligo. Os anos de sermões dos meus pais funcionaram, e a ideia de repetir um ano é tão vergonhosa, tão inimaginável, que sei que a reprovação não constitui uma opção genuína. E sei que Greta Duke sabe que sei disso. Por essa razão é que ela não está pronta a desistir de mim. Um dia, na tentativa de encontrar autoestímulo para estudar, copio trechos da letra de uma música de Bob Dylan numa folha de papel pautada, dobro a folha e a escondo no meu livro de química. "*She knows there's no success like failure and that failure is no success at all*"/ "Ela sabe que não existe sucesso igual ao fracasso e que o fracasso nada tem de sucesso", canta Dylan, e acho que entendo o que ele quer dizer. Sei que Greta Duke está me jogando um bote salva-vidas, me livrando dos perigos do mundo pelo qual me sinto seduzir. Ainda que publicamente eu finja desdenhar o resgate, me agarro a esse bote; às vezes ferozmente, outras com uma certa indiferença, mas me agarro mesmo assim.

Afinal, posso ser a Parse Doida, mas não sou louca.

CAPÍTULO 12

O SONHO COM OS POBRES DA CIDADE que eu tinha na infância não me visita mais. Os pobres, porém, continuam comigo. Como fantasmas, como sombras, eles estão por todo lado, e sua presença expõe as contradições, as sandices e as hipocrisias da vida da classe média como um ovo podre cuja casca se quebrou.

Ir até a praia de Chowpatty transformou-se numa agonia para mim. Papai costuma nos levar aos quiosques de comida que margeiam a praia, onde comemos *bhel* e *kulfi* de manga e tomamos *lassi*, aquela bebida de iogurte, ou caldo de cana. Inevitavelmente, somos seguidos por uma procissão de crianças semidespidas com barrigas distendidas e narizes escorrendo e moças descabeladas equilibrando uma criança no colo e levando outra pela mão. De braços estendidos e mãos em concha para receber as moedas dos caridosos, a procissão nos segue de quiosque em quiosque, nos encara com um olhar faminto quando abrimos a boca para abocanhar um *puri*, abafa a nossa conversa com um coro incessante de "*Arré, sahib*. A criança está com fome. Não come faz dois dias, *sahib*. Tenha dó". Quando o coro fica alto ou agressivo demais, o *bhaiya* irritado que comanda o quiosque sai atrás da turba, com a mão erguida de forma ameaçadora.

— *Chalo*, vão embora! — grita ele. — Deixem os pobres coitados comerem em paz. Animais sem-vergonha, aborrecendo assim os outros.

Como num ritual coreografado, o pequeno grupo se espalha, mas se afasta apenas alguns passos, sendo que em minutos está de volta, de olho atento no *bhaiya*, suas bocas ainda estampando uma expressão plangente, as mãos direitas (ou a esquerda, na falta da direita) estendidas. As crianças mais velhas às vezes chutam a areia com os pés inquietos de impaciência e desespero, mas se refreiam diante de um olhar penetrante dos adultos. Os mais ousados se aproximam e tocam em nós, puxam nossas mangas com seus dedos sujos e nos encolhemos e recuamos, como naqueles filmes de terror em que um monstro se aproxima da loura e virginal donzela em perigo. Se nos demoramos demais em determinado quiosque, quando papai pede, digamos, uma segunda rodada de *kulfi*, algumas das crianças menores se sentam na areia, dobrando as pernas e virando para si os pés descalços, de sola rachada e calejada, a fim de extrair deles farpas, pedaços de vidro e outros detritos. Os indivíduos de classe média que frequentam os quiosques — aqueles que prometem um *pooja* especial se o filhinho conseguir entrar para a Bombay Scottish ou a Cathedral School, e que se divertem em coquetéis em Juhu ou Breach Candy, durante os quais lamentam que o país esteja entrando pelo cano — observam essas crianças e depois desviam o olhar.

Não posso mais comer em Chowpatty. As contradições e a desigualdade com que convivo diariamente em Bombaim são esfregadas na minha cara em Chowpatty. Em casa é fácil ignorá-las, mas aqui, debaixo do meu nariz, a céu aberto, não há como virar as costas a esses olhos escuros e famintos nem aos porquês dos acidentes genealógicos e da distribuição aleatória de privilégios em que eles me fazem pensar. A culpa me sobe à garganta como bile, acabando com o meu apetite e me levando a desejar, mais que tudo no mundo, dar meu *lassi,* meu *puri* e meu *kulfi* a essas crianças que os contemplam com ganância. Sei, porém, que um gesto assim certamente se voltaria contra mim, despertaria a superproteção leonina da minha mãe quando o assunto é comida, induzindo-a a insistir para que eu fique com o prato do que quer que seja que ela esteja comendo, o que, por sua vez, obrigaria meu pai a lhe comprar outra coisa, aumentando mais ainda a minha culpa. Por isso me forço a engolir o que estou comendo, tentando ora ignorar as crianças que não desgrudam os olhos de mim, ora lhes lançar um sorriso. De alguma forma quero me distinguir do mundo a que pertenço, quero silenciosamente justificar minha situação para os esfarrapados que me cercam como jurados, quero fazê-los entender que não sou como meus pais, que entendo a fome que sentem e o ressentimento e a fúria que devo provocar neles. Por isso sorrio para as mulheres que carregam no colo as crianças de olhar vidrado. Às vezes elas retribuem o meu sorriso, num lampejo prateado de dentes impressionantemente brancos, noutras apenas me olham de forma inexpressiva, os rostos qual uma máscara de náilon a esconder um mundo inteiro.

Parte do motivo por que tanto desejo me distinguir — e, meu Deus, como é difícil admitir isso — é que às vezes sinto a mesma irritação enfurecida dos meus pais com relação aos mendigos. Às vezes sinto uma onda de autopiedade me varrer: *Droga, tudo que a gente quer é passar uma noite agradável com a família em Chowpatti, ter um pouco de diversão, comer alguma coisa... De que jeito, com esse bando de gente à volta como abutres? Que coisa mais injusta não se poder ir a lugar algum sem ser obrigado a pensar nos pobres e lidar com a culpa que a mera presença deles desperta. Como eu queria estar em Londres ou em algum outro lugar onde pudesse passear na rua tomando um sorvete sem que alguém desejasse arrancá-lo de mim.* Então, ouço a mim mesma e sinto raiva e vergonha ao ver o quanto a minha autopiedade queixosa é vazia em comparação ao peso da fome e do sofrimento deles. Por isso, como penitência, sorrio para as mulheres e crianças.

A essa altura, como se fizesse parte de um roteiro, um casal de velhos — ele apoiado num cajado grosso e com uma longa barba branca, ela com os olhos cinzentos e leitosos da velhice (ou será da cegueira?) e com os dentes ostentando manchas vermelho-amarronzadas de *paan*, aquele sumo grudento da folha de bétele — se aproxima lentamente de nós.

— *Arré baba*, tem um trocado? — pedem ao meu pai num tom pateticamente cadenciado.

— Deus o abençoe, meu filho. Um trocado para os pobres, por favor.

O velho começa a tossir, mas nem seria preciso, pois meu pai já enfiou a mão no bolso da calça e puxou um punhado de moedas.

— Deus o abençoe, *seth* — entoa o casal, surpreso e grato ante o sucesso fácil.

Os dois se afastam, e uma das crianças — um garoto de dez anos — corre atrás deles, furioso com a intromissão de ambos e o sucesso inesperado junto ao meu pai. O velho brande o cajado de forma ameaçadora na direção do menino e o faz recuar. Agora, porém, o grupo de mães jovens e crianças está tenso e agitado, tendo comprovado a exatidão de seus instintos quanto a este cavalheiro parse, que, embora os tenha ignorado durante os últimos vinte minutos, é fácil de dobrar, afinal. Eles não sabem o que sei: que por algum motivo — talvez porque perdeu a mãe aos quatro anos, talvez porque amasse e respeitasse o pai — papai jamais é capaz de virar as costas aos velhos sem lhes dar esmolas. Às mães jovens ele cede a contragosto, às crianças ele se recusa terminantemente a dar dinheiro, preferindo manter no carro pacotes de biscoitos de glicose para distribuir entre elas.

— Não se pode estragar a próxima geração. Eles devem ser encorajados a trabalhar, não a pedir — argumenta meu pai, ignorando por completo o fato de que existem Ph.D.s neste país que ocupam subempregos em pequenos escritórios por falta de emprego. Mas a homens e mulheres idosos meu pai não consegue dizer não, pois sente por eles uma certa responsabilidade que beira a reverência. Tem sempre no carro um estoque de moedas, e quando, empacado num engarrafamento, põe os olhos num velho pedinte mendigando dois ou três carros à frente, meu pai chega a abrir o vidro e chamá-lo.

A nossa procissão particular se encontra agora alvoroçada, todos cientes de que estamos chegando ao fim da expedição gastronômica e já tendo comprovado a generosidade do meu pai. Os pedidos de esmolas sobem de tom e se tornam mais dramáticos. Os músculos do meu estômago se contraem e sinto os dedos do pé se encolherem sob o peso da culpa e da vergonha.

— Por favor, *seth*, *memsahib* — geme uma das mulheres. — As crianças não comem há vários dias. Uns trocados para o jantar.

Ela empurra na nossa direção uma das crianças de aparência mais patética: um menino de quatro anos, de cabelo desgrenhado e olhos cinzentos e embaçados que sugerem cegueira. Uma vez no centro das atenções, o garoto entoa sua fala decorada:

— Por favor, *baba*. Estou de barriga vazia. Deus vai te dar em dobro, *seth*. Por favor, um pouquinho que seja.

A mãozinha se estende e, acidentalmente, esbarra no meu copo, derramando um pouco do *lassi*.

O *bhaiya* se impacienta, alisando o bigode fino com raiva.

— *Saala, badmaash*. Safados. Parasitas. Tratem de se mandar daqui antes que eu dê uma boa coça em vocês. Incomodando os meus melhores fregueses, onde já se viu?

Dessa vez o *bhaiya* parece falar sério e, percebendo isso, o grupo se prepara para dispersar. Justo nessa hora, meu pai diz:

— Muito bem. Vocês estão com fome? Dinheiro não dou. Sou contra estimular a mendicância, mas, Dilbar — diz ele, se virando para o *bhaiya* —, dê um prato de *bhel* para cada um deles. Eu pago tudo.

Um murmúrio perpassa o grupo, enquanto as mulheres tentam rapidamente calcular se devem insistir no dinheiro ou aceitar a comida. A oferta é irresistível, mas aceitá-la significa levar para casa menos dinheiro para entregar ao *dada* local que age como se fosse o dono dessa gente. Antes, porém, que possam agir, Dilbar intervém, a boca crispada de nojo.

— Por favor, *saar*. O senhor é o meu melhor freguês, mas esta gente é um estorvo. É ruim para os negócios, *saar*. Algum outro cliente pode vê-los comendo no meu quiosque. Espero que entenda, *saar*.

Dilbar fez o grupo tomar sua decisão. Os mendigos se viraram para ele, vários falando ao mesmo tempo.

— O *bara seth* disse que vai pagar. Por que não quer dar a comida?

— Você ouviu o que o *seth* disse. Dá logo o nosso *bhel*.

— Deus vai abençoar o *seth* pela sua generosidade, mas vai amaldiçoar você por tanto orgulho, seu mesquinho, por tratar a gente como bicho.

Mas Dilbar permanece intransigente. Cruza os braços sobre o peito volumoso e balança a cabeça para dizer que não.

A comoção despertou a atenção do sujeito que cuida do quiosque de *bhelpuri*, um pouco adiante. Ele é magro, insinuante, com os lábios estriados de vermelho por conta de *paan*. Vem correndo em nossa direção.

— Qual é o problema, qual é o problema? — indaga numa voz fina e aguda. — Dilbar, como você pode mandar para casa o *seth* parse infeliz assim, de coração pesado? Que vergonha, que vergonha! Façamos o seguinte, meu senhor: eu dou de comer a esses pobres miseráveis. Vamos ao meu quiosque, é pertinho, dois passos daqui.

Dilbar bufa. Papai agora está ansioso para pôr fim a toda essa cena. Vamos até o outro quiosque, com os moleques na nossa cola como num cortejo nupcial. Papai pega a carteira e tira dela algumas notas.

— Tome. Isso deve ser suficiente — diz ele.

O sujeito magricela sorri sem convicção.

— Só um minutinho, meu senhor. Ah, e vou precisar de um *baksheesh*, uma verba extra, *saar*. — E, baixando o volume da voz, acrescenta: — Faço isso como um favor ao senhor, *saar*. Sabe como essa gente é, suja e tudo mais. Vamos ter que lavar muito bem-lavada a louça, o que significa gastar mais água, *saar* — diz ele, apontando para um balde sujo de metal no qual lava as tigelas de vidro.

Papai parece enojado, embora eu não saiba ao certo se por ver o balde d'água imundo ou se por causa da avareza do homem. Tira da carteira mais duas rúpias.

— Tome. E se não bastar, vamos a outro quiosque.

Dito isso, papai dá meia-volta e começa a se afastar, mamãe e eu atrás dele. Mamãe diz algo sobre querer ver se o homem vai mesmo dar comida ao grupo, mas para papai já chega.

— Vir a Chowpatty não é mais um prazer — observa ele para ninguém em especial. — Cada vez há menos lugares para se frequentar em Bombaim.

Volto para casa nesse dia cheia de boa vontade e afeto pelo meu pai. Ele é idiossincrático em suas crenças, sim, mas tenta agir corretamente.

Conforme amadureço, porém, percebo que seus valores de classe média afloram nos momentos mais estapafúrdios. Aos 13 anos, vivo, como ele, encasulada na minha própria ideologia, e meus sonhos simplistas de alimentar e abrigar toda a população sem-teto da cidade cederam lugar a um desprezo amargo pela classe média bem-intencionada que finge saber o que é melhor para um povo com que se depara diariamente, mas sobre o qual nada sabe. Gente como o meu pai. Na verdade, gente como eu própria, embora eu prefira pular num barril de óleo fervente a admitir esse fato.

❋

Estamos no velho e enorme Ambassador, papai e eu apenas, no avantajado banco dianteiro, voltando para casa de uma reunião de negócios à qual fui com ele. A reunião correu bem e meu pai está animado, expansivo. O engarrafamento em Bori Bunder fez os carros pararem grudados, e ninguém se move. Normalmente a situação o deixaria aborrecido, mas hoje ele demonstra paciência, não se zangando sequer quando o motorista de táxi atrás de nós buzina sem motivo aparente, já que não há para onde fugir. Baixamos os vidros, sabendo que seremos sufocados pela fumaça dos carburadores dos ônibus B.E.S.T., todos eles velhos, mas precisamos de um pouco de ar para combater o calor úmido, viscoso, do meio da tarde. Justo nessa hora, um garoto de aparência saudável e olhos brilhantes, de uns oito anos de idade, corre para o carro e rapidamente aborda meu pai. O cabelo cortado bem curto e o rosto comprido e magro tornam seu sorriso amplo ainda mais largo e contagiante.

— Ei, *seth*, me dá um dinheiro, por favor. Minha mãe e minha irmã estão doentes. Por favor, *seth*. Bhagwan vai abençoá-lo.

Papai olha para o menino e depois para mim.

— Está vendo? — diz ele, como se o garoto não pudesse ouvi-lo. — É por isso que este país anda para trás. Um garoto saudável, ativo, mendigando para viver.

O tráfego se desloca minimamente, e o menino continua agarrado à janela, acompanhando o movimento do carro. Ele ouviu meu pai falar a seu respeito e talvez o fato tenha lhe dado esperança, pois, como qualquer mendigo está farto de saber, os piores clientes são os que ignoram por completo a sua presença, que olham através dos pedintes como se fossem transparentes. Ao menos este *seth* parse registrou sua existência.

O movimento que meu pai faz é tão rápido que o garoto dá um salto para trás: virando-se no banco, ele alcança a maçaneta da porta traseira e a entreabre. O motorista do carro à nossa direita buzina assustado para evitar ser atingido pela porta aberta, mas papai calculou a distância e finge não ouvir.

— Vamos — diz ele ao menino confuso. — Entre. Você pode vir conosco e trabalhar lá em casa. Estamos procurando um bom empregado. Terá três refeições completas por dia e roupas decentes para vestir. Até ponho você na escola. Vai poder ser alguém um dia. Então, que tal?

O garoto dá mais um passo atrás, encarando, sério, meu pai.

— Pai, pelo amor de Deus! — exclamo, mas ele continua a falar com o menino.

— O que foi? Não quer trabalhar? Quer ser mendigo pelo resto da vida? Por acaso vê algum futuro nisso? Na minha casa, você vai poder aprender inglês, estudar, quem sabe ser um operário ou mesmo trabalhar no meu escritório um dia...

Os olhos esbugalhados do menininho estão fixos no meu pai. De repente, ele solta um grito e começa a se afastar correndo do carro, ziguezagueando por entre os outros veículos engarrafados. A certa altura, volta a olhar por cima do ombro para se assegurar de que esse homem estranho não foi atrás dele.

Meu pai se recosta no assento, desapontado mas satisfeito.

— Viu? São simplesmente uns preguiçosos. Preferem viver de esmolas a trabalhar. Por isso jamais os estimulo dando dinheiro a eles.

Não sei ao certo se todo o episódio foi encenado para mim, mas, no momento, minha fúria não me permite tal ponderação.

— Pai, ele tem oito anos. E a mãe, o pai, as irmãs? Você acha que uma criança pode, simplesmente, largar a família toda e entrar no carro de um total estranho?

Ele não entende o meu argumento.

— Você sabe que nós o trataríamos bem. Você sabe que ele estaria seguro conosco.

Seu tom é de mágoa, como se eu o tivesse acusado de maltratar o garoto.

— A questão não é essa — explico. — A questão é: como ele pode saber disso? Pai, ele é uma criança. E tem uma família...

— Ah, sim, uma família que o obriga a mendigar para viver — me interrompe meu pai.

Estou furiosa, mas me controlo.

— Pai, lembra de quando eu era pequena e você sempre me dizia para não entrar no carro de um estranho? Os pais dele podem dizer a mesma coisa.

Alguma coisa começa a fazer sentido para ele. Dá para ver pela sua expressão que ele luta para entender essa aparente contradição de pais que permitem que um filho mendigue, mas o alertam para tomar cuidado com estranhos. Papai solta um longo suspiro.

— Pode ser, pode ser. Mas de uma coisa eu sei: mendigar não vai resolver os problemas da Índia. Algo precisa ser feito.

(E, como se algum Deus pervertido ouvisse meu pai, algo efetivamente é feito um ano apenas mais tarde, no sombrio período de Emergência de Indira Gandhi, quando a polícia rotineiramente varreu os mendigos das ruas. Foi como se alguém pegasse o meu sonho de infância de reunir os pobres e o alterasse, ou seja, em lugar de abrigá-los no porão da minha escola, optasse por livrar-se deles colocando-os na periferia da cidade ou armazenando-os em acampamentos do governo sob condições pavorosas.)

Fazemos o restante da viagem sob uma trégua incômoda, ambos convencidos de estarem certas nossas crenças. Nos meses seguintes, contudo, papai viria a comentar o incidente em festas: que ofereceu a um jovem apto a chance de uma vida melhor e como o preguiçoso fugiu correndo em vez de aceitá-la. Os outros adultos assentirão, solenes, e balançarão a cabeça enfáticos com uma expressão de desânimo quanto ao destino do país. Às vezes intervenho e discuto com eles, correndo o risco de ser alvo da humilhante condescendência adulta e ouvir que se trata de idealismo juvenil e que, quando crescer, vou me dar conta do quanto são equivocadas as minhas ideias. Na maior parte do tempo, porém, me calo e aproveito para discretamente tomar o uísque e a cerveja que restaram nos copos dos últimos convidados quando os levo para a cozinha ou beber diretamente do gargalo quando ninguém está olhando, o que me faz flutuar nessas festas como em meio a uma espessa neblina. Tudo que os adultos veem é uma adolescente incrivelmente prestativa, que se oferece para lhes preparar drinques e retirar seus copos vazios. No entanto, quanto mais lhes sorrio, mais vazia me sinto por dentro, como se eu carregasse nas entranhas uma bomba prestes a explodir. E, no meu torpor alcoólico, imagino que existe uma bomba como essa escondida dentro de todos os pobres da cidade, e que se trata de uma bomba-relógio — enquanto moldam o rosto para formar um estereótipo de alguém digno de pena, enquanto nos dizem que Deus nos dará em dobro, embora achem que, se algum Deus efetivamente existe, Ele certamente nos castigará pela nossa indiferença cega, pelo nosso egoísmo pecaminoso. Fico pensando como será que os adultos conseguem continuar tão cegos à precária posição que ocupam no alto da montanha. De vez em quando, alguém traz à tona uma notícia sobre um ataque especialmente cruel aos intocáveis ou harijans, comandado por uma turba de hindus da casta superior. Então, todos condenam com veemência esse abominável sistema de castas e como são atrasados alguns desses hindus rurais que conservam tais preconceitos arcaicos. Lê-se nas entrelinhas que temos sorte de sermos parses, temos sorte de ter nascido e crescido em Bombaim e, assim, estarmos livres da opressiva intolerância dessa gente menos civilizada que nós.

— Que gente bárbara — dirá uma convidada. — Imagine queimar viva uma pessoa nos dias de hoje só porque se trata de um intocável. Afinal, um ser humano é um ser humano.

Mais tarde, na mesma noite, ao voltar para casa da festa, o braço carnudo da mulher será tocado por um mendigo de 12 anos decidido a arrancar algumas moedas dessa senhora de rosto bondoso, e ela, chocada ante tamanha violação perpetrada por um moleque imundo, vai gritar e recuar dois passos, o que a fará, momentaneamente, perder o equilíbrio, e essa visão levará o garoto a abandonar sua pose de mendigo profissional durante um átimo de segundo, deixando escapar uma risada antes de recompor o rosto e fazê-lo voltar à sua habitual expressão pedinte e chorosa. Já será tarde demais, contudo, pois o marido da mulher viu tudo e, com o orgulho masculino ferido, gritará "Seu safado pervertido", erguendo a mão direita em seguida, sugerindo a intenção de perseguir o garoto, que, ciente de que a risada involuntária lhe custou as almejadas moedas, fugirá para os braços da noite escura...

Quero contar aos convidados a experiência que alguns amigos meus vêm desenvolvendo. Um deles fez uma observação brilhante sobre as posturas rígidas e estudadas que mendigos e doadores adotam no momento em que o dinheiro troca de mãos. Os moradores de Bombaim invariavelmente jogam as moedas nas mãos em concha dos pedintes do alto da própria superioridade, cuidando para jamais tocar acidentalmente as mãos que supõem estar contaminadas por germes e doenças. Assim, um punhado de nós se dispôs a mudar as regras da transação. Em lugar de segurar a moeda entre dois dedos e depois deixá-la cair depressa na mão estendida, eu agora a retenho na palma da mão, silenciosamente obrigando o mendigo a pegá-la. Esse gesto simples inverte a ordem social, porque a minha mão fica sob a dele. O gesto viola ainda um tabu subentendido, que praticamente ninguém assume: para pegar a moeda, os dedos do mendigo forçosamente precisam tocar a palma da minha mão, ainda que muito de leve. E uma coisa curiosa acontece: mesmo crianças de apenas três anos já se encontram tão condicionadas pela onipresente diferença de classes que se mostram paralisadas diante dessa inversão de papéis, me encarando confusas, apreensivas e até amedrontadas. Algo está errado, anormal, e quase dá para ver aquelas cabecinhas tenras, perdidas, queimando os miolos na tentativa de descobrir o que há de errado e como consertar o erro. Nesse ínterim, a moeda ofertada permanece na palma da minha mão, intocada. Passam-se alguns instantes. Nós trocamos olhares, e observo uma caravana de emoções passar por seus rostos perplexos. De vez em quando, uma criança mais ousada reúne coragem e agarra rapidamente a moeda. O mais comum, porém, é elas irem embora, o tempo todo me olhando, como se tentassem entender essa nova maldade em que esbarraram.

Sei o que vai acontecer se eu falar dessa experiência com os adultos. Eles ficarão horrorizados e farão um sermão. Afinal, mais que qualquer um, considerando todos os problemas de saúde que tenho, preciso evitar a todo custo o contato com germes. Você lavou as mãos depois desses tolos incidentes?

Em momentos como esse, olho para as canecas de cerveja de cristal dos convidados, para os finos copos contendo uísque, e sinto como se o mundo todo fosse feito de vidro, tão frágil e tênue que se quebrará no instante em que alguém lá de fora atirar a primeira pedra. Há dias em que essa ideia me assusta, porque, afinal de contas, adoro esses seres humanos falhos, egoístas, bem-intencionados e eventualmente bondosos que me cercam nesta sala. Em outros, anseio por esse momento de destruição, mal posso esperar para ver ruir essa fachada, para ver os que nos parecem impotentes exibirem sua força e os que consideramos poderosos perceberem o quanto são, realmente, insignificantes e pequenos...

Exatamente nesse ponto, Sheroo Nayak interrompe meu devaneio homicida.

— Que tal um pouco de música? — sugere ela, animada. — Como é o nome daquela que eu gosto, sobre um garoto de olhos azuis?

Eu me levanto e ponho para tocar *A Hard Rain's A-Gonna Fall*. Os adultos riem e conversam, abafando a música, alheios à mensagem apocalíptica da letra.

CAPÍTULO 13

WATERGATE.

O termo é tão complicado e misterioso quanto era a palavra "sexo" alguns anos atrás. O tempo todo eu via impressa a palavra "sexo" — o *Stardust* entrevistava astros de cinema sobre o que pensavam a respeito, o *Illustrated Weekly of India* publicava artigos sobre as atitudes repressivas dos homens quanto ao tema —, mas ninguém jamais se dispunha a explicar o significado da palavra. De alguma forma eu inferia que ela criava constrangimento e desconforto e que era melhor não fazer perguntas aos adultos e tentar descobrir por conta própria, um pouquinho de cada vez. No sexto ano, as freiras forneceram explicações envolvendo pássaros e abelhas, mas as exposições eram tão clínicas que me passou despercebida a conexão entre o que me foi dito e a palavra misteriosa, mágica, de quatro letras, que estava em toda parte mas ainda assim permanecia um enigma. Na verdade, o meu despertar mais traumático ocorreu uma tarde; eu estava sentada nos degraus de mármore do prédio da escola durante o recreio.

— Anita — disse eu, pensativa —, não entendi uma coisa que a irmã Ignatius explicou. Como é que o espermatozoide entra no óvulo com tanta roupa no caminho?

Anita me olhou durante um bom tempo, encantada com essa dádiva inesperada da minha parte.

— Não tem roupa nenhuma — respondeu finalmente. — As pessoas fazem isso nuas.

Minha reação foi rir. Anita era mesmo uma brincalhona.

— Claro, claro.

— Não estou brincando. Juro, *men*, é isso mesmo — confirmou Anita, beliscando o pescoço para enfatizar o que dizia. — Se não acredita, pergunte a Diana.

Fiquei branca, branquíssima, da cor da neve. Ficar nua na frente de um garoto me parecia impossível demais, absurdo demais, totalmente fora dos limites da minha imaginação.

No dia seguinte, Philomena D'Souza levou para o colégio um Viewfinder. Ao longo de toda a manhã, montes de meninas espiaram sub-repticiamente pela abertura quadrada, toda vez que a professora saía da sala. O que quer que estivessem vendo, despertava um bocado de nervosismo e risinhos em Philomena e algumas das garotas mais velhas. Finalmente, pouco antes do almoço chegou a minha vez. Ao contrário, porém, das costumeiras fotos do Taj Mahal e da torre Eiffel, aqueles eram slides de homens e mulheres nus, enroscados uns nos outros. Era difícil identificar precisamente o que estava acontecendo nas imagens, mas pareciam fortes e cruas.

— Philo, o que é isto? — perguntei, afinal.

Olhando para mim com desprezo, Philomena respondeu:

— Sexo, sua boba.

Mas eu fiquei confusa. Sexo nas páginas do *Stardust* sempre me pareceu algo suave e inofensivo. Descrito pelas freiras, dava a impressão de ser tão chato quanto as corridas de caracóis que costumávamos organizar no pátio atrás da estátua da Virgem Maria. No entanto, segundo a definição de Philomena, sexo parecia uma coisa secreta e perigosa. Como podia uma palavra ter tantos significados?

O mesmo se aplica a Watergate. Uma vez, papai me disse que esse era o nome de um prédio em Washington. Mas eu também sabia que se tratava de um escândalo e que tinha algo a ver com Richard Nixon. A maioria das pessoas que eu conhecia odiava Nixon desde que ele tomara o partido do Paquistão na guerra de 1971, o conflito que teve Bangladesh como motivação. Por isso imaginei que qualquer coisa capaz de chutar Nixon da presidência fosse positiva. Mas, então, por que os adultos insistiam em chamar Watergate de um desastre terrível?

A cultura pop vem em meu socorro em 1976, na forma da paródia sobre *Todos os homens do presidente* publicada na revista *Mad*. Leio atentamente a revista, tentando absorver o que é dito nas entrelinhas e associar a sátira ao pouco que eu já sei sobre Watergate. E, finalmente, tudo faz sentido — o roubo, o caixa 2, o papel do Garganta Profunda (naturalmente, um dos problemas de aprender história com a revista *Mad* é que eu passaria vários anos imaginando o pobre Gerald Ford como o Garganta Profunda, pois o derradeiro quadrinho da sátira mostra Ford num estacionamento escuro revelando segredos escusos a Woodward).

A essa altura, os Estados Unidos já haviam se apoderado da minha imaginação com a mesma intensidade com que antes se apoderara dela o mundo de internatos e guardas britânicos. Estudamos os Estados Unidos nas aulas de geografia, aprendemos as capitais de todos os cinquenta estados, bem como quais são os principais produtos de exportação nacionais, mas tudo isso constitui uma visão impessoal comparado ao que eu venho rapidamente descobrindo. Através dos anúncios de clubes de música nas capas dos gibis, eu me mantenho informada sobre os últimos lançamentos de rock nos Estados Unidos. É assim que escolho que discos encomendar toda vez que meu pai faz uma viagem de negócios a Dubai ou ao Kuwait. Fico horas perdida na varanda imaginando como deve soar, na vida real, a exclamação "*Gee whiz*!" Afinal, Archie não para de dizer isso. Imploro para ter uma calça jeans e, quando finalmente ganho a primeira, ignoro o fato de ser três vezes maior que o meu manequim. Imediatamente tento desbotar meu jeans derramando água sanitária nele, mas nada acontece. Para meu desaponto, o jeans nem rasga.

Com Simon e Ganfunkel aprendo o que vem a ser Bleeker Street e sobre os invernos congelantes de Nova York, com Neil Young sobre o massacre da Kent State em Ohio, e com Neil Diamond descubro Brookling Roads. Woody Allen me dá aulas sobre terapeutas e Manhattan. John Steinbeck me ensina o que significa Salinas Valley, Oakies e Cannery Row; com Fitzgerald descubro os buracos de traça no Sonho Americano, e Hemingway me esclarece quanto aos nativos do Meio-Oeste, homens estoicos e heroicos em lugares sem alento. O discurso de Martin Luther King que fala do Sonho faz parte de um dos nossos textos de literatura e provoca o efeito curioso de me arrepiar os cabelos toda vez que o leio. Nenhum professor jamais menciona que Luther King costumava citar a luta da Índia pela liberdade como uma inspiração para o seu movimento de desobediência civil. Enquanto isso, me esforço para aprender a língua marati, de modo a poder conversar com a senhora de meia--idade que trabalha como empregada lá em casa.

Muito de vez em quando me ocorre que levo uma vida esquizofrênica: sou uma adolescente parse que frequenta um colégio católico dentro de uma cidade predominantemente hindu. Sou uma menina de classe média que vive numa das nações mais pobres do mundo. Cresço num país que expulsou os ingleses 14 anos antes que eu nascesse, mas jamais li um romance de um escritor indiano.

Isso, porém, é o que significa ser uma nativa de Bombaim, explico a mim mesma — pegar todos os lados contraditórios da própria vida e transformá-los num único todo; saber que se é um mestiço cultural, o filho bastardo da História, e aprender a considerar o fato interessante e até mesmo digno de orgulho.

Porque a alternativa é inaceitável. Se, em vez de interesse, nos permitirmos sentir raiva porque somos o produto de um sistema de educação colonial que mal nos prepara para as realidades da vida em nosso próprio país, se questionarmos por que sabemos de cor a letra de todas as músicas de Bob Dylan e não a letra das músicas de... — aí, por exemplo, surge um problema, pois nem desconfiamos de quem seria em nosso país o equivalente a Bob Dylan —, então estaremos fazendo perguntas cujas respostas não conseguiremos enfrentar.

E a história é complicada. Fica difícil saber quem tem culpa no cartório. Os ingleses, com sua famosa declaração de criar uma elite indiana com aparência indiana mas inglesa "nos gostos, nas opiniões, na moral e no intelecto", sim, sem dúvida eles são culpados, mas essa conclusão é demasiado simplista. E, quando ponderamos quanto à cumplicidade daquelas freiras irlandesas que adorávamos na infância e que abandonaram sua ilha verdejante e fértil para vir para este subcontinente árido, castigado pelo sol, a fim de educar os pagãos, então somos arrastados por uma onda gigantesca de sentimentos contraditórios, o ressentimento e a boa vontade travando uma batalha pela supremacia. Mas espere aí, o dedo agora aponta para a nossa própria comunidade, para as velhas chauvinistas que continuam a ostentar em suas paredes descascadas os retratos emoldurados da rainha da "primavera" e os parses idosos que andam de guarda-sol para proteger a pele clara de modo a se distinguirem das hordas hindus, e para nossos pais, com sua insistência para aprendermos a tocar piano em lugar da cítara, escolhida por vários de nossos amigos hindus. Finalmente, nós mesmos carregamos uma parcela da culpa, porque certamente podíamos ter comprado tantos romances de Tagore quantos compramos de Hemingway, e decerto saberíamos como impedir os outros alunos de zombar do professor de híndi de um jeito que ninguém ousaria sequer sonhar em zombar daqueles que nos apresentaram as obras de Shakespeare.

O único resquício da minha paixão infantil pela Inglaterra é hoje a minha adoração pelos Beatles, se bem que eles já nem são realmente ingleses, visto que agora pertencem ao mundo e que o próprio George Harrison se encantou com a Índia.

Assino uma revista dirigida aos jovens chamada *J.S.*, que traz fotos de página inteira de ídolos da música pop como Peter Frampton e Gary Glitter, fotos estas que colo nas paredes e no teto da minha pequena sala de estudos. Um momento de decisão é induzido por um enorme pôster brilhante que troquei por um disco do Queen. O pôster tem, de um lado, os Jackson Five e, do outro, os Osmonds. Sei que a minha opção de homenagear um ou outro dirá algo a respeito do meu gosto e da minha sofisticação musical e sei que, para ser considerada entendida e sofisticada, preciso escolher os Jacksons. Meu coração, porém, pertence a Donny. Podem chamar de paixonite infantil.

O movimento punk que varre o Ocidente não chega até nós. Como sempre, temos sempre cinco a dez anos de atraso. Ainda cantamos "Puff the Magic Dragon" nos piqueniques da escola, embora, graças ao cosmopolitismo de Jenny, eu também ande tocando uma guitarra invisível ao som de "Bohemian Rhapsody", do Queen.

Entretanto, a maior influência em minha vida é Bob Dylan. As freiras nos ensinaram "Blowin' in the Wind" na escola e todas conhecemos a versão leve, etérea, nas vozes de Peter, Paul and Mary. Mas só venho a descobrir o poder genuíno de Dylan quando Arvind, meu *pen pal* de Calcutá, faz um plágio da letra de "Shelter from the Storm", de Dylan, e tenta repassá-la como de sua autoria. Quando, envergonhado com os meus efusivos elogios, ele afinal confessa quem efetivamente compôs o poema, corro atrás de *Blood on the Tracks*. E me apaixono pelo engenhoso jogo de palavras, pelas rimas espontâneas, o humor sofisticado e, sim, até mesmo pela voz. Em pouco tempo me vejo garimpando todos os discos de Dylan que existem no mercado. E meus próprios poemas começam a mudar. Lá se vão as austeras estrofes inspiradas em Robert Frost sobre trabalhadores idosos e noites chuvosas. De repente, passo a escrever sobre gnomos de um olho só e espelhos de naftalina.

Ao descobrir Bob Dylan, descubro também, inadvertidamente, a arma perfeita para a perene batalha que travo com minha mãe. Ela está convencida de que Dylan, com seus gemidos fanhosos, é uma pilhéria contra ela, alguém que inventei com o propósito expresso de irritá-la profundamente. A voz de uma geração, a consciência de uma nação, o bardo dos anos 1960, na cabeça da minha mãe, se resumem a um sapo com laringite.

— Preste atenção à letra — sugiro, num eco inconsciente das palavras da irmã mais velha de Diana, um século atrás.

Mas minha mãe tem uma resposta pronta:

— Se Deus quisesse que entendêssemos o que ele diz, teria lhe dado uma voz melhor.

❋

Mamãe está tentando pôr fim à minha amizade com Jesse. Após um ano de profusos elogios, de uma hora para outra se virou contra ela e fala mal da garota para quem se dispuser a ouvir.

Jesse ficou muito amiga do sobrinho de mamãe, que mora no quarteirão seguinte ao nosso. Quase sempre os dois se encontram no ponto de ônibus perto do prédio dele e vão juntos para a escola. Isso deixa minha mãe apoplética. Ela está convencida de que Jesse vai armar para fisgar o coração do seu pobre e inocente sobrinho e depois magoar o rapaz. Toda a sua vergonha por ter crescido pobre agora se renova ante a criação privilegiada e abastada de Jesse. Mamãe vê com uma desconfiança sinistra, suspeita, essa florescente amizade entre Jesse e seu sobrinho.

— Todo mundo sabe que ela era apaixonada por aquele muçulmano da cidade onde nasceu — afirma minha mãe, o desprezo a lhe escorrer da voz como um filete de gordura. — Agora, para esquecê-lo, está tentando seduzir o pobrezinho do meu Dinshaw.

Meu pai, Mehroo e Babu a ouvem com expressão indiferente. Não têm razão alguma para não gostar de Jesse — além do fato de que as nossas conversas toda noite me fazem abolir o jantar — e não consideram Dinshaw o santo celestial que mamãe está tentando fazer dele. Ela lhes vira as costas aborrecida, seu ódio sibilante exigindo uma plateia mais receptiva.

O que encontra na irmã Villoo.

— Você sabe o que aquele transviado do seu filho anda fazendo? Saindo à noite, indo a boates com aquela garota sem Deus! Sabia que ela é ateia? Ela mesma é que o diz, e com orgulho, imagine só! Pode anotar minhas palavras: ela vai usar o seu Dinshaw e depois jogá-lo no lixo como uma casca de banana. Não é uma menina do nosso meio, todo mundo sabe que o pai é milionário.

Tia Villoo faz um comentário razoável:

— Se essa garota é tão ruim assim, por que você permite que a sua Thritu seja amiga dela?

Minha vontade é aplaudir Villoo pelo raciocínio lógico, mas mamãe toma a dianteira:

— A minha Thritu não está tendo um caso com ela. Não é um rapaz, que vai ficar todo caidinho, *latoo-fatoo*, por uma ateia arrogante. Mas ele é *seu* filho. Para mim tanto faz se você ouve ou não o meu conselho.

A irmã de Dinshaw, Persis, entra em cena. E também sua melhor amiga, Shinaz, uma moça bonita com um nariz aquilino que, envergonhada, mantém escondido atrás de um lenço. As duas são boas moças, respeitáveis, sexualmente inexperientes, conservadoras, que aceitam sem questionar a autoridade dos padres, dos pais e dos professores. A mera existência de Jesse, a maneira como se comporta — seu andar confiante, lépido, o jeito alegre de inclinar a cabeça, sua gargalhada espalhafatosa, a impiedosa imitação do sotaque afetado e pseudobritânico dos parses da classe alta —, é uma afronta para ambas. Nos meus melhores momentos, entendo como uma pessoa como Jesse possa parecer ameaçadora às duas, como ela deve fazer com que suas vidinhas soem limitadas e mesquinhas, sem oportunidades, obrigando-as a lutar com sonhos adormecidos cuja existência até então desconheciam.

Mas meus momentos de compaixão são raros. Gosto demais de Jesse para ser gentil com seus detratores. A maior parte do tempo luto por ela em batalhas que, felizmente, não lhe chegam aos ouvidos, já que não tenho coragem de dizer quanto ressentimento ela inspira em gente que mal a conhece.

— Por que diabos ela usa aquela calça jeans cor-de-rosa? — implica Persis.

— Essa garota não tem um pingo de bom gosto — completa Shinaz.

— Não se trata de gosto, mas de vergonha. Ela não tem um pingo de vergonha na cara — arremata Persis, como se fosse uma autoridade mundial no assunto.

— O que tem a ver vergonha com o jeito de se vestir? — pergunto. — Alguém pode considerar falta de vergonha usar estes vestidos curtos que vocês usam.

Persis se dirige ao vazio, como costuma fazer quando sua irritação é grande:

— Olha só quem fala — diz ela, sem me fitar. — Sempre saindo em defesa da Jesse, com ou sem razão. Sofreu uma lavagem cerebral completa. Ela agora também anda por aí calçando tênis e tudo o mais. E ainda fala assim com a própria prima, para defender alguém que mal conhece. Bom, veremos como vai ser quando ela voltar correndo para nós daqui a dois ou três meses.

Shinaz me lança um olhar malévolo, que ignoro.

Meu primo Dinshaw é um sujeito estranho e aparentemente não tem a mesma necessidade que eu tenho de defender Jesse da família dele. Na verdade, ele sai do quarto para provocar mal-entendidos e má vontade. Para seu senso de humor, é divertido que a nova amiga desperte essa reação negativa em casa.

Assim, ele mira direto na jugular — ou melhor, no nariz. No nariz de Shinaz.

— Outro dia a Jesse estava falando do narigão da Shinaz — comenta com a irmã em tom casual. — Disse que ele é mais adunco do que o gancho do Capitão Gancho.

A Terceira Guerra Mundial eclode.

Minha mãe passa a carregar consigo uma nuvem de fúria, recusando a Jesse até um mero cumprimento quando a encontra na rua. Persis destila veneno e indignação.

— Quem ela pensa que é? — rumina incansavelmente. — Essa maldita vadia. Só porque tem dinheiro...

Shinaz faz o papel de beata mártir como se tivesse nascido para desempenhá-lo. Tia Villoo recita todas as ofensas e maldições que conhece para insultar até o bisavô de Jesse.

Rebato com o que imagino ser uma frieza científica.

— Ei, eu conheço o jeito de falar de Jesse, certo? Ela jamais diria algo idiota e grosseiro assim. Se quisesse ofender Shinaz, descobriria algo melhor do que um tolo insulto pessoal.

Minhas palavras não provocam sequer um arranhão na raiva geral.

As coisas escapam de tal forma ao controle que finalmente abordo Dinshaw:

— Por que você não conta a verdade a Persis, que foi você que inventou a história toda? — indago. — Elas estão com ódio de Jesse por sua causa e por causa das suas malditas mentiras.

Mas Dinshaw apenas pisca o olho. Está se divertindo à beça.

Mamãe, afinal, assume a tarefa de dizer a Jesse o que toda a família de Dinshaw pensa dela. Acusa a minha amiga de brincar com os sentimentos do sobrinho, de ofender amigos da família. E volta para casa altiva, com um rei na barriga.

— Disse tudo a ela, tirei um peso do coração — gaba-se mamãe. — A minha família é de gente honesta, franca, ao contrário de uns e outros que conheço — acrescenta, lançando um olhar para Mehroo. — Quando queremos dizer algo, *bas*, nós simplesmente dizemos, independente das consequências. Falei o que eu acho. Ela ouviu de bico calado. Afinal, ia dizer o quê? Mas isso vai ensinar a essa menina a não tentar armações para cima da minha família.

Fico mortificada, sinto repulsa pela linguagem da minha mãe e pela forma como está descontando em Jesse. Não é a primeira vez que mamãe se vira contra uma pessoa com quem costumava simpatizar, mas sua imprevisibilidade jamais causou impacto sobre mim.

Sei que a minha amizade com Jesse acabou. Lamento essa morte, repassando mentalmente cada lembrança boa, me apegando a ela o máximo que posso, do jeito como prolongamos o prazer de chupar uma bala. Bem, eu já devia esperar por isso. Se existe algo de bom na minha vida, decerto me será tirado. É o padrão habitual, tão irreversível quanto o padrão de listras de uma zebra. Sempre foi assim. Que tolice minha pensar que a amizade com Jesse representava, realmente, uma ruptura com o passado, que a alegria e a satisfação que eu dela extraía me levaria a um futuro diverso.

Dois dias depois, Jesse bate na porta da varanda. Não atendo. Sei que ela quer me dispensar, formalizar aquilo que meu coração já está farto de saber. Mamãe saiu para visitar minha avó, como faz todas as tardes. Mehroo me olha com uma expressão confusa quando não respondo aos chamados de Jesse, mas nada diz. Finalmente, os gritos e as batidas param. No dia seguinte, ela bate à minha porta de novo.

Dessa vez vou até a varanda, me arrastando. Sinto-me dormente, desesperançada. Há um gosto metálico em minha boca, como se eu tivesse mastigado um pedaço de lata.

Jesse parece zangada. Também, depois do que ouviu da minha mãe, quem não estaria?

— Chamei tanto você ontem, mas você não me atendeu — diz ela. Espera, em seguida, alguma reação minha, mas apenas dou de ombros.

Ela começa de novo:

— Você anda me evitando. Por quê?

Vejo que Jesse não vai facilitar a minha vida.

— Ora, depois do que a minha mãe fez com você...

Ela me interrompe:

— Mas isso é entre mim e a sua mãe. Por que *você* anda me evitando?

Será que vou ter que soletrar o óbvio?

— Achei que você não iria mais querer ser minha amiga depois do que a minha mãe fez. Achei que nunca mais iria querer ver a minha cara.

O silêncio se arrasta tanto que começo a pensar que é assim que tudo vai acabar, que vamos nos afastar devagar...

Quando Jesse volta a falar, sua voz soa embargada de... Será mágoa? Raiva?

— Não acredito que você me considere tão mesquinha — diz ela. — Deve ter uma impressão muito ruim de mim para achar que eu deixaria a idiota da sua mãe ou qualquer outra pessoa interferir na nossa amizade.

Será que é possível vivenciar, ao mesmíssimo tempo, duas emoções opostas? É. Aconteceu comigo. Uma picada aguda de esperança perfura meu coração como uma agulha. Um pedregulho de remorso por ter perdido Jesse devido à minha própria burrice achata meu corpo.

— Jesse, por favor. Sinto muito, achei... — De tão próxima das lágrimas, não consigo prosseguir. — Você nem imagina...

Jesse estende o braço pela abertura entre os dois cômodos e segura a minha mão.

— Não seja boba, Thrity. Você sabe que vivemos no meio de gente estúpida, tacanha. Eles têm seus motivos para serem assim, mas nós não precisamos nos deixar contaminar.

Nessa noite, desejo ainda acreditar em Deus, pois minha vontade é agradecer bem alto aos céus. Em vez disso, me debruço no parapeito da varanda e converso com as estrelas. Uma delas pisca para mim.

CAPÍTULO 14

BABU ESTÁ NERVOSO, posso perceber. Anda para lá e para cá na varanda, de olho no final da rua, onde fica a esquina com a avenida principal, como se buscasse algo no horizonte. Depois ele entra na sala e fica mexendo nos botões da camisa. Já meu pai está calmo, mas evidentemente zangado.

— Pesi — diz ele, num tom severo —, não se preocupe tanto. Depois de tudo que já enfrentamos, isso não é nada. Só um pequeno aborrecimento, nada mais.

Mas Babu encara a situação como uma ofensa pessoal. Afinal, ele é o encarregado da oficina. Os deveres do meu pai o mantêm, na maior parte do tempo, fora da fábrica, cavando encomendas, apresentando propostas em licitações, fazendo reuniões com clientes e vistorias externas. A fábrica é território de Babu, sua responsabilidade, e esse relacionamento de igual para igual com os operários o deixa orgulhoso. Babu xinga os funcionários, faz brincadeiras e grita com eles, surrupia um eventual *chappati*, o pãozinho indiano, e lhes dá um dinheirinho extra quando, uma vez por ano, os homens visitam suas aldeias. Em troca, os empregados o adoram, sorriem quando são chamados de filhos da puta, se animam quando ouvem a tosse seca que anuncia a sua chegada ao trabalho toda manhã e insistem para que o patrão partilhe com eles as refeições modestas que preparam nos fogareiros a querosene, à noitinha.

Mas agora esses mesmos empregados estão em greve. E pior: a qualquer momento vão aparecer aqui em casa, munidos de cartazes, faixas vermelhas e megafones. Eles se postarão na rua, sob a nossa varanda, gritando slogans contra papai e Babu. Trata-se de uma tática de greve habitualmente usada em Bombaim no momento, todos sabem disso, mas nunca enfrentamos piquetes, por isso estamos envergonhados e apreensivos. Dos membros da família, contudo, Babu e eu somos os que se consideram mais ofendidos — Babu devido ao relacionamento quase fraternal com os grevistas, e eu por causa do meu vínculo de infância com Jamal.

Quando pequena, eu adorava Jamal. Ele era um jovem alto e bonito de vinte e poucos anos com enormes dentes alvos e um sorriso fácil. Papai dizia que, se Jamal tivesse estudado, ele iria mais longe do que poderíamos imaginar, pois era inteligente e aprendia tudo num instante. De todos os operários, Jamal era o favorito de Babu, porque, embora não falasse tanto quanto o patrão, os dois se pareciam em certos aspectos: ambos eram gregários, generosos, de riso fácil. Sempre que havia algum serviço extra em minha casa — lavar e limpar o apartamento de cabo a rabo, descer baús pesados da despensa ou bater sorvete à mão no tacho de madeira —, Babu invariavelmente perguntava a Jamal se ele queria alguns trocados por fora. A resposta era sempre positiva, tornando Jamal uma presença frequente em nossa casa.

— Jamal! — exclamava eu, e corria em sua direção assim que ele surgia à porta. Jamal ria, me pegava no colo e me punha nos ombros, enquanto mamãe o seguia pela casa dizendo:

— Cuidado, cuidado.

Seu corpo musculoso sempre exalava o mesmo aroma limpo e doce de serragem que meu pai e meu tio traziam consigo quando chegavam da fábrica, toda noite. Às vezes, enquanto faxinava a casa, Jamal me entregava um pano e me deixava lavar as paredes com ele. Eu me encarregava das partes mais próximas do chão, enquanto, numa escada ao meu lado, ele limpava as partes mais altas, de vez em quando olhando para baixo e me dando um rápido sorriso, os olhos negros brilhantes cintilando de alegria. Eu esfregava até me doerem as mãos, quando então ele descia da escada e pegava o pano de volta, dizendo:

— Já chega, meu bem. Vá brincar agora.

Era impossível explicar a ele que trabalhar a seu lado tinha mais graça do que qualquer outra coisa que eu pudesse fazer sozinha, que já estava cansada dos solitários jogos inventados de filha única e que o ato de trabalhar em equipe me fascinava e me deixava feliz.

Quando assumi meu corpo desengonçado de adolescente, meu relacionamento com Jamal se modificou, pois ambos passamos a ser mais cautelosos e cerimoniosos um com o outro, à medida que os tabus invisíveis que reprovam contato físico e brincadeiras estouvadas foram ganhando espaço sob a vigilância protetora da minha família. Nosso relacionamento se tornou mais complexo e ficamos mais reservados, mas sob essa cerimônia externa havia a lembrança do passado, dos anos em que eu o cultuava como herói e ele me tratava como uma irmã caçula. A afeição de Jamal por mim adquiriu uma forma diferente. Quando eu aparecia na oficina durante as férias de verão, ele resolutamente mandava alguém buscar uma Coca-Cola para mim, ao contrário do velho capataz, que recitava toda a sua ladainha:

— O que você quer tomar, meu bem? Mangola? Limca? Fanta? Coca-Cola? Ah! Uma Coca-Cola, então, bem gelada!

Jamal começou a me chamar de *memsahib*, em vez de “meu bem”, mas havia um toque de ironia no seu tom, como se nós dois partilhássemos uma antiga piada.

Também eu agora demonstrava menos fervorosamente meu prazer em vê-lo, mas ainda reconhecia o nosso antigo vínculo, parando para conversar com ele na frente dos outros operários, pedindo notícias da sua família e perguntando pelo seu pai asmático. Quase sempre, Jamal apontava para o livro que eu invariavelmente portava e pedia para vê-lo, folheando as páginas embora ambos tivéssemos plena consciência de que ele não sabia ler. Quando devolvia o livro, o rosto brilhava de orgulho.

— Continue lendo, *memsahib*. Aprenda tudo que puder neste mundo. Depois venha ensinar ao pobre Jamal.

Nós dois ríamos, mas às vezes eu precisava desviar o olhar para lutar contra as lágrimas que inexplicavelmente brotavam em meus olhos.

E agora cá está Jamal, de pé sob a nossa varanda, liderando um grupo de cerca de 25 outros operários, que entoam slogans e erguem o punho no ar. Mesmo desta distância, reparo que aqueles olhos escuros, anteriormente cintilantes, reluzem agora com fúria, e a boca aberta se contorce de raiva. Junto com as faixas e os cartazes, os empregados trouxeram tambores e sinos, que utilizam para povoar o silêncio entre os slogans. Nossa família toda se enfileira ao longo do parapeito, pasma e envergonhada demais para se mexer, até que meu pai assume:

— Muito bem, já chega — diz ele. — Todo mundo para dentro. Quanto mais tempo ficarmos aqui, pior será essa balbúrdia.

Há uma raiva genuína em sua voz, mas é o rosto de Babu que chama a minha atenção. Ele parece tão atônito com a transformação de Jamal quanto eu. E há algo mais em seu rosto: a expressão sofrida de quem se sente traído, bem como impotentemente confuso, como se esta fosse a primeira vez em que se dá conta de que todas as piadas e camaradagens do mundo não são capazes de alterar o fato básico de que gente como nós e gente como Jamal se situam em mundos diferentes, que os muros que nos separam são sólidos demais para serem derrubados tão somente pela boa vontade. Nesse exato momento, o líder sindical — um estranho que surgiu para organizar os operários apenas dois meses atrás — conduz o coro de homens em um slogan especialmente maldoso sobre as mulheres da família. Uma luz se apaga no olhar de Babu ao ouvi-lo, e a sua postura desmorona. No segundo seguinte, porém, ele deixa escapar um rugido.

— Malditos filhos da puta! Vou lá embaixo agora mesmo pegar este líder sindical canalha pelo pescoço. Que façam todo esse *maja-*

-masti endereçado a mim, mas se disserem algo que seja sobre as nossas mulheres...

Ele olha à volta em busca de uma camisa para jogar em cima da sua *sadra*, mas papai se aproxima.

— Pesi, tenha calma. Essa é precisamente a reação que eles desejam de nós, não está vendo? Para depois nos acusarem de empregar violência como meio de acabar com a greve. Não, vamos seguir em frente com o nosso dia. Mais cedo ou mais tarde eles se cansam dessa macacada e vão embora.

Mas sinto um impulso urgente de voltar para a varanda, pois tenho essa ideia insana de que, se conseguir olhar nos olhos de Jamal uma vez que seja, serei capaz de restabelecer a nossa amizade antiga e então... então... A imaginação me foge agora. Saio à varanda mesmo assim, mas de nada adianta. Logo que apareço, os sinos e tambores soam mais forte e a cantilena ganha um novo vigor. Busco o olhar de Jamal, mas a distância é grande demais, e ele já não está mais na linha de frente. Fico ali parada, querendo fazer alguma coisa, algum gesto solene que expresse, em partes iguais, solidariedade e decepção, mas nada me vem à cabeça. Justo nessa hora, Roshan me vê.

— Entre, sua idiota — grita ela da sala. — Por que está sempre querendo fazer papel de boba?

A greve é contornada quatro dias depois. O líder sindical externo procurou papai e Babu no dia seguinte ao do protesto para perguntar quanto os dois estariam dispostos a pagar para que ele simplesmente declarasse encerrada a greve e saísse da cidade.

— Claro, *bhaisahibs*, que terão que dar aos empregados um pequeno aumento de salário, para eu me safar — acrescentou com um sorriso velhaco. — Do contrário, todos hão de querer minha cabeça.

Papai nem tentou disfarçar o desprezo.

— Quer dizer que toda essa palhaçada era só teatro? Prejudicar o meu negócio, ir até a minha casa, me fazer passar vergonha...

O líder sindical concordou, encabulado.

— Sim, senhor, teatro puro. Para os operários se sentirem bem.

— E se não lhe pagarmos essa... propina?

O homem permaneceu imperturbável.

— Não se trata de propina, meu senhor. *Baksheesh*. Uma pequena recompensa por encerrar a greve.

E assim terminou a greve. Mas o relacionamento fácil e loquaz entre Babu e Jamal já não existe; Babu cheio de cautela e Jamal sem graça e constrangido. Às vezes Babu não consegue esconder sua amargura em vista do que vê como tendo sido uma deslealdade de Jamal. Jamal, por sua vez, cada vez se mostra mais soturno e calado. Agora, quando me cumprimenta na fábrica, o rosto não demonstra qualquer emoção, e, embora ainda mande comprar uma Coca-Cola para mim sempre que vou até lá, trata-se de uma reação condicionada, sem resquício algum da antiga segurança ou autoridade. O homem exuberante de sorriso pronto parece ter fugido com o líder sindical. De vez em quando puxo conversa com ele, mas as respostas são curtas e superficiais.

❁

Por acaso me encontro na fábrica no dia em que, quatro meses após o encerramento da greve, o amargor de Babu transborda. Jamal estragou uma encomenda, cortou as toras de madeira meio centímetro mais curtas, e Babu está furioso com o desperdício. Como lhe é habitual, ele esbraveja com Jamal, mas dessa vez a antiga brincadeira ou a piscadela que costumava neutralizar a rudeza da repreensão não está presente. Jamal não diz nada, o que aparentemente só faz deixar Babu mais enfurecido.

— Então cadê o Leão de Punjab? Foi passar uns dias fora? — grita Babu, ralhando com o sujeito na presença dos outros empregados. — O que foi feito do seu rugido? Será que ele o vendeu por um aumento de 15 *paisa* pela hora trabalhada?

Todas as cabeças se viram para Jamal, esperando uma reação inflamada. Em vez disso, ele sorri um sorriso amarelo, baixa a cabeça e se afasta.

Três dias depois, porém, Jamal aparece lá em casa, à noite. É sua primeira visita à nossa casa desde o protesto, por isso, quando abre a porta espantada, Freny hesita um segundo antes de mandá-lo entrar.

— Como vai, *memsahib*? — pergunta ele. Em seguida, percebendo a minha presença atrás de Freny, ele me lança um sorriso rápido porém submisso. — Os dois *seths* estão em casa?

Freny o acompanha até a sala de estar e vai chamar papai e Babu; ficamos a sós por um momento.

— *Ae*, Jamal — saúdo alegremente, tentando desesperadamente retomar a antiga espontaneidade. — Quer beber alguma coisa? *Chai*? Um refrigerante?

Ele sorri novamente, mas balança a cabeça para recusar. Ficamos calados até que, repentinamente, ele diz:

— O *seth* Pesi está muito zangado comigo, meu bem.

Abro a boca para responder alguma coisa que refute isso, para tranquilizá-lo, mas a tristeza em seu rosto me faz engolir em seco. Antes que eu possa dizer uma palavra, ele prossegue:

— Cometi um erro grave, muito grave.

E agora me vejo tomada de sentimentos contraditórios; uma parte de mim concorda com ele, mas outra também deseja lhe passar um sermão, lembrá-lo que tem direito a greve e que não deve se desculpar por isso. Mais uma vez, ele fala antes que eu consiga abrir a boca:

— Esta família foi muito boa comigo, meu bem.

Desvio o olhar, e, quando me sinto segura para encará-lo novamente, percebo que seus olhos estão vermelhos e úmidos.

Babu e papai entram na sala, de rostos fechados.

— *Salaam wa'alaykum* — entoa Jamal.

Os dois automaticamente respondem:

— *Wa'alaykum salaam.*

— Está tudo em ordem na fábrica? — pergunta Babu, relaxando visivelmente quando Jamal garante que tudo vai bem. Percebo que os dois não fazem ideia do motivo da visita.

Não demoramos a descobrir. Jamal veio pedir demissão. Ele nos agradece por ter lhe dado um emprego quando chegou a Bombaim, vindo da sua aldeia ao norte, um jovem desajeitado, matuto, de vinte anos. Diz que Babu foi um pai para ele, agradece as inúmeras vezes que o patrão o ajudou a sair de apertos financeiros. Enrubesce e se desculpa por todo o episódio da greve e se diz ciente de que as coisas jamais voltarão a ser como antes por causa dessa situação. Afirma que sabe ter perdido a confiança de papai, Babu e Mehroo e que portanto decidiu se demitir, pois não pode continuar trabalhando na fábrica, não com as consequências da greve ainda pairando no ar como partículas de poeira. Me pego contendo o espanto quando Jamal avisa que vai embora, mas não sei se ele percebe, porque continua a falar. Arrumou um outro emprego numa fábrica em Chembur, mas aonde quer que vá, para sempre se lembrará de nós e da nossa imensa gentileza com ele.

Ninguém interrompeu Jamal durante o seu discurso. Aguardo, agora, que alguém diga algo: que Mehroo, pois ela também veio até a sala, insista que o que passou passou; que papai argumente que não pode perder seu funcionário predileto; que Babu chame Jamal de filho da puta e depois passe o braço em volta dos seus ombros. Mas ninguém se move. Finalmente, papai pigarreia e agradece a Jamal os anos de serviço, perguntando quando será seu último dia de trabalho. Toca de leve o braço do empregado e lhe deseja sorte, e Jamal faz um aceno de cabeça, registrando o gesto. Fico pasma com a facilidade com que eles deixam Jamal partir, como uma peça de máquina que não serve mais. Mas não digo uma palavra porque sinto a decepção e a mágoa não verbalizadas que os quatro adultos nesta sala vivenciam e, de repente, me sinto muito pequena e inexperiente.

Depois que Jamal sai, papai e Babu decidem lhe pagar um mês de salário extra pelos muitos anos de casa. Sei que devia ficar contente por isso, mas ainda estou zonza com a naturalidade com que a relação entre eles foi rompida. Também me impressiona quão alquebrado e vencido Jamal se mostrou, enquanto nós nos saímos ilesos da greve. Penso nele começando do zero num novo emprego e me pergunto se este novo Jamal, sério e tristonho, será permanente ou se o velho Jamal travesso ressurgirá um dia. E me dou conta de que jamais saberei, pois jamais o verei novamente. Fico com raiva de mim mesma por ter um dia acreditado que éramos amigos, por ter achado possível haver amizade entre nós. Me dou conta de que, nas ocasiões em que fingi trabalhar a seu lado — quando ele fazia a minha vontade, deixando que eu lavasse as paredes com ele, por exemplo —, Jamal estava se exaurindo, extrapolando seu horário integral de trabalho na fábrica, a fim de ganhar um dinheiro extra para... para quê? Para enviar à família? Para depositar numa poupança? Para comprar roupas novas? Percebo que durante todos os anos em que Jamal mandou comprar Coca-Colas para mim quando eu visitava a fábrica, jamais o vi tomar um refrigerante. Enquanto eu pensava que era tratada como amiga, ele, na verdade, me tratava como uma princesa mimada, uma autoridade visitante a quem é preciso tratar bem, oferecer refrigerantes. E no dia do protesto sob a varanda — o que foi que achei que ele faria se seu olhar cruzasse com o meu? Que abandonaria o protesto? Que concluiria que a nossa amizade era mais importante do que um salário justo? De quanta arrogância precisei para ir até aquela varanda? E o que eu encarava como solidariedade nada tinha a ver com solidariedade. Era apenas culpa liberal.

Não, Jamal e eu nunca fomos amigos. Ele provavelmente sempre soube disso, ciente como decerto estava das barreiras sociais que se erguiam entre nós. Ignorei de bom grado essas barreiras ou, quem sabe, me senti bem comigo mesma por ignorá-las. Agora percebo que agir assim não foi um ato de humildade e um símbolo de democracia, mas um ato de insolência e um símbolo de senso de superioridade.

À noite vou me deitar zangada e decepcionada comigo mesma. Quando adormeço, sonho com Jamal. Seu rosto paira no céu como uma nuvem, e seus olhos estão opacos e deles escorrem lágrimas. Estou em terra, olhando para o rosto de Jamal no céu, observando suas lágrimas virarem chuva ao caírem à minha volta. Quero dizer algo, quero consolá-lo, mas ele está muito distante.

Estamos, ambos, muito distantes um do outro.

PELA SEGUNDA VEZ NA VIDA APENAS, meu pai perdeu o controle comigo, mas dessa vez ficamos quase quatro meses sem nos falar, apesar de morarmos sob o mesmo teto. Ele não esconde que o meu silêncio como castigo foi um tormento, mas o meu orgulho adolescente não me deixa confessar o mesmo.

Durante os últimos quatro meses, uma espécie de estandarte, um emblema do meu desafio, ocupou um lugar de honra em meu guarda-roupa. Trata-se de uma blusa de algodão listrada de azul e branco que ganhei de uma amiga e que inaugurou o período de silêncio. A blusa é cerca de três vezes maior que eu, com meus 45 quilos, mas camisas largonas e calças jeans estão no auge da moda entre a garotada descolada, e eu adoro o fato de a camisa esconder meus seios pequenos mas florescentes. Meu pai, elegante e bem--vestido, com seus colarinhos engomados e suas calças vincadas, odeia essa blusa. Fica envergonhado só de pensar na filha única andando pela vizinhança vestida numa camisa que não lhe cai bem e calça jeans rasgada nos joelhos. Imagens de astros de rock desmazelados e de cabelos compridos, como Bob Dylan, permeiam minha mente. Já meu pai ainda se lembra do estilo impecável de um Sinatra ou de um Cary Grant. Habitamos dois mundos diversos, e logo esses mundos vão colidir.

Durante meses, ele mantém seu silêncio. Mas o impasse surge numa tarde, horas antes de pegar o trem noturno para embarcar numa viagem de negócios. Nessa tarde, ele está dando uma carona para seu amigo banqueiro quando me vê no ponto de ônibus perto. Instintivamente, seu pé pisa no freio, mas, quando percebe como estou "esculachada", ele passa direto, sem saber ao certo se o vi. Durante o restante da tarde, porém, o fato de não ter parado para pegar a filha única o envergonha o faz ficar desgostoso consigo próprio, e à noite a vergonha já virou raiva. Nessa noite, papai está zangado quando abro a porta para ele. Sem saber do ocorrido mais cedo, falo amenidades enquanto ele arruma, apressado, a mala. Mehroo avisa que o jantar está pronto, mas ele resmunga alguma coisa sobre ter que pegar uma encomenda no caminho.

— Espere um instante, então, que eu embrulho as costeletas para você comer no trem — diz ela, correndo para a cozinha.

Ficamos sozinhos no corredor, enquanto papai aguarda Mehroo. A luz fluorescente pisca e zumbe acima de nós. De repente, os olhos dele se estreitam quando se concentram num buraquinho na manga direita da minha blusa. Quando ele fala, a voz lhe sai embargada:

— Minha própria filha andando na rua de roupa rasgada. Mesmo quando os negócios iam muito mal, quando não tínhamos encomendas, quanto só tínhamos *daal* e arroz para comer no jantar, ninguém desta casa saía na rua de roupa rasgada...

— Não é propriamente um rasgão — respondo. — O buraquinho é tão pequeno que nem dá para ver. Além disso, está na moda...

— *Eu* estou vendo. É o que interessa. Eu posso ver.

Papai dá um passo na minha direção, enfia o indicador no buraco e desce o dedo na extensão de todo o meu braço, rasgando a manga da blusa e expondo meu braço do pescoço ao pulso.

Faz-se um silêncio repentino. Olhamos um para o outro, ambos sem saber o que fazer em seguida. Estou ofegante, me forço a engolir o choro. Meu pai parece tão horrorizado quanto eu. Mehroo adentra esse silêncio e solta uma exclamação ao me ver assim, com a blusa rasgada, parecendo uma menina de rua.

— O que... O que houve? *Burjor*?

Em resposta, meu pai pega a mala.

— Eu... eu vou perder meu trem. — Ele abre a porta e, então, faz uma pausa para olhar para mim.

— Desculpe — diz ele. — Conversamos quando eu voltar. Cuide-se.

Não respondo. Pelo resto da noite, ignoro os pedidos dos adultos e não troco a blusa rasgada. Cada vez que olho para a manga rasgada, tenho uma sensação confortante de satisfação, como a do sangue aquecendo uma perna dormente. O ato do meu pai deu voz a algo que eu já sentia, mas jamais verbalizara, expôs uma verdade essencial: sou uma desajustada, uma estranha em meio aos outros, proclama a minha blusa rasgada. Sou diferente de vocês. Meus valores são diferentes. Não gosto nem tenho medo das mesmas coisas que vocês amam ou temem. E isso me torna diferente.

Dois dias depois, recebo um aerograma do meu pai, a primeira carta que ele me escreveu na vida: "Querida Thritu. Estou prestes a embarcar no trem", escreve ele. "Sinto muito pelo que aconteceu... Mas estou certo."

Eu o odeio e o admiro pela última frase. Mas não menciono a carta quando ele volta de viagem. De modo geral, não demonstro tomar o menor conhecimento da presença dele, apesar da insistência de Mehroo. Quando ele me dirige uma pergunta, obrigo meus olhos a fixarem outro ponto enquanto respondo por meio de monossílabos. Conforme se arrastam os meses, minha hostilidade começa a soar idiota até mesmo para mim, mas agora não sei voltar atrás e me reaproximar do meu pai. Parece extremamente importante, uma questão de vida ou morte, não ser a parte que cede, sob pena de dar a impressão de fraqueza. Às vezes, observando a expressão magoada em seu rosto, choro lágrimas amargas no travesseiro. Então me obrigo a olhar a blusa estragada no cabide do armário, a fim de fortalecer minha determinação. Finalmente, passados quatro meses, ele desmorona à mesa do jantar uma noite, com os olhos marejados de lágrimas. É o suficiente. Vou até ele e o abraço, enquanto os outros adultos suspiram aliviados.

Mas levo mais três semanas para retirar a blusa rasgada do cabide no meu armário. E ainda assim eu a dobro com cuidado e a ponho numa prateleira, onde ela permanecerá durante anos.

❁

O *CHANNAWALLA* SE APROXIMA DO CARRO e meu pai compra uma rúpia em amendoim torrado. É a primeira vez que vamos até a praia depois da nossa briga. Ele me conta da vergonha que sente por ter perdido a calma comigo e de como a lembrança do passeio abortado aos Jardins Suspensos ainda o chateia. Isso é o curioso a respeito do meu pai: ao contrário da maioria dos adultos que conheço, ele não vê problema em admitir estar errado. Na verdade, seu incessante impulso de melhorar, seus espasmos de desconfiança, sua franqueza ao falar da própria vida ao mesmo tempo me envergonham e me fascinam. Em comparação a ele, sou fechada, emocionalmente na defensiva. Sob certos aspectos, meu pai é mais jovem, mais confiante e mais inocente que eu. Ocorre-me que, assim como ainda é capaz de ganhar de mim na corrida ou na caminhada, meu pai também me deixa para trás do ponto de vista emocional.

Começamos esse ritual vários anos atrás, meu pai e eu, de ir até a praia após o entardecer e ficar conversando no carro. Na maioria das vezes ele fala e eu escuto, ou melhor, ele fala e eu deixo a minha mente divagar pelos caminhos por ela conhecidos — sonho acordada que sou mais velha, moro sozinha e uso sáris de algodão no meu emprego de jornalista no *Times of India*. Chego mesmo a pensar num apartamentinho longe de onde moro desde a infância. Mas meu pai nada sabe das minhas fantasias futuristas e ainda fala com a adolescente que sou. Às vezes percebe como inclino a cabeça e me distancio dele durante os seus sermões sobre a importância da honestidade ("Não pegue do chão nem uma moeda de dez *paisa* que não seja sua"), o valor da instrução ("Se você não terminar a faculdade, o máximo que posso lhe prometer é talvez o emprego de empacotadora numa fábrica de caixas") e sobre os perigos do sexo antes do casamento ("Os rapazes querem coisas diferentes com uma namorada e com uma esposa"). Aí, seu tom fica ainda mais intenso que de hábito.

— Ouça, Thrituma — diz ele, inflamado. — Aprenda com a minha experiência de vida, não cometa todos os erros que cometi. Quero poupar você de todo o sofrimento que passei. Não tive ninguém para me aconselhar. Tudo que aprendi foi da maneira difícil, por tentativa e erro. Mesmo que você se esqueça de 85 por cento de tudo o que lhe digo, os 15 por cento restantes vão ajudá-la quando ficar mais velha. Por isso repito as mesmas coisas milhões de vezes, como um disco arranhado.

Eu o escuto, chego até a entender o que ele diz, mas não consigo evitar o tédio. Já ouvi esse sermão demasiadas vezes e ele me enche o saco. Além disso, já comecei a me dar conta do abismo entre os nossos mundos. Meu pai parou a escola no sexto ano. É um homem que se fez sozinho e tudo que sabe precisou ensinar a si mesmo. Nunca leu uma peça de Shakespeare na vida. Eu já li livros de cuja existência ele nem sequer desconfia. Tenho um conhecimento de artes e de música que ele não tem, como também não tem ideia de como essas coisas me fizeram mudar. Por exemplo, meu pai não percebeu que desde que li *Sede de viver*, a biografia de Vincent Van Gogh, dois anos atrás, parei de lhe pedir carona de carro, preferindo o ônibus. Me identifico de tal maneira com Van Gogh que cheguei a desenvolver uma gagueira para me parecer com ele. Ando por aí com o que imagino ser uma expressão assombrada, insana, e cultivo o desprezo de Van Gogh pela vida burguesa. *Demian* e *O lobo da estepe*, de Hermann Hesse, também ajudam a dar voz a essa estranha em que me transformei. Deixei de ser a criança comportada e caridosa que dava todo o dinheiro da merenda às freiras. Não sou mais criança.

Comparado ao mundo intelectual, passional e repleto de arte sobre o qual estou lendo — um mundo ao qual, não tenho dúvida, precisarei morrer tentando pertencer —, o mundo descrito pelo meu pai parece restrito, pálido e sem vida; em suma, tedioso. O dele é um mundo de virtude e pragmatismo, mas a minha alma anseia por um mundo mais sombrio, repleto de ambiguidade e complexidade. Meu pai me promete um mundo de respostas — "A honestidade é a melhor política", "A limpeza é prima da santidade", "Um homem prevenido vale por dois" —, mas cada vez mais me fascina um mundo em que as pessoas fazem perguntas inviáveis, perguntas sem resposta.

É impossível fazer meu pai entender tudo isso. Nas poucas vezes que tentei, ele me olhou com um ar de preocupação, como se eu tivesse virado mais um problema a resolver na vida. Conheço de cor e salteado as outras pressões que ele sofre e não quero ser mais uma. Por isso me calo. Ou falo de forma indireta: à mesa do jantar, de repente pergunto aos adultos se alguém sabe de um lugar onde eu possa emoldurar minha gravura do Davi de Michelangelo para pendurar na sala. Preparo-me para a resposta inevitável:

— A fábrica de tecidos enche a casa de poeira. Qualquer quadro que se pendure na parede vai precisar ser espanado diariamente, e você sabe como as empregadas são preguiçosas.

Por isso me sento na sala sem quadros, com o solitário calendário da Batliwalla & Filhos como única decoração na parede. Observo que mesmo o calendário não tem nenhuma gravura. Um dia, prometo a mim mesma, todos os cômodos da minha casa terão quadros nas paredes. E comprarei flores uma vez por semana. Um dia.

Como um tigre, me preparo para o bote, esperando chegar a hora.

CAPÍTULO 15

A SRA. BEATRICE D'MELLO me expulsou novamente da aula de física, me obrigando a passar cinco dias seguidos no corredor. Em geral é uma honra ser expulsa da aula da sra. D'Mello, mas hoje madre Ignatius, ao passar pelo corredor, ergueu as sobrancelhas quando me viu encostada à parede de cor creme e disse:

— No corredor de novo, menina?

Senti meu rosto enrubescer ante tamanha injustiça. Quis explicar que a sra. D'Mello quer se vingar de mim, que me expulsa da aula à menor provocação, que me faz pergunta após pergunta até me forçar a sair da sala. Mas madre Ignatius já seguia seu caminho.

Houve uma época em que a sra. D'Mello sinceramente gostava de mim, embora pareça fazer tanto tempo que fica difícil até de lembrar. Houve uma época em que ela ria de todas as minhas piadas e chegava a permitir que eu interrompesse a aula ligando meu radinho portátil para conferir o placar do jogo de críquete quando a Índia jogava contra o Paquistão.

No sétimo ano, fui a primeira aluna a levar um radinho portátil para o colégio. Era um Philips amarelo que Babu comprou para mim. O rádio me dava a sensação de estar conectada às legiões de fãs de críquete que praticamente paravam a cidade quando acontecia uma partida do campeonato internacional. Bombaim, quando assaltada pela febre do críquete, se transformava. Funcionários graduados faltavam ao trabalho em números recordes, pretextando doença. Um empresário de meia-idade dirigindo seu Impala branco não achava nada de mais abrir a janela do carro e perguntar a um menino de rua se Sunil Gavaskar ainda estava rebatendo. Estranhos se cruzavam na rua e perguntavam: "Como está o placar, *yaar?*" Rojões estouravam por toda a cidade sempre que Bedi neutralizava mais um batedor. Durante os jogos entre a Índia e o Paquistão, os muçulmanos proprietários de lojas no Bhendi Bazaar distribuíam frutas cristalizadas sempre que um arco indiano caía, enquanto os hindus próximos fechavam a cara. Uma visão panorâmica das multidões de funcionários de empresas em Churchgate ou na Fonte Flora mostraria homens e mulheres com a cabeça ligeiramente inclinada para um lado e radinhos de pilha grudados ao ouvido. A estática desses rádios ecoava no ar, bem como as vozes de metralhadora dos comentaristas Vijay Merchant e Lala Amarnath subindo e descendo como ondas do mar. Aparentemente, nenhuma guerra seria capaz de unir os habitantes de Bombaim do jeito que um jogo de campeonato internacional unia, e já que eu precisava estar na escola e longe da animação, o mínimo a fazer era levar comigo um radinho de pilha.

Eu punha o volume baixinho, abria a minha carteira e o colocava sobre os livros ali guardados. A pequenos intervalos regulares, deitava a cabeça sobre os braços cruzados e encostava o ouvido na carteira. Depois, sussurrava o placar para a aluna ao meu lado, que, por sua vez, passava a informação para o aluno ao lado até que toda a classe ficasse sabendo. Durante alguns dias, a sra. D'Mello me observou executar o mesmo processo elaborado. Então, disse:

— Tudo bem, garota, façamos o seguinte: deixo você ouvir o rádio de vez em quando e então informar a turma. Depois voltamos aos estudos, certo?

Achei que a sra. D'Mello era a professora mais bacana do mundo.

No entanto, a amizade entre mim e a sra. D'Mello teve vida breve. Terminou no dia em que minhas colegas e eu estávamos no corredor entre uma aula e outra e fiz o que considerei um brilhante comentário antropológico:

— Já reparou como a sra. D'Mello parece um cavalo quando ri? — perguntei a Anita. — Que dentões ela tem!

Anita engoliu em seco. Seus olhos se esbugalharam quando ela fixou um ponto acima do meu ombro.

Eu me virei. A sra. D'Mello me olhava com uma expressão feroz e cruel, de cara fechada. Senti um aperto no estômago.

— Eu... Eu... Era um elogio... Adoro cavalos... Não foi uma ofensa... — gaguejei, mas era tarde demais. A sra. D'Mello deu meia-volta e entrou na sala de aula.

Assim teve início o meu longo e solitário exílio no corredor. Na maior parte do tempo, não me abalei, saía da sala com um andar arrogante, me assegurando de que todo mundo visse o romance que carregava para me fazer companhia no corredor. Hoje, porém, envergonhada devido às palavras de madre Ignatius, bufo de raiva diante da injustiça da coisa toda.

Estamos no intervalo do almoço e, com umas seis colegas, decidimos atravessar a rua e comer um prato de *pyali*, uma mistura picante de batatas e vagens. Na volta, Tasneem resolve comprar umas *boras*, os frutinhos vermelhos picantes, e nacos de manga verde salpicados de sal. O ambulante idoso fatia com perícia a manga e observo sua faquinha afiada.

— Juro, *yaar*, que se tivesse uma faca eu matava a sra. D'Mello agorinha mesmo — comento para mim mesma.

Mas Anita Khalsa ouve o comentário.

— Duvido — provoca ela, imediatamente.

— Duvida de quê?

— Duvido que você pegue uma faca, chegue na cara da sra. D'Mello e diga: "Sra. D'Mello, vou matá-la."

As outras meninas nos cercam. Minha cabeça pensa rápido. Esta é a oportunidade que tenho de me tornar, de uma vez por todas, a detentora inquestionável do título de Parse Doida.

— Valendo o quê? — pergunto.

Elas pensam durante um minuto.

— Um LP — diz Rukshan, ciente de que adoro música.

— É pouco, *men* — respondo. — Isso pode causar a minha expulsão do colégio! Mereço, no mínimo, quatro discos.

Elas hesitam, e quase torço para que deem para trás. Mas aí Anita diz:

— É, podemos fazer uma vaquinha. Tudo bem, quatro discos.

Engulo em seco, me perguntando como consigo me meter nessas situações. Nada a fazer agora senão ir em frente.

O apartamento de primeiro andar de Tasneem é vizinho ao colégio, e resolvemos ir lá pegar uma faca. Ela não quer subir ao apartamento, convencida de que a mãe vai desconfiar se olhá-la nos olhos.

— Mãe, mãe — grita Tasneem sob a janela, e, quando a mãe aparece na varanda, pede para que nos jogue uma faca.

— Para quê você quer uma faca, *beta*?

Tasneem raciocina rápido.

— Para a aula de biologia, mãe. Temos que dissecar um sapo.

Mesmo à distância, dá para ver a careta da mãe de Tasneem. Mas ela entra e depois volta com uma faca enrolada num jornal, que joga para nós depois de pedir para nos afastarmos.

Assim, não há escapatória. Minha última esperança, a de que a mãe de Tasneem fosse farejar algo de podre e se recusar a nos dar a faca, foi-se. A presença da faca torna o desafio mais real. Enquanto voltamos para a escola e subimos os dois lances de escada que levam à sala dos professores, o boato corre, e uma procissão de cerca de 14 meninas vem atrás de mim. Seguro a faca, ainda enrolada no jornal, e tento descobrir como saltar fora dessa situação de uma forma que faça jus ao espírito do desafio e ainda assim me permita não perder a pose. E então me ocorre: enquanto as outras aguardam do lado de fora das portas de vidro da sala dos professores, vou me aproximar da sra. D'Mello e dizer bem alto "Sra. D'Mello, vim matá-la". Só que aí virá o truque, a parte com a qual provarei ser mais astuta que Houdini: vou acrescentar, num tom baixo o bastante para ser ouvido apenas pela sra. D'Mello: "Não se preocupe, é só uma brincadeira."

Não me ocorre que a sra. D'Mello, que há mais de dois anos tem ódio profundo por mim, talvez não ache graça dessa brincadeira. Sinto-me segura com meu plano secreto à medida que nos dirigimos para a sala dos professores.

Mais segura que as outras, como descobrirei depois. Quando o grupo percebe que estou disposta a levar avante a empreitada, a enormidade do que pode acontecer começa a tomar forma. Estamos no final do corredor que desemboca na sala dos professores quando Tasneem amarela.

— *Ae*, já chega, *yaar*. Isto está indo longe demais. Se a minha mãe descobre para que pedi a faca, viro picadinho.

Mary intervém:

— É, vamos todas arrumar um problemão. E, depois do que houve não faz nem duas semanas, nenhuma de nós pode se dar a esse luxo, certo?

Entendemos de imediato do que ela está falando.

O PROBLEMA ALUDIDO POR MARY começou com uma música. Uma canção que compus em homenagem à padroeira da escola, Claudine Thevenet, para ser cantada com a melodia dos Osmonds "I'll Be Your Long-haired Lover from Liverpool".

A ideia era interpretarmos a canção num encontro que ocorreria num colégio católico vizinho, mas tudo se atrasou naquele dia e madre Ignatius acabou cedendo o nosso espaço para as formandas do ensino médio, e voltamos para a nossa escola sem interpretar nossa música.

O que aconteceu em seguida me pegou de surpresa: uma mistura estranha de orgulho ferido, ansiedade adolescente, histeria coletiva e ebulição hormonal entrou em combustão espontânea, de modo que a turma toda chegou de volta à escola chorando de indignação. Como autora da música, de início fiquei lisonjeada com o clamor que sua não interpretação causou, mas depois fui tomada de choque diante da catarse histérica de quarenta garotas altamente emotivas. Eu nunca vira minhas amigas assim. Em geral, tentamos superar umas às outras em nossa atitude fria, indiferente, e na postura de "dane-se o mundo". A princípio procurei argumentar com elas, mas, quando percebi que era a única a não achar que havíamos sofrido uma ofensa de peso, um insulto terrível, e que continuamente éramos oprimidas, paternalizadas e humilhadas pelas alunas formandas, também eu me deixei levar pela gigantesca onda de emoção.

Duas horas mais tarde, madre Ignatius, sem desconfiar de coisa alguma, mandou que nos reuníssemos no corredor principal e ensaiássemos a música para a apresentação do dia seguinte. Como não havíamos tido a oportunidade de interpretá-la conforme o previsto, declarou ela, nós o faríamos durante a reunião da escola do dia seguinte.

Boicote. A palavra se espalhou rapidamente entre nós. Não participaríamos do ensaio e não cantaríamos no dia seguinte. Não ocorreu a nenhuma de nós comunicar a nossa mágoa, bem como a decisão tomada, a madre Ignatius. Assumimos nossos lugares como de hábito, e, quando a madre pediu a Mary para se sentar ao piano, ela obedeceu.

Mary era mais velha que a maioria de nós porque repetira vários anos. Alta, atlética, essa menina anglo-indiana tinha cabelos lisos e castanhos e belos olhos cinzentos. Ninguém desconhecia o fato de que Mary era uma das muitas bolsistas de baixa renda da escola e corria à boca pequena que a família enfrentava dificuldades porque o pai era um bêbado. No entanto, o que lhe faltava em talento acadêmico Mary compensava com uma perene disposição para ajudar, o que a tornava uma das alunas favoritas das freiras.

Madre Ignatius ergueu a batuta.

— Prontas? — indagou. — Muito bem. Mary, a nota inicial.

Permanecemos imóveis. Mary sentou-se ereta ao piano, de cabeça baixa.

Madre Ignatius se mostrou surpresa.

— Vamos lá, meninas, mãos à obra. Tentemos de novo. Prontas?

O enorme salão estava em silêncio. Madre Ignatius se virou para Mary. Dava para ver que a freira se esforçava para não perder a paciência.

— Muito bem, Mary. A nota inicial.

Mas Mary baixou ainda mais a cabeça, fazendo com que o queixo quase encostasse no peito. Madre Ignatius olhou para ela e depois para nós. Era óbvio que não fazia a mínima ideia do que se passava, e me ocorreu que alguma de nós deveria tê-la posto a par, mas o clima no salão pesou de repente e todas nos vimos de tal forma presas naquela teia de silêncio rebelde que tive medo de me mexer.

Madre Ignatius não. Com alguns passos decididos, postou-se diante do piano.

— Toque, Mary — insistiu baixinho, e, quando Mary não se mexeu, repetiu:

— Toque, minha filha. Toque o piano.

Mary continuou sentada de cabeça baixa. Madre Ignatius cravou-lhe o olhar durante alguns segundos.

— Levante-se — comandou de súbito.

Mary ficou de pé, mas desviou o olhar. O restante de nós observava impotente, prendendo a respiração.

— Olhe para mim — disse madre Ignatius. — Fale comigo. Diga o que está acontecendo.

Suas palavras caíram em ouvidos moucos.

— Olhe para mim — repetiu madre Ignatius, as palavras certeiras como balas dessa vez.

E, no minuto seguinte, uma bala foi disparada, quando sua mão direita voou e estapeou o rosto de Mary.

Levamos um susto. Mary e madre Ignatius se encolheram, chocadas. Em seguida, instalou-se um pandemônio.

— Não é justo, não é justo, não é justo — começou a gemer Anu, como se fosse uma sirene. Anu, uma menina baixinha, sem graça, de uma conservadora família hindu, sempre foi evitada pela maioria das colegas porque não é segredo que Anu é uma dedo-duro e uma mexeriqueira. Sua explosão incomum provocou um efeito hipnotizador em todas nós. Em pouco tempo, estávamos falando, chorando e gritando ao mesmo tempo.

Madre Ignatius avaliou a situação.

— Muito bem, voltem todas para a sala de aula — comandou rispidamente. — Continuo a não fazer ideia do que se passa, mas resolveremos isso depois.

Mas madre Ignatius avaliou muito mal. Nos deixar sozinhas e sem supervisão na nossa sala só fez aumentar a histeria. Num dado momento, achei que eu era a única aluna de olhos secos, mas então meu olhar encontrou o de Patty, que estampava uma expressão confusa como se dissesse: "Que diabos está acontecendo?" Respondi dando de ombros.

— Precisamos fazer alguma coisa. Não podemos deixar que aquelas meninas mais velhas nos tratem assim — disse Barbara.

Comecei a ter a impressão de que o mundo estava invertido naquele dia. Barbara, filha da sra. Pinto, era uma garota obediente, bem-comportada; falava tão baixo que parecia estar sempre com laringite.

Mas seu pequeno discurso me causou um impacto e deu asas a todas as minhas fantasias sobre o poder da juventude e as revoluções estudantis. Agarre o momento, a hora é esta, disse a mim mesma.

— Certo — gritei, decidida. — Já sei o que vamos fazer. Vou redigir rapidinho um abaixo-assinado que entregaremos pessoalmente a madre Ignatius.

Quarenta alunas, ou seja, todas nós, assinaram o documento. Todas saíram como um escura nuvem de abelhas zangadas da sala de aula. Dobramos à esquerda e cobrimos a curta distância até o escritório de madre Ignatius.

Bati à porta. Ela ergueu os olhos e sorriu, como se lhe agradasse me ver. Senti uma onda de afeto por ela, que procurei sufocar. Lembrei-me das várias conversas que a madre superiora tivera conosco, conversas em que partilhara pedaços da própria vida tanto antes como depois de se tornar freira, conversas que haviam dissipado parte da mística que envolvia o noviciado e que nos fizeram encarar as figuras vestidas de branco menos como alienígenas espaciais e mais como seres humanos de carne e osso.

— Meninas, vocês podem me perguntar o que quiserem — disse ela certa vez num desses papos informais.

Uma dezena de mãos se ergueu de uma só vez.

— Por que virou freira, madre?

— É verdade que todas as freiras levaram um fora dos namorados e por isso entraram para o convento?

— A senhora sente falta do convívio com seus pais?

— Quantos anos a senhora tem?

— É verdade que as freiras são carecas?

— A senhora já se apaixonou?

A madre superiora levantou a mão rindo.

— Meninas, uma de cada vez!

E então nos contou que um dia tivera o cabelo comprido e basto, quanto se orgulhava dele, na verdade sua grande vaidade. Que o namorado — sim, houvera um namorado — costumava elogiar o seu cabelo. Não, não era propriamente careca, mas, sim, cortara o cabelo ao entrar para o convento, pois não era fácil lidar com a cabeleira sob o hábito e também por ser uma fonte de orgulho e vaidade, e Deus reprovava o orgulho.

— Então, zás, lá se foi ele — completou ela, sorrindo.

Eu havia sentido uma inexprimível tristeza ao ouvir a história do cabelo. Não consegui me decidir se o que ela tinha feito era tolo ou admirável.

Agora, porém, de pé à porta do seu escritório, espantei essas lembranças sentimentais da cabeça.

— Podemos entrar? — perguntei.

— Claro, claro — respondeu ela, mas depois levantou-se assustada quando todas nós entramos em sua sala, amontoando-nos à sua volta.

— O que é isso? — disse a madre, e fiquei surpresa ao ouvir um tremor em sua voz.

Seu corpo retesou-se, e os olhos varreram o cômodo.

— Como ousam, vocês todas, invadir assim a minha sala?

A situação começava a me escapar como um carretel de linha que nos escorrega da mão.

— Mas, madre, acabei de perguntar se podíamos entrar! — respondi, confusa.

Madre Ignatius parecia mais zangada do que nunca. Eu nunca a vira tão zangada. Pior, ela parecia *amedrontada*. Então, a ficha caiu:

a madre está achando que se trata de um protesto. Acha que estamos aqui para mantê-la como refém.

Eu já ia começar a explicar quando Anu veio em meu socorro.

— Não é justo, não é justo, não é justo — gemeu ela, e, apesar do clima tenso, senti vontade de rir.

Então, porém, ouvi às minhas costas uma muralha de som que forçava passagem. Começou baixinho e grave como um rosnado e depois se tornou agudo. Todo mundo falava ao mesmo tempo, e o que realmente chamava a atenção é que meninas como Anita Khalsa, que cunhara a reputação de durona, choravam como se assistissem a um funeral.

— A senhora deu um tapa na Mary — gritou Barbara, e madre Ignatius se encolheu, dando um passo atrás como se pretendesse escapar à acusação presente na voz de Barbara.

— Alguém pode me dizer o que está acontecendo? — perguntou a madre.

Mas a maioria de nós estava histérica demais para falar. A superiora olhou à volta, impotente. Seu olhar finalmente encontrou a mim, uma das poucas meninas que não choravam.

— Thrity, você pode me dizer o que está havendo?

Em resposta, entreguei-lhe o abaixo-assinado. Ela o leu, uma vez, duas vezes, mas depois ergueu os olhos, tão confusa como antes.

— Então é tudo por causa disso? Porque a turma de vocês não teve a chance de cantar?

Detectei incredulidade em sua voz e senti vergonha pelo dramalhão das minhas colegas. Nossa causa, de repente, me pareceu pequena e boba. Bani, contudo, esses pensamentos traiçoeiros da cabeça e quando falei foi com uma voz calma e firme.

— Não é só isso, madre. Existem muitos outros problemas. As meninas do ensino médio sempre acabam ficando com o melhor de tudo e temos a sensação de que...

Então perdi a minha linha de raciocínio porque, nesse exato momento, olhei para Patty de esguelha, pedindo apoio, e para minha surpresa seus ombros estavam tremendo. Patty estava de cabeça baixa com as mãos cruzadas na frente e, por um momento, achei que estivesse rindo, até me dar conta de que Patty — a fria e durona Patty — também chorava. Então me deu um branco. Tentei prosseguir e listar nossas queixas, mas fui engolfada por um mar de sofrimento e mágoa adolescente redemoinhando à minha volta e me senti afundar. Mortificada, percebi lágrimas escorrendo pelo meu rosto.

Madre Ignatius me fez o favor de desviar o olhar.

— Tudo bem, acho que já ouvi o bastante para saber qual é o problema. Agora, vocês terão que confiar em mim para saná-lo. Vou ligar para a diretora de Saint Agnes e convidar suas alunas para uma nova visita. Vocês poderão cantar então. Agora voltem para a sala de aula e se recomponham.

Havia, no entanto, um assunto ainda pendente. Minutos depois de voltarmos para a sala, madre Ignatius veio até nós.

— Venha cá, Mary — disse ela, e Mary se levantou da carteira na última fila e caminhou até a mesa do professor.

— Lamento ter batido em você, minha filha. Perdi a paciência, e isso está errado.

Então madre Ignatius agiu com imensa classe. Primeiro, beijou Mary na testa. Depois, fez um pequeno sinal da cruz na testa da aluna.

Um estremecimento acometeu todas nós. Mary ficou radiante.

Mas madre Ignatius não deu o assunto por encerrado. Seus olhos se fixaram em mim e se estreitaram ligeiramente.

— Da próxima vez que você resolver enfiar quarenta alunas na minha sala minúscula, por favor, peça licença antes — disse ela num tom glacial.

— Mas madre — protestei —, eu pedi...

Mas ela já se afastava e não me ouviu. Merda, pensei comigo mesma. Como é que sempre me meto nesse tipo de situação?

— Isso não é nada justo, *yaar* — disse Zarina, a colega que sentava à minha frente. — Tenho absoluta certeza de que você pediu licença a ela. Esses adultos são meio surdos, vou te contar.

Dei um sorriso amarelo para Zarina. Mas não consegui evitar a sensação de que de repente havia entrado para a lista negra de madre Ignatius sem ter culpa alguma no cartório.

❁

MENOS DE DUAS SEMANAS se passaram desde o incidente da música, e agora, mais uma vez, estou cortejando ativamente o perigo. Já chegamos perto o bastante da sala dos professores para que eles possam nos ouvir. O grupo que me segue encolheu para quatro meninas intrépidas. Mas agora que estamos a instantes das portas de vidro, essas também baqueiam.

— Thrity, *men*, isso é idiota — diz Kajal. — Vamos esquecer este assunto.

Estou dividida. Parte de mim tem medo de ir avante, mas também temo igualmente que se espalhe a notícia de que a Parse Doida amarelou diante de um desafio. Reputações são como animais de estimação: é preciso cuidar, alimentar, jamais abandonar. Além disso, percebo que Anita Khalsa, minha principal rival e a responsável por toda esta história, não disse uma palavra até agora.

Mas então Anita fala. Estamos na porta da sala dos professores e vários deles nos olham curiosos através das portas de vidro.

— Muito bem, retiro o desafio. Kajal tem razão. Não quero que você seja expulsa do colégio. Esses professores têm tão pouco espírito esportivo, não é mesmo?

Eis a minha oportunidade de orquestrar uma saída honrosa, sem ficar mal na foto. Na verdade, olhei fixo para Anita Khalsa, e ela piscou primeiro. Chego mesmo a ter duas testemunhas desse momento de suprema vitória. No entanto, hesito, a mão direita quase tocando a maçaneta.

— E os meus quatro discos?

Anita parece exasperada. Ela sabe que me forneceu uma saída que sou teimosa demais para aceitar.

— Fodam-se os discos — diz ela.

Então, vendo a expressão decidida em meu rosto, pisca mais algumas vezes.

— Muito bem. Dou a você um disco de presente para não fazer nadinha.

Penso rápido, tentando avaliar a situação.

— Não, *yaar*, não basta. Se a gente fechar em dois discos, eu desisto agora mesmo.

As outras relutam, indecisas se devem gastar tanto dinheiro para nada. A certa altura avalio ter mirado alto demais e que Anita vá acabar com meu blefe. Aperto com mais força a maçaneta dourada da porta. Vendo isso, Anita cede de vez:

— Muito bem, maldita Shylock, sua sanguessuga. A gente te dá dois discos para você parar agora mesmo.

E assim, no sábado seguinte, um grupo de garotas me leva até a loja Rhythm House e observa em silêncio enquanto escolho *Greatest Hits*, de Elton John, e *Hot August Night*, de Neil Diamond. Pago a diferença de preço, porque o segundo é um álbum duplo.

Durante as semanas seguintes, ouço diariamente "Candle in the Wind" e "Song Sung Blue". Quando Elton John canta "*Daniel my brother/ You are older than me/ Do you still feel the pain of the scars that won't heal*" / "Daniel meu irmão,/ você é mais velho que eu/ Ainda sente a dor das cicatrizes que não vão sumir", invariavelmente penso na minha prima Roshan e no nosso relacionamento complicado; meus olhos se enchem de lágrimas. No evento escolar seguinte levo o disco para o colégio e madre Ignatius ensina algumas de nós a dançar "Crocodile Rock".

E a sra. D'Mello dorme bem à noite, sem ser perturbada por pesadelos em que alunas vingativas irrompem na sala dos professores com facas escondidas em jornais, esperando que ela sorria mesmo ao ser informada de que está prestes a ser morta.

CAPÍTULO 16

Ao comprar bebida e cigarros ainda menor de idade, violo a lei várias vezes ao longo do ensino fundamental. Cometo, igualmente, no mínimo dois pecados no primeiro ano do ensino médio.

O primeiro é ganhar o primeiro lugar num concurso patrocinado pelo governo para as melhores redações louvando as virtudes do planejamento familiar durante o draconiano período de Emergência de Indira Ghandi. Naturalmente, ainda estávamos na fase inocente, início de 1976, quando ainda não chegara a Bombaim a notícia de que a campanha de controle de natalidade do governo havia desandado. Nada sabíamos das vans que perambulavam pelas ruas de Nova Déli à procura de homens — e até mesmo rapazes de menos de 15 anos — para esterilizá-los à força. Cresci vendo os adultos torcerem o nariz ao dizer que o pessoal das classes mais baixas repetiam o ciclo infindável da pobreza ao se reproduzir como coelhos e lendo livros escolares que culpavam a superpopulação por todas as mazelas da

Índia. Por isso, quando um grupo de burocratas aparece na escola um dia e as freiras os acolhem solícitas e se apressam a organizar o concurso de redação, escrevo um ensaio que teria alegrado os corações dos castradores safados que vasculhavam as ruas de Déli no exato momento em que eu redigia.

Esse pecado, contudo, deveu-se à ignorância e é, portanto, perdoável. O que fiz com Jaya foi propositalmente cruel.

Jaya é a única colega de classe cujas notas em redação já superaram as minhas. Só isso já é bastante para me chamar atenção e me fazer temer a sua concorrência. Uma católica alta e magra como um palito, Jaya tem a pele escalavrada e pernas de caniço. Também possui um humor ferino, embora seja tão tímida e sem sal que levo meses para registrar seu estilo cáustico, mesmo ela ocupando a carteira vizinha à minha. Minha amizade com Jaya é canhestra e complicada — por um lado, me atrai a sua evidente inteligência e sua consciência política; por outro, sei que, em sua opinião, desperdiço meu tempo andando com Jenny e as outras, e essa avaliação não verbalizada me deixa alerta e pouco à vontade em sua presença. Também não ajuda em nada o fato de ela me admirar e falar comigo de um jeito que supõe partilharmos os mesmos princípios e gostos. Jaya tem um ar de superioridade intelectual que me irrita, embora eu entenda que esse círculo de superioridade é grande o bastante para me incluir. Sei que minhas outras amigas se sentem paternalizadas por ela, o que já basta para me levar a ficar do lado delas. No entanto, também percebo os lábios finos estremecerem de emoção quando recitam um soneto de Shakespeare, além de saber que os óculos grossos, estilo "gatinho", de Jaya escondem olhos bondosos e que o humor sarcástico compensa uma natureza profundamente sensível. A verdade é que somos parecidas na nossa hipersensibilidade e ambas nutrimos um desejo secreto de nos tornarmos escritoras. Ela sabe disso e presume uma amizade baseada nessa compreensão não verbalizada. Não quero, porém, me aliar com alguém tão vulnerável e tímida, porque assim também me exponho. Afinal, preciso fazer jus à minha reputação, e a minha personalidade é mais extrovertida que a dela, sou menos limitada. Por outro lado, também, Jaya exibe uma certa aura de possessividade que faz eu me sentir cerceada em sua companhia, razão pela qual nessas situações minhas piadas se tornam mais grosseiras, falo mais alto, sou mais expansiva e espalhafatosa. Às vezes ela ri com as outras meninas de uma piada que conto, mas, na maior parte do tempo, apenas fica me olhando por trás daqueles óculos de fundo de garrafa, os lábios finos formando uma linha, o que interpreto como desaprovação. Como vários dos adultos que me cercam, Jaya aparentemente me considera melhor do que a pessoa que desperdiço meu tempo sendo, e paira sempre à sua volta um leve ar de reprovação que me deixa irritada.

Estamos em 1976. Cursamos a nona série do sistema indiano, falta um ano para a formatura. A Emergência já tem quase um ano de vigência quando Jaya chega para mim um dia e diz que precisa falar comigo em particular.

— O que foi, *men*? — indago de imediato. — Não dá para falar agora?

— Não, eu já disse que precisa ser em particular. Vamos até o corredor, certo?

Jaya tem um namorado, digo a mim mesma. Puxa vida, quem diria? A peça tem um namorado! E ainda assim fica toda séria, nem um sorrisinho...

Dou um salto da cadeira e a sigo até o corredor, mas ela continua séria.

— O que foi? — pergunto.

Então, vendo que ela está prestes a chorar, acrescento: — Qual é o problema, *men*?

— Nada. É só que... Ninguém na escola sabe, mas... Minha mãe está presa.

Congelo. No meu cérebro de classe média, a cadeia está definitivamente associada a um comportamento criminoso. Não conheço direito a mãe de Jaya, mas aquela mulher sorridente e franzina de cabelo escuro, que usa *kurtas* brancas e calças compridas e que vi na escola um punhado de vezes, não tem cara de criminosa. Em todo caso, nunca se sabe...

— O... O que foi que ela fez? Que crime ela cometeu?

Jaya fica chocada.

— Crime? Ela não cometeu crime algum. Era a líder do sindicato dos professores. Simplesmente estava organizando os outros professores em sua escola, mas com a Emergência, você sabe, o direito de greve foi criminalizado...

Jaya continua a falar, mas já não escuto. Continuo em estado de choque. Jamais conheci alguém que tivesse um parente na cadeia. O conceito de ser preso devido às próprias convicções me é desconhecido. Venho de uma família decididamente apolítica, em que o único ancestral a participar na luta pela liberdade contra os ingleses virou alvo de escárnio no folclore familiar. Venho de uma comunidade étnica que se manteve alheia aos tumultos do país que adotou, uma minoria que floresceu por não tomar partido algum, por coexistir pacificamente com seus vizinhos. Todos os meus livros de história e educação cívica dizem que a Índia é uma democracia onde prevalece a supremacia da lei. Quando eu era criança, meu pai costumava sorrir quando eu cumprimentava todo guarda de trânsito por que passávamos. Me arrepio sem querer quando escuto o hino nacional e adoro assistir à parada do Dia da República na televisão. E agora Jaya quer me convencer de que a mãe foi presa apenas por tentar organizar um sindicato. Não faz sentido. Jamal também tentou formar um sindicato e ninguém o prendeu por isso. Não, Jaya está mentindo. Todo mundo sabe: a cadeia é para os bandidos.

— Não sei, *baba*, não sei — interrompo. — Nunca ouvi falar que prenderam alguém que não fez nada. É assim que a lei funciona, só isso.

O rosto de Jaya desmonta como se eu tivesse acertado um soco em seu queixo. Ela me olha boquiaberta.

— Mas... Eu juro... — gagueja ela.

Não posso olhá-la nos olhos. Tenho vergonha de mim mesma, mas a arrogância de sabe-tudo vence o constrangimento e me faz partir para o nocaute:

— Se a sua mãe está na cadeia é porque fez por onde merecer.

Dito isso, me afasto.

Dedico o restante do dia a evitar olhar para Jaya.

DUAS SEMANAS MAIS TARDE, o edifício da minha existência conformista de classe média jaz em ruínas aos meus pés. Tudo começa de um jeito bem inofensivo, numa ida de ônibus até o auditório Homi Bhabha para ouvir o recital de uma orquestra alemã. Como sempre, Jesse e eu pegamos o ônibus de dois andares no terminal e lutamos para conseguir assentos fronteiros no andar superior. É o nosso lugar predileto e gostamos de pôr a cara para fora da janela e sentir o vento em nossos rostos. Como sempre, conversamos sobre arte, música e literatura. Ou melhor, Jesse fala e eu escuto, armazenando todas as informações que ela tão naturalmente provê, decorando algumas das observações mais espirituosas de modo a repeti-las como minhas no dia seguinte, na escola. Meu coração incha de alegria e tenho aquela sensação indomável, louca, meio ébria de tão feliz, que me assalta sempre que estou com Jesse. Qualquer conversa com ela produz em mim o mesmo efeito — é como se o meu cérebro passasse por uma boa faxina e ficasse reluzente como metal. Ninguém no meu círculo de amizades lê nem tem o grau de conhecimento ou de raciocínio de Jesse, e, mesmo agora, depois de vários anos de grande proximidade, me impressiono por ela ter ignorado os cinco anos que nos separam — tenho 15 e ela, 20 — e buscado a minha amizade. Sinto-me totalmente inadequada neste relacionamento, porque só faço receber, mas, quando lhe digo isso, ela sempre se mostra ofendida e responde que estou errada.

Ela discorre agora sobre alguma ilha obscura do Pacífico e, de repente, não posso esperar nem mais um minuto.

— Jesse — interrompo —, como você *sabe* tanta coisa?

A pergunta abarca uma vida de carência, espanto e admiração, mas Jesse balança a cabeça impacientemente, dispensando a minha pergunta demasiado ansiosa, puxa-saco, como se fosse uma mosca. Parece sem graça e depois murmura alguma coisa sobre eu estar falando bobagem.

Conversamos sobre outras coisas, zombamos dos estranhos nomes de empresas — Cordas e Companhia; Limpadores de Chaminés

& Filhos —, bem como de algumas placas — "Não cole cartazes aqui"; "Permitido buzinar"; "Proibido sentar ou cuspir na grama" — que vemos no caminho. Também passamos por vários anúncios gigantescos que surgiram da noite para o dia durante a Emergência: "Trabalhe mais, fale menos"; "Indira é a Índia", e o onipresente slogan do planejamento familiar: "*Hum Do, Hamare Do*: Somos dois, geramos dois".

Então Jesse cita um nome que já ouvi antes: Karl Marx. Estou vagamente ciente de que Marx é um comunista e que os comunistas são inimigos do Estado e, ainda por cima, idiotas, pois todos sabem que sem lucro à vista ninguém há de querer trabalhar.

— Ele era comunista, não? — comento. — Como o pessoal da China, certo? *Ae*, você sabia que os chineses não votam? Por isso Nehru entrou em guerra com eles. Eles nos odeiam porque somos livres.

Repito sem pensar o que sempre ouvi, por isso não estou preparada para a reação de Jesse:

— Não fale merda — diz ela ab-ruptamente, no tom mais duro que já a vi usar. — Quem você acha que é livre neste país? Os que moram nas favelas? Os empregados da sua casa? E todo mundo está vendo quanta liberdade de expressão existe quando esses covardes da mídia tremem de medo da Emergência.

Encaro Jesse em silêncio, atônita. Esse lado dela eu nunca vi antes. Por que essa fúria toda? Será que está com raiva de *mim*?

— Bom, de todo jeito, os comunistas querem distribuir o dinheiro equitativamente — tento de novo, repetindo o que ouvi no colégio. — Mas se todo mundo fizer isso, que incentivo vai haver para o trabalho? Parece bacana, mas não tem chance de funcionar, *na*, se todos cruzarem os braços e forem para casa.

Ela me olha nos olhos pela primeira vez desde que embarcamos nesse tema.

— Você sabe qual é o princípio básico do comunismo, ou melhor, do socialismo? — pergunta Jesse, de forma retórica. — "A cada um o que a sua capacidade merece; a cada um o que a sua necessidade demanda." Entende o que isso significa?

Não. Ela explica. Faço mais perguntas. Ela responde. Fala de Mao na China e de Lênin na União Soviética, bem como de vários movimentos pioneiros que, segundo ela, estão ocorrendo na Índia.

Enquanto Jesse fala, relembro meus sonhos de infância envolvendo os pobres da cidade. Depois de ouvir durante anos os adultos afirmarem que sempre teríamos pobres, que os pobres são pobres porque são preguiçosos e não querem trabalhar, que nada pode ser feito quanto à pobreza, que portanto o melhor é não pensar nela, para variar agora alguém me diz algo diferente. E, de acordo com Jesse, países inteiros se reorganizaram segundo esses princípios revolucionários. A cada um o que a sua necessidade demanda. É a coisa mais vitalmente positiva que já ouvi. Tudo em que sempre acreditei com relação aos seres humanos — que só agem mal quando são privados, que se tiverem alguma escolha agirão bem —, todas essas crenças se encontram resumidas nessa frase. Os adultos que me cercam estão errados, redondamente errados, muito, muito errados.

Entrei no ônibus B.E.S.T. naquele dia como uma garota comum, mimada e egoísta, ocupada com meu próprio corpo em mutação e seus prazeres. Quando saía empregando a torto e a direito expressões como rebelião jovem e revolução, eu pensava em Woodstock, não na Rússia.

Desço do ônibus batizada numa nova religião. Foi como ganhar um par de óculos de raios X, pois passei a conseguir enxergar, de repente, a estrutura interna das coisas. "O problema não está na produção, mas na distribuição", disse Jesse. E não é que ela tem razão? Será que não vejo a prova disso por todo lado — os arranha-céus brotando dos sovacos das favelas, as crianças famintas dormindo na calçada, na porta de joalherias luxuosas, os operadores arrogantes da Bolsa ignorando o mendigo caolho ao lado? Bombaim já não me parece deprimente. Não serei mais capaz de vê-la como uma cidade suja, apinhada, falida, à beira da queda no precipício. Em vez disso, cada mendigo, cada operário empobrecido, cada empregado doméstico, cada novo imigrante parece, de súbito, feito de poeira de estrelas, explodindo de potencial não realizado, de poder inexplorado e possibilidades infinitas. “Cara”, quero dizer à primeira pessoa que passar, “se pudéssemos ver do que somos realmente feitos...”

Volto para a escola na segunda-feira totalmente mudada, uma nova pessoa. Uma das primeiras coisas que faço é me aproximar de Jaya.

— Olhe, andei pensando na nossa conversa do outro dia. Desculpe, *men*, fui uma vaca. Na verdade, quero saber o que aconteceu com a sua mãe. Com essa coisa da Emergência, essas situações ficaram bem comuns.

Jaya me olha desconfiada.

— Mas você fez uma redação, há poucos meses, elogiando a Emergência.

Quer dizer então que ela lembra.

— Sei disso. Fui uma idiota, mas agora entendo melhor as coisas. Sabe do que mais? Eu estava errada. E desculpe por ter sido tão desagradável com você.

Jaya chega à escola no dia seguinte trazendo um panfleto grosseiramente impresso detalhando os abusos da Emergência. Eu o tomo da sua mão em silêncio, sem fazer qualquer pergunta, e o enfio entre as páginas de um livro. Mais tarde leio o panfleto no corredor, depois de ser expulsa da aula de física. Fico chocada com o que leio: prisioneiros políticos submetidos a torturas atrozes, mendigos recolhidos e banidos da cidade, favelas demolidas, a imprensa censurada, a Constituição sendo revista, a polícia sendo dotada de plenos poderes. Isso está acontecendo no país em que moro, e até a semana passada a única coisa que eu sabia sobre a Emergência era que os ônibus agora circulavam com pontualidade.

Indira Ghandi foi primeira-ministra praticamente ao longo de toda a minha vida. Minha geração cresceu aplicando automaticamente o pronome pessoal feminino ao se referir a esse cargo. Como muitos indianos de classe média, minha família a adorava, acreditando no que a própria Indira insinuou em diversas ocasiões — que sem ela a Índia se desintegraria no caos, que o país precisava de um Nehru para governá-lo. Os Nehru eram os Kennedy da Índia: urbanos, charmosos, sofisticados, bonitos, carismáticos. Minha tia Freny vivia falando com orgulho de uma coletiva de imprensa estrangeira em que Indira respondeu várias perguntas num francês fluente. Meu pai se alegrou como uma criança quando ela inaugurou um dos projetos habitacionais do qual ele participara como empreiteiro. Ao contrário de muitos políticos indianos carecas, pançudos, vestidos em seus antiquados *dhotis* e com sotaque pronunciado, Indira, com sua pele clara e suas feições angulosas, falava inglês fluentemente, se vestia com elegância quando viajava para o exterior e parecia à vontade com a maioria dos líderes do Ocidente. Para um país que ainda se recuperava do complexo de inferioridade nacional, resquício do governo colonial britânico, ver Indira flertar com Lyndon Johnson e andar lado a lado com Richard Nixon e o presidente do Paquistão, o general Yahya Khan, era melhor do que vencer uma partida decisiva contra os Aussies. Ao contrário dos outros senis e barrigudos líderes mascadores de *paan*, Indira era o tipo de político com quem qualquer um teria prazer de desfilar em público. Nos coquetéis, os empresários discutiam como a Emergência facilitara a vida, agora que os sindicalistas baderneiros haviam perdido os culhões; os funcionários de empresas, ao voltarem cansados para casa nos subúrbios ao final do dia, agradeciam o fato de os trens funcionarem com mais eficiência; os cidadãos comuns simplesmente ficavam gratos porque as rixas constantes entre os políticos haviam cessado. Se para isso era preciso abrir mão de alguns direitos fundamentais, ora, não se pode ter tudo. Talvez, quem sabe, a Índia fosse mesmo grande demais, diversificada demais, para encarar a democracia. Bastava ver a eficiência com que os generais governavam o Paquistão. E se o rosto conhecido de Indira — com a famosa mecha branca entremeando-lhe o cabelo — nos espreitava em todas as capas de revista e nos repreendia em todos os cartazes de propaganda, tanto melhor. Afinal, precisávamos da Mãe Indira para cuidar de nós e nos proteger contra o caos e a autodestruição. Se corriam boatos dando conta de que seu filho, Sanjay, roubava e protegia seus comparsas corruptos, ora, o cara era um tecnocrata, pombas, precisamente o técnico pragmático e dinâmico de que a Índia precisava numa hora assim, certo? Afinal, Sanjay era um Nehru, o neto do grande Jawarhalal Nehru. Não podia ser tão ruim...

Levo comigo o panfleto de Jaya quando vou à casa de Yasmin ao fim da tarde para tomar cerveja. Ouço as outras comentarem o disco de Cat Stevens recém-comprado por Jenny, escuto-as planejarem a ida a uma discoteca no sábado, mas me sinto curiosamente alheia à conversa. Quando surge uma brecha, pego o panfleto.

— Ei, meninas, ouçam isto. — E começo a ler.

Elas ouvem num silêncio desconfortável.

— Eca! — exclama Jenny quando leio a descrição das torturas infligidas aos prisioneiros.

Dá para perceber pela linguagem corporal delas que todas desejam que eu pare de ler, mas não posso, e elas são educadas demais para me interromper.

Ninguém sabe o que dizer quando termino.

— Nossa, que coisa! É ruim demais — diz Jenny sem grande efusão, tentando romper o silêncio.

Patty pega o fio da meada:

— Uau, que horror! Terrível! Que país! Mas, gente, precisamos resolver, porque tenho que avisar o meu primo. Vamos todas à discoteca no sábado?

Pela primeira vez desde que somos amigas, fico com vergonha de estar na casa de Yasmin, de desperdiçar a minha noite tomando cerveja. Por um átimo de segundo, vejo tudo claramente e com repulsa: nós quatro, mimadas, narcisistas, procurando aventura e gastando mais dinheiro numa noite do que muita gente ganha numa semana.

Me levanto.

— Preciso ir para casa. Vejo vocês amanhã.

Jenny me lança um olhar indagador.

— Tudo bem com você? — pergunta.

— Tudo bem — minto.

Vou ao banheiro de Yasmin e escovo os dentes com os dedos, tentando limpar da minha boca o cheiro de cigarro e cerveja antes de chegar em casa. Também tento me livrar do gosto — breve porém amargo — da vergonha e do autodesprezo. A caminho do ponto de ônibus, arranco duas folhinhas de uma árvore e as esmago entre os dedos, procurando com essa fragrância encobrir o cheiro de tabaco nas mãos.

E vou para casa.

ESTAMOS EM JANEIRO DE 1977 e Indira Gandhi convocou novas eleições para daqui a dois meses. Os líderes da oposição foram libertados da prisão e formaram uma coalizão: o Partido Janata. A Índia enfrenta tumultos, na tentativa de fazer emergir uma nova ordem do útero sombrio da Emergência. Os jornais, repentinamente desamordaçados, estão cheios de histórias sobre as atrocidades cometidas em Nova Déli. Fazendo jus à reputação de cidade encantada, Bombaim foi poupada de grande parte do trauma, mas agora até os moradores comuns sentem vergonha ao constatarem ter vivido numa bolha de ignorância durante os últimos dois anos. Fiz 15 anos há pouco mas até mesmo eu posso dizer que, assim como o pão fresco assado na padaria do outro lado da rua, a História no momento está sendo feita todos os dias.

Nós quatro combinamos assistir a um filme no Sterling. Quase falto ao programa, porque os negócios da família vão mal novamente e, quando peço dinheiro a Babu, ele abre a carteira para mostrar que ela está vazia. Desvio o olhar envergonhada, porque sei quanto lhe custa me recusar alguma coisa.

— Tudo bem — digo, tentando rir. — É um filme idiota mesmo. Eu nem estava muito a fim de ver. Vou ligar para elas e desmarcar.

Já estou discando o número de Patty na sala quando Babu se aproxima e enfia uma nota de dez rúpias na minha mão.

— Encontrei isto debaixo do meu pijama no armário. Devo ter esquecido que botei lá.

Protesto, mas ele insiste.

— Divirta-se — diz ele. — Esses trocados não vão me servir de nada mesmo. E quem sabe quando você terá outra chance de ir?

No entanto, no ônibus com as outras três, me sinto pouco à vontade. Culpada por tomar de Babu sua última nota, constrangida com essa nova distância que percebo entre mim e as outras três. Fico impaciente. Além disso, hoje de manhã Jesse comentou comigo que haveria um grande protesto estudantil contra a Emergência, na Fonte Flora, à tarde. Ela pretendia ir com seus colegas universitários. Tive vontade de me convidar, mas a timidez me impediu, como se eu quisesse entrar de penetra numa festa particular. A notícia da marcha, porém, fez o meu programa vespertino com Jenny, Patty e Yasmin parecer trivial e insignificante.

O ônibus comum que pegamos está lotado e durante boa parte da viagem Yasmin e eu ficamos em pé, não muito distantes da porta aberta. Jenny e Patty conseguiram lugares relativamente próximos a nós. Conforme se aproxima da Fonte Flora, o ônibus reduz a velocidade, bloqueado pelo que dá a impressão de ser uma muralha humana percorrendo as ruas à nossa frente. É o protesto estudantil. Abro caminho até a porta do ônibus, pendurando-me na barra de metal da entrada. Minha pulsação se acelera quando reparo nas expressões resolutas dos estudantes que participam da passeata, empunhando seus cartazes e faixas. Eles conversam, gritam slogans. "Indira Ghandi, vergonha, vergonha", entoam todos. Aí começa a cantoria. Fico arrepiada antes mesmo de identificar o que eles cantam. É "We Shall Overcome", em híndi. A canção cintila sob a luz brilhante do sol, um misto impressionante de desafio e esperança, um grito de guerra e uma oração. Quando o ônibus, se arrastando, ultrapassa a passeata, reparo num policial em seu uniforme cáqui a tamborilar suavemente com os dedos o próprio cassetete, no ritmo da música. Então percebo que o local está repleto de policiais, vejo os jipes cinzentos atrás da longa procissão.

Viro as costas para a porta e volto para onde estão minhas amigas.

— É um protesto contra a Emergência. Conheço alguns dos organizadores. Vamos desistir do cinema e entrar na passeata.

Elas me olham como se eu tivesse ficado maluca.

— Qual é, Thrit? — exclama Jenny. — Você sabe que estamos esperando há semanas para ver esse filme. Não seja uma desmancha-prazeres, por favor.

Um momento nos separa. Uma fase da minha vida termina e outra tem início durante esse momento, embora eu ainda vá levar bastante tempo para me dar conta disso. Uma antiga fidelidade se esgarça, enquanto outra, nova, aguarda o próprio nascimento. É possível que Jenny também saiba disso, porque, quando me viro e me dirijo novamente para a porta do ônibus, ela faz um movimento, como se fosse me impedir, mas depois torna a se sentar.

Me penduro para fora do ônibus, ciente de estar numa encruzilhada. Se saltar agora, irei romper o laço estreito da minha amizade com as outras três. Se ficar, não serei capaz de me olhar no espelho. Vasculho a multidão em busca de Jesse, sabendo que, se conseguir vê-la, isso facilitará a decisão. Mas não recebo ajuda. A decisão é só minha.

— Parem de olhar, juntem-se a nós — entoam os estudantes em marati para a multidão de funcionários burocratas de pé nas calçadas, boquiabertos, contemplando as momices dos universitários. Acho, porém, que as palavras são dirigidas especificamente a mim. Posso seguir viagem neste ônibus até o cinema, onde serei a espectadora passiva da história de outrem. Ou posso saltar deste ônibus e ajudar essa garotada a escrever a deles. Uma história nova em folha, *Made in India.*

Acontece tão de repente que nem me dou conta de ter tomado uma decisão. Minha mão desliza da barra de metal e, em marcha lenta, salto de costas do ônibus em movimento. Os estudantes próximos me saúdam com um grito animado.

— Ei! — grita Yasmim, e aceno para ela.

— Curtam o filme — grito de volta. — Vejo vocês na segunda.

No instante seguinte sou engolida pela enorme multidão que se move como areia à minha volta. Se eu ficasse parada, a energia e o *momentum* de toda essa gente me empurraria adiante. Mas não tenho a menor intenção de ficar parada. Uma excitação irrequieta e uma felicidade gritante movem meus pés. Uma universitária vestindo uma *kurta* branca e calça jeans passa um braço amistoso em torno dos meus ombros.

— Ouvi o que você disse a suas amigas. É um prazer contar com você.

Ela sorri. Sorrio de volta e depois rio, sem nenhuma razão aparente salvo a alegria de fazer uma passeata numa tarde de sábado pelas ruas do centro de Bombaim com milhares de jovens idealistas e convictos. Mal posso esperar para chegar à escola na segunda-feira e contar essa aventura a Greta Duke. Ela apenas *ensina* história.

Eu a estou fazendo.

❁

A ALEGRIA DURA POUCO. Nos reunimos atrás da estátua da Fonte Flora e nos sentamos em posição de ioga na rua. É quando eu o vejo: Fali Mehta, o chefe de polícia parse, amigo de infância de papai e Babu. Tio Fali supervisiona severamente a multidão, de mãos nos quadris, com uma expressão bem diversa da do homem jovial e agradável que estou habituada a encontrar em festas e recepções de casamento. Minha mente congela de terror, me levando a esquecer de escutar o que diz o estudante para a multidão. Se tio Fali me vir aqui, estou morta. A notícia decerto chegará ao meu pai, e, com seu medo de política radical, sei qual será a sua reação. Meu pai, moderado e pacífico, tem uma rejeição instintiva por fanatismo e conflitos de todo tipo. Para ele, desafiar uma figura onipresente como Indira Gandhi equivale a desafiar a Deus. Cubro a cabeça com as mãos e olho para o chão, tentando me convencer de que tio Fali jamais me identificará numa multidão de milhares de pessoas.

No minuto seguinte, ouço a voz conhecida, com seu forte sotaque parse, trovejando por um megafone:

— Agora, ouçam bem — vocifera. — A lei proíbe vocês de seguir adiante. A área em torno de Mantralaya está fechada para passeatas. Acalmem-se, façam um protesto pacífico e não teremos problemas.

Um murmúrio percorre a multidão, como um peixe prateado marolando a água de um lago. Há um certo movimento nas primeiras fileiras, do que deduzo que os líderes estudantis estejam tentando decidir se devem ou não desafiar a proibição. Passam-se vários minutos. Alguém começa uma nova cantoria, que flutua sobre a multidão em ondas sucessivas. Então vem uma calmaria, como se todos estivéssemos ficando sonolentos sob o sol do meio da tarde. Um policial se acocora junto à multidão e troca observações bem-humoradas com os participantes próximos.

— Desista deste uniforme e junte-se a nós — convida um estudante, ao que o policial sorri e depois boceja.

Minha excitação de antes diminui e outras emoções a suplantam: medo de ser vista por Fali Mehta; remorso por abandonar minhas três amigas tão despreocupadamente; um ligeiro tédio diante dos discursos infindáveis que denunciam a Emergência.

Então a maré vira. Um grito se faz ouvir:

— Para Mantralaya! — berra alguém lá na frente.

O restante da multidão aproveita a deixa e se põe de pé num salto.

— Parem — grita Fali Mehta em seu megafone. — Vocês estão infringindo a lei. É proibido reunir-se em...

— Dane-se a proibição — responde uma voz mais jovem, em outro megafone, competindo pela atenção. — Esta cidade pertence ao povo, não ao governo.

A multidão aprova num rugido.

Sou empurrada adiante pela multidão em movimento, como um pedacinho de grama ao sabor do mar turbulento. Não há tempo para pensar agora, nem jeito de sair ou tomar a direção oposta. Tudo é movimento, um mar de punhos cerrados, mãos erguidas e pés batendo no chão. A cantoria, a gritaria, os slogans, tudo agora mostra uma urgência nova, um tom mais alto; são mais frequentes, mais insultuosos, como se a tensão e o medo que todos sentimos possam ser mantidos ao largo por uma muralha de som.

A linha de frente da passeata atravessa agora o bloqueio policial. E surge no ar um novo som — totalmente desconhecido para mim, mas tão sinistro como o chocalhar de uma cobra —, que me embrulha o estômago. Os cassetetes descem sobre nós. Os policiais que minutos atrás faziam brincadeiras conosco agora nos atacam, os cassetetes grossos de madeira erguidos bem alto acima de suas cabeças. Eles seguram os cassetetes no ar e os brandem com violência, causando aquele ruído terrível, escorregadio. *Sik-sik-sik*, fazem os cassetetes no ar, cantando sua música mortal segundos antes de deixar sua marca na cabeça ou no braço de alguém.

Fico imóvel, paralisada por um medo tão entorpecente que mais parece uma doença física, como um infarto. Pelo canto do olho vejo um policial se aproximar, mas tudo que consigo fazer é fechar os olhos e cobrir a cabeça com as mãos, como se não ver o perigo iminente pudesse fazê-lo sumir. Há muito desisti de esperar que minhas pernas me levem daqui, visto que agora são de borracha.

Alguém me agarra pelo braço e me puxa.

— Vamos — diz uma voz de homem. — Corra.

Ele me pega pela mão e juntos corremos, para lá e para cá, evitando ir de encontro a outras pessoas, abaixando-nos para escapar dos cassetetes que zunem sobre nossas cabeças. Aperto a mão cálida porém suada do meu salvador desconhecido, achando que jamais a largarei. Minhas pernas continuam de borracha, mas agora se movem como se dotadas de asas. Ambos resfolegamos e arfamos, mas corremos mesmo assim, de mãos dadas, atravessando várias ruas, olhando por cima do ombro a intervalos de minutos, distanciando-nos ao máximo da loucura às nossas costas.

Finalmente chegamos a um ponto de ônibus aparentemente seguro porque está cheio de funcionários burocratas e gente que não tem cara de estudante.

— Muito bem — diz meu salvador. — Acho que você está em segurança aqui. Quanto anos tem, afinal?

— Quinze.

— Quinze — repete ele, balançando a cabeça e enxugando o suor da testa.

Eu o observo. Seu rosto é magro, estreito, arrematado por uma barbicha irregular e óculos John Lennon. Usa uma camisa xadrez azul e calças folgadas, que lhe caem mal, e calça sandálias. Os pés estão sujos de poeira por causa da corrida.

— É a sua primeira passeata? — pergunta, mordendo o lábio inferior.

Quando faço que sim com a cabeça, ele assente:

— Foi o que pensei. Por isso lhe ajudei. Vi você saltar daquele ônibus. Mas, se entrar noutra, vai se habituar com os cassetetes. Os safados nos atacam em todas elas.

— Obrigada pela ajuda. Não sei o que teria feito sem você.

O rapaz já está se afastando.

— De nada. Bom, preciso voltar.

— Voltar para onde?

Ele sorri:

— Para a passeata. Não se pode deixar aqueles policiais *goondas* vencerem, não é? Aqueles marginais... A gente se vê por aí.

No dia seguinte, leio no *Indian Express* que no mínimo metade dos estudantes se reuniu novamente após a rodada inicial de golpes de cassetete. O orgulho contrai a minha garganta.

Resolvo nada dizer a Jesse sobre a minha presença na passeata, sabendo que ela vive dividida entre sua crescente militância política e seu desejo, como o de uma irmã mais velha, de me proteger de qualquer perigo.

Mas a imagem dos estudantes machucados, espancados, amedrontados, voltando ao lugar onde foram vitimizados fica comigo muito tempo depois que a história some das manchetes dos jornais.

CAPÍTULO 17

KAMALA É EMPREGADA lá de casa desde que tenho 11 anos. Ela, por sua vez, é uma mulher de idade indefinida. O rosto esticado, encovado, o cabelo escasso e os dentes que o fumo destruiu dificultam a tarefa de determinar quantos anos tem. Seu rosto me lembra um pedregulho — moreno amarelado, liso e polido como se o tempo e as circunstâncias tivessem se encarregado de remover qualquer pedacinho desnecessário de carne. E, como um arqueólogo, venho escavando Kamala pouco a pouco, a começar pelo seu nome. Quando veio trabalhar para nós, ela era conhecida pelo nome genérico de Ganga, aquele que damos a qualquer criada que empregamos. Durante anos nós a chamamos de Ganga, até o dia em que fiz a pergunta revolucionária:

— Qual é o seu nome verdadeiro?

Kamala, respondeu ela, e todo um universo se abriu sob meus olhos: um ser humano com nome, bem como, repentinamente, com uma série de outros detalhes a descobrir: família, estado civil, filhos, endereço, aonde se dirigia quando ia embora à noite... Além de seus gostos, aversões, preferências, alergias, doenças que teve, o que a fazia rir...

É próprio da natureza das revoluções uma mudança suceder outra, e não demorou para acontecer mais um evento cataclísmico: abracei Kamala. Primeiro foi um braço em torno dos ombros, depois um rápido abraço canhestro, puxando-a para mim, até que, finalmente, veio um abraço completo, frontal, o mesmo que eu daria em Mehroo ou nas minhas colegas de escola. O espaço físico, que não deve ser violado devido às invisíveis barreiras de classe, religião, tribo, língua, educação e todas as coisas que nos distinguem, esse espaço físico, de súbito, naturalmente, virou do avesso — e nada aconteceu. Os céus não se abriram, os deuses não mandaram raios e trovões demonstrando sua ira. Apenas... os adultos franziram o cenho e se entreolharam calados, buscando um no outro orientação. Apenas... Kamala dava um risinho curto, envergonhado, caso eu a abraçasse diante dos adultos, e então se desvencilhava célere do afago. Apenas... o odor forte, acre, do suor de Kamala, suor do trabalho duro, me enchia as narinas, um odor desconhecido, novo. Mas afora isso, mais nada.

Assim, escavo Kamala, pouco a pouco, forço-a a despir a máscara do silêncio que ela costuma usar na presença dos adultos (a menos que esteja zangada, quando, então, solta uma rajada de palavras indignadas, como uma arma de fogo, o peito chato arfando), faço com que ria, que me conte histórias e descreva para mim seus sobrinhos e sobrinhas. Preenchendo as lacunas, elaborando um retrato dessa mulher misteriosa que todo dia adentra a nossa casa às 7 da manhã e toda noite desaparece nas sombras para retornar no dia seguinte.

Geralmente, a tarefa equivale a remover montanhas, pois a mera presença dos adultos a congela, faz com que ela se recolha ao silêncio. Quando eles estão por perto, os movimentos de Kamala são tensos e o tom de voz, artificial e inibido. Mesmo quando fala comigo, noto que ela os vigia pelo canto do olho. Quando estamos sozinhas em casa, porém, seu rosto se anima quando ela fala, os olhos castanho-claros se arredondam e crescem, as mãos gesticulam vivamente. Mas, ao longo do processo que desenvolvo para obter sua confiança, dou vários passos em falso. No começo, pego meu prato do almoço e me sento a seu lado no chão, expressando meu protesto silencioso, ineficaz, contra um sistema social que permite que Kamala prepare a nossa comida mas não que se junte a nós na mesa para comê-la. Roshan ri, papai fica dividido entre considerar isso um gesto tolo e me impedir de fazê-lo, mamãe se chateia e Kamala se envergonha... e fica uma fera. Briga comigo, deixando bem claro para os adultos que não deseja ter nada a ver com isso. Finalmente, após almoçar vários dias acocorada como ela, desisto.

Minha missão seguinte é conseguir que Kamala se sente à mesa comigo, embora eu saiba que nem adianta tentar fazer isso na presença dos adultos. Quando estamos sozinhas, contudo, recuso-me a almoçar até que ela se junte a mim na mesa; depois de muito revirar os olhos e balançar a cabeça, finalmente Kamala cede. Parece, no entanto, tão desconfortável na cadeira marrom que nenhuma de nós duas consegue extrair daí qualquer prazer. Se não insisto, ela automaticamente se acocora no chão diante de mim quando conversamos. Até...

Até aquele glorioso dia de verão quando já tenho 15 anos. Estou na sala ouvindo *Let it Be* no som estereofônico e Kamala entra de rompante e me pede para trocar o disco, para parar de tocar essa música, cuja letra ela não entende, e, em seu lugar, pôr o disco que comprei dois dias antes. É uma canção folclórica sobre um velho pescador, cantada em marati, o idioma de Kamala, que conhece a música e agora exige que eu a toque. Dou um salto do sofá antes mesmo que ela conclua o pedido, meu coração palpitando de alegria com o jeito maternal, autoritário, com que Kamala manda em mim. Sucesso, penso eu, até que enfim! E tem mais: ela se senta no sofá ao meu lado e ouve o disco em silêncio. Fixa o olhar sem expressão num ponto à sua frente. Se sabe a letra da música, não dá sinal disso. Nem imagino o que se passa em sua cabeça, mas não me importo com isso. Estou adorando ficar sentada no sofá com essa mulher que passei a amar e respeitar muitíssimo, essa mulher digna, decente, trabalhadora, que, a meu ver, merece herdar o mundo. Não entendo um sistema que considera essa mulher ignorante e analfabeta, embora nitidamente ela seja sábia; que permite que trabalhe para gente que sequer a chama pelo próprio nome. Em geral, esses pensamentos me deprimem e enraivecem, mas hoje é um dia para ser comemorado. Ainda que eu me dê conta de que esse momento fugaz de espontaneidade não mudará coisa alguma, sinto uma onda de esperança, um torturante vislumbre de possibilidade. Permito-me romancear e sentimentalizar o momento, mesmo ciente de que esse sentimentalismo é algo viável para mim, mas não para Kamala. Assim, saboreio essa ternura sem barreiras entre nós, mesmo depois que a campainha toca e Kamala dá um pulo do sofá, culpada, e corre para abrir a porta para o resto da família.

Dois dias após o episódio, Kamala me convida meio sem jeito para ir com ela à festa de noivado do sobrinho. Antes que eu possa mostrar o meu prazer diante do convite, ela começa a recitar todos os motivos pelos quais não devo aceitá-lo: teremos que sair bem cedinho de manhã, tomar dois ônibus, o sobrinho mora num prédio velho e decadente onde o banheiro é coletivo e, além de tudo, provavelmente vou ter que estudar para as provas.

— Kamala, eu quero ir. De verdade. Sempre tive vontade de conhecer a sua família, principalmente o seu sobrinho. Sei que ele é o seu preferido.

Então Kamala aborda o assunto com Mehroo, que, conforme ela sabe, se encarrega desse tipo de decisão. Para minha surpresa, Mehroo concorda.

Kamala abre um sorriso largo, surpreso, quando vem me pegar no sábado. Pareço pouco à vontade num sári verde e dourado de algodão, e, ao me ver vestida de outro jeito que não com o habitual conjunto de calça jeans e camiseta, ela ri. Seu sorriso aumenta mais ainda quando caminhamos até o ponto de ônibus e tento administrar as dobras do sári para não tropeçar.

— Meu bem, por que você se deu o trabalho de se produzir assim? — pergunta ela. Posso ver, porém, que está feliz por eu ter me esforçado tanto.

Que dia maravilhoso! A família de Kamala é simpática, acolhedora e amistosa comigo. Durante uma hora mais ou menos, todos me mimam, arranjam uma cadeira para eu me sentar, embora os demais se acomodem em colchões no chão. Passado um tempo, porém, eu lhes digo que tanta atenção está me deixando constrangida e, para minha enorme surpresa, eles param com o exagero. Ainda assim, dá para ver que Kamala me observa, protetora, vindo me buscar quando um dos rapazes da vizinhança me lança um sorriso insolente, matreiro, e me acompanhando ao banheiro coletivo, que fica no corredor do apartamento do sobrinho, resmungando o tempo todo a respeito dos hábitos porcos de alguns moradores do *chawl*, a velha casa de cômodos. No entanto, ela também demonstra satisfação por estar com a família, que encontra relativamente pouco, e vejo um lado seu que para mim é novidade. A mulher controlada e calada que se move como um fantasma em nossa casa sumiu. Em seu lugar surge uma mulher animada, espalhafatosa, com uma língua afiada e uma gargalhada gostosa. Me encanto toda vez que Kamala solta uma gargalhada, sabendo que talvez se passem anos até que eu a veja novamente livre assim. Os sobrinhos e sobrinhas de Kamala a chamam de "Kaku", e todos riem quando começo fazer o mesmo.

— É melhor não me chamar de Kaku em casa — adverte ela no caminho de volta. — O que seus pais vão pensar se você me chamar de tia?

— Não ligo a mínima — respondo. — Você *é* minha tia.

Assim, a mulher que um dia foi Ganga e depois virou Kamala, agora se torna Kaku. Suponho que isso seja bom, essa promoção de anônima a parente, mas estou ciente de que até esse poder para dar nome é um sinal de privilégio. Onde já se viu uma adolescente de 15 anos ter o poder de devolver o próprio nome a uma mulher no mínimo três vezes mais velha? E se esse nome pode ser dado, será que também pode ser tirado?

E tem mais uma coisa: depois daquele momento no sofá, depois que os adultos tocaram a campainha e Kaku se pôs de pé num salto para lhes abrir a porta, ela voltou para a cozinha para retomar o serviço. Eu, em compensação, fiquei na sala e ouvi uma vez mais a canção folclórica marati. Então, quando a música terminou, levantei a agulha e troquei o disco.

E *Let it Be* encheu novamente a casa.

CAPÍTULO 18

BABU MORREU.

O homem que foi para mim um segundo pai durante toda a minha vida, que me viu segundos depois que nasci, que me amou com o mesmo orgulho e devoção que amou a própria filha, morreu — repentina e chocantemente, aos 54 anos.

A campainha toca às sete da noite. A família toda está jantando, com exceção da tia Freny, que está no hospital e vai passar a noite ao lado do marido. Chegamos de lá faz poucas horas, aliviados de ver Babu tão animado um dia depois de extrair uma pedra do rim. Agora, o jantar está quase no fim quando a campainha toca. Mehroo leva um susto e empurra para trás a cadeira para ir abrir a porta. Não estamos esperando visita alguma esta noite.

Da sala de jantar, ouço a voz de tio Sam. Ele está ofegante e fala depressa, o que torna seu tom ainda mais esganiçado do que de hábito.

— Mehroo, venha logo. Pesi não está bem. Fui ao hospital fazer uma visitinha, e Freny mandou que eu viesse buscar todos vocês. O dr. Sethna também foi chamado.

Papai já se levantou e se aproxima da porta. Minha mãe também sai correndo da sala, deixando a mim e Roshan sozinhas no cômodo repentinamente vazio. Olho para Roshan sem saber o que dizer e ela me olha de volta, o nariz e os olhos começando a ficar vermelhos. Então ela se levanta e ouço o plac-plac dos seus chinelos de borracha no corredor que vai dar nos quartos. Contemplo os pratos abandonados sobre a mesa e baixo os olhos para o meu. Está quase vazio — faltam apenas algumas garfadas. É quando acontece: uma voz baixa, fria, me diz: "Termine o seu jantar. Você vai precisar de toda a sua energia se Babu estiver mal." Por isso continuo a comer, a única da família a fazê-lo. Mastigo rápido e me sinto culpada, tenho medo de que alguém entre na sala e me pegue em flagrante. É a primeira vez que me deparo com a desumanidade oculta em mim mesma, com aquele pragmatismo frio que emergirá toda vez que uma crise se apresentar. Esse é um lado de mim até então desconhecido, e me sinto uma mercenária enquanto engulo a comida.

A gravidade potencial da situação me atinge quando reparo como meu pai dirige furiosamente a caminho do hospital. O dr. Sethna chegou antes de nós e está no quarto examinando Babu. Aguardamos do lado de fora. Freny está lá dentro com o marido, por isso não fazemos ideia do que se passa. Finalmente, Mehroo agarra uma das enfermeiras que sai do quarto, mas a mulher comenta apenas:

— O médico já vem. Vocês vão poder lhe fazer todas as perguntas que quiserem.

Finalmente, o dr. Sethna sai do quarto. É um homem bonito, cinquentão, grisalho nas têmporas e dono de uma calma cultivada durante os vários anos passados no Exército. Ele me tirou o apêndice há seis meses e agora me sorri e murmura:

— Oi, menininha.

Sem esperar pela minha resposta, vira-se para os adultos. Franze a testa ao ver o olhar preocupado de todos e solta um suspiro alto.

— O estômago está cheio de gases — explica, sem preâmbulos. — Não sabemos por quê. Já passei um novo remédio e vamos ver como ele passa a noite. Afora isso, não há nada a dizer a vocês no momento.

Papai se aproxima dele.

— Mas, doutor, o senhor acha que... que é grave?

Sethna suspira de novo. Conhece meu pai e meu tio há anos, desde que os três eram jovens.

— Não sei, Burjor. É possível. Vou fazer todo o possível. Pesi é meu paciente, mas antes de tudo é meu amigo.

Suas palavras não tranquilizam Mehroo.

— Mas hoje à tarde, quando estivemos aqui, ele estava ótimo — insiste ela. — Conversando, contando piadas. Ficamos encantados com a recuperação dele — conclui.

— Entendo. Bem, sei que vocês estão ansiosos para vê-lo. Mas, por favor, preciso avisar: não se impressionem com a aparência dele. Assim que os remédios agirem, haverá uma melhora.

Mas ficamos chocados sim. E sem palavras. Os gases distenderam a barriga de Babu a tal ponto que não conseguimos ver seu rosto de onde estamos, ao pé da cama. O lençol branco que o cobre parece uma tenda gigante. E o que realmente preocupa é que a barriga aparentemente continua a crescer, sob nossos olhos, até.

Os olhos de Freny estão vermelhos. Eu chego por trás dela e lhe dou um abraço rápido.

— Não se preocupe. Estamos todos aqui agora. Ele vai melhorar rapidinho — digo.

Meu pai e Mehroo se postam cada qual de um lado da cama.

— Pesi, meu irmão, como você está? — pergunta meu pai. — Não se preocupe com nada, certo? Você sabe que faremos tudo o que for preciso. Estarei ao seu lado, dia e noite. Vou levar você para casa em poucos dias.

Os olhos de Babu estremecem e se abrem. Dá a impressão de tentar reagir, mas tudo que vemos é uma onda de emoção cruzar seu rosto, como a sombra do sol passando sobre os campos.

Estou sentada ao pé da cama e resolvo massagear os pés de Babu, porque ele sempre me pede massagem nos pés. Enfio a mão sob o cobertor e meu coração para. Seus pés estão gelados, mais gelados que gelo, mais gelados que o objeto mais gelado que existe na terra. Tenho 15 anos e não estou familiarizada com a morte, mas mesmo assim percebo alguma coisa estranha e perigosa nessa temperatura tão baixa de seu corpo. Tenho a impressão de estar tocando a morte em si, como se a visse subir sorrateiramente pelo corpo de Babu. Levanto a ponta do cobertor para olhar seus pés e vejo que estão horrivelmente brancos. Pela primeira vez sinto medo de verdade. Inclinando o corpo, toco em suas mãos, que também estão frias. Pego os pés de Babu e começo a esfregar furiosamente. Em poucos segundos, entro em transe. Se conseguir manter esse ritmo, acho eu, vou fazê-lo ficar bom. Minhas mãos se movem com a mesma rapidez dos engraxates que lustram os sapatos do meu pai toda manhã.

Uma enfermeira entra no quarto e diz que a irmã caçula de Freny, Mani, acaba de ligar para a sala das enfermeiras para pedir que um de nós vá até sua casa pegar um unguento para Babu. Freny comenta que Mani visitou Babu mais cedo, justo quando ele começava a inchar, e se lembrou de um unguento aiurvédico que diziam ser maravilhoso para dor de estômago. Me ofereço para fazer o pequeno percurso até a casa de tia Mani, ansiosa para escapar à atmosfera claustrofóbica do pequeno quarto de hospital. Para minha surpresa, nenhum dos adultos protesta. São nove e meia da noite, e embora as ruas de Bombaim sejam movimentadas e bem-iluminadas, normalmente eu seria impedida de sair sozinha a esta hora. Hoje, porém, ninguém presta atenção em mim. Todos os olhos estão fixos na barriga de Babu; a respiração de todos acompanha a respiração áspera dele.

Percorro os poucos quarteirões que separam o hospital da casa de tia Mani quase correndo. Ela me aguarda e abre a porta ao primeiro toque da campainha. Tia Mani vai até o banheiro para pegar o pequeno tubo de unguento e me instrui sobre a maneira de aplicá-lo.

— Como ele está? — pergunta ela.

Começo a responder, mas, de repente, os soluços que me sobem pela garganta me calam. Quero lhe contar como os pés de Babu estão frios e como, ao tocá-los, tive a impressão de ele já estar morto. Mas não consigo pronunciar uma única palavra. Mani me deixa chorar por um minuto e então diz:

— Chega. Chega de choro. Não é hora de lágrimas. Este é o momento de brigar com Deus, de lutar com Ele pelo bem de Pesi. Vamos lá, coragem. Está na hora de ser forte, não fraca. Se você desabar assim, quem vai cuidar da minha Freny?

As palavras de Mani me atingem como um tapa na cara. Eu a olho boquiaberta, instintivamente sabendo que ela disse exatamente as palavras que eu precisava ouvir, percebendo vagamente que ela escolheu para mim, como um casaco de lã preta, o papel que me cabe. Tudo que tenho a fazer agora é assumir esse papel de guardiã e protetora. Mani tem toda a razão. Este é o momento de lutar com Deus, de usar minha juventude e vitalidade para romper o gelo que sobe pelas pernas de Babu, para combater o frio gélido que aumenta em meu próprio coração.

Me recomponho.

— Desculpe, tia Mani — falo numa voz firme. — Vou cuidar de todo mundo, não se preocupe. Obrigada pelo unguento.

Ela me puxa para si num abraço rápido e apertado e depois desço as escadas correndo e saio na noite. Há uma lua no céu e ela me segue como uma bola de basquete enquanto caminho apressada de volta ao hospital. Olho para a lua e começo minha briga com Deus, lutando desesperadamente pela vida de Babu, conversando com tanta intensidade com a lua que sinto o suor me escorrer pelo rosto. Quem passa me olha de um jeito estranho e me dou conta de estar falando sozinha, mas não paro.

— Não vou me render a Você — falo para a lua. — Nossa família precisa de Babu; você sabe que lugar ele ocupa. Precisamos mais dele do que Você, Deus. Por favor, por favor, meu Deus. Prometo passar seis meses, não, um ano, sem tomar cerveja se Você deixar que ele sobreviva.

Mais tarde na mesma noite, Roshan e eu estamos de pé no corredor do hospital, olhando os jardins. Conto o que me disse tia Mani e insisto com ela para também seguir o conselho. Ela me olha e abana a cabeça, mas nada diz. Em vez disso, ambas erguemos o olhar para a lua, tão serena, tão distante, que parece zombar do nosso desespero. Ficamos ali totalmente sozinhas e, ainda assim, silenciosamente apoiando uma a outra, primas que mais parecem irmãs, graças à generosidade e ao amor do homem que logo ali adiante trava uma luta pela própria vida. Volto ao hospital por volta das dez da manhã do dia seguinte. Mamãe preparou sanduíches de omelete para papai, Mehroo e Freny, que passaram a noite no hospital. Entrego a cada um deles um sanduíche, mas eles apenas o aceitam e o põem de lado. Não demoro a entender por quê.

A barriga de Babu cresceu mais ainda durante a noite. É difícil de acreditar, e, por um segundo, sou tentada a achar que se trata de mais uma das palhaçadas de Babu, como dobrar as orelhas ou revirar as pálpebras dos olhos. Mas não é uma brincadeira. O rosto de Babu está pálido e inchado, e a cor dos dedos das mãos e dos pés é um branco acinzentado. O dr. Sethna já esteve no hospital esta manhã e diagnosticou falência renal, embora não saiba o motivo.

Papai sai do quarto e, quando volta, anuncia que acaba de falar com o dr. Sethna por telefone e está resolvido: vamos transferir Babu para o hospital Jaslok. Nenhum de nós jamais esteve lá, mas costumamos passar pela porta do prédio alto na parte chique da cidade. No Jaslok se internam os artistas de cinema e os políticos quando ficam doentes, mas lá também se encontram os melhores equipamentos da cidade para o tratamento de falência renal. Se papai se preocupa com os custos, nada demonstra.

Agora que uma decisão foi tomada, estamos ansiosos para pô-la em prática. O hospital Masina, com suas paredes caiadas de verde-claro, de repente parece incrivelmente modesto e antiquado. Claro que aqui ninguém pode atinar com o que há de errado com Babu. Já os especialistas do Jaslok, ora, só de olhar serão capazes de nos dizer qual é o problema. E, depois, vão resolvê-lo. O otimismo penetra minhas veias como uma droga. De tal forma que, assim que Babu é posto na ambulância, sinto alívio em vez de apreensão.

Nenhum de nós está preparado para a inacessibilidade ab-rupta e distante do hospital Jaslok. Babu já foi levado, às pressas, para a UTI quando chegamos ao hospital. Nem sequer tivemos tempo de lhe dar um até logo ou lhe dizer que estamos todos por perto. Ao contrário do hospital Masina, em que podíamos nos amontoar em seu quarto e participar da sua doença — alguém lhe segurava as mãos, outro as massageava com óleo, um terceiro lhe afagava a testa —, somos meros espectadores, enquanto os médicos poderosos ligam Babu a máquinas de metal e tubos de borracha, deixando-o irreconhecível. Precisamos implorar até mesmo para entrar na recepção da UTI, onde ficamos restritos a olhar para ele, aos pares, através de um vidro. É como se Babu não mais nos pertencesse, como se os cuidados com ele tivessem sido agora assumidos pelo hospital, como se o Jaslok tivesse usurpado todas as relações humanas da vida dele, como se o Jaslok fosse agora irmão, esposa e filha do paciente. De uma hora para outra, Babu nos parece distante e remoto, algo que não acontecia no Masina. Me ocorre uma ideia repentina e tenebrosa de que este é um ensaio geral e que o Jaslok está nos preparando para a separação derradeira, terrível. O hospital está nos dizendo *É assim que vai ser quando ele morrer — vocês sentirão que ele está próximo o bastante para ser tocado, mas mesmo assim não poderão alcançá-lo.*

As horas passam e entramos numa rotina. A família toda se reuniu na sala de espera do 17° andar, mas, a cada meia hora, tomamos, em dupla, o elevador até a UTI, no 15°, e fitamos Babu através do vidro durante alguns minutos, voltando depois tristemente à sala de espera. A sensação é a de que já estamos fazendo isso há anos, de que não existe vida lá fora, de que o hospital é a única vida que jamais conhecemos. Para nós, a vida e a cor do mundo lá fora se esvaíram, como se esvaiu a cor do rosto de Babu.

À medida que avança a tarde infeliz, tentamos ser criteriosos com o tempo que passamos na sala de espera da UTI, justos com relação ao tempo concedido a cada um dos parentes para descer ao 15° andar. Como esposa, Freny tem direito a quantas visitas desejar, mas nesta sala há muita gente que ama Babu: minha tia Mehroo, que praticamente o criou; meu pai, que anda para lá e para cá, como se fosse ele o paciente ligado ao respirador; minha prima Roshan, que, aos 19 anos, é jovem demais para ver o pai assim. Por isso nos revezamos.

Por volta de oito da noite, é a minha vez e do meu pai. Shankar, o jovem ascensorista, assumiu seu turno faz pouco e já conhece a minha família, parecendo entender o nosso sofrimento e medo crescentes.

Mani, generosa como sempre, lhe deu uma gorjeta de dez rúpias e agora todos lhe damos alguma quantia quando tomamos o elevador. Quando as portas se fecham, meu pai subitamente se dobra, como se acabasse de levar um soco no estômago. Os ombros sacodem e as lágrimas lhe escorrem pelo rosto enquanto ele chora sem dizer nada. Shankar parece consternado. Estalando a língua em sinal de solidariedade, murmura:

— Não, *sahib*, não. *Bas, bas*.

Ponho os braços em volta do meu pai. De repente, me vem à lembrança a outra vez que o vi desmoronar por completo.

Foi três anos antes, num dia de 1974. A crise global do petróleo, em 1973, provocara uma longa e tormentosa decadência nos negócios do meu pai, deixando-o à beira da falência. O otimismo do final dos anos 1960 o afetara, levando-o a ampliar sua linha de trabalho e tornar-se um incorporador. Ele ganhou a concorrência para executar um contrato do governo para a construção de casas populares. Foi quando veio a crise do petróleo; o custo das matérias-primas dobrou e depois triplicou, e as letrinhas miúdas do contrato responsabilizavam os empreiteiros pelo aumento dos preços. Juntamente com vários outros incorporadores, meu pai perdeu tudo que tinha e que não tinha.

Durante todo aquele dia, o clima em casa foi tenso e sombrio. Mehroo me dissera de manhã que aquele era um dia extremamente importante, que papai tinha uma reunião decisiva com o pessoal do banco, em que seria dito se lhe emprestariam mais dinheiro para tentar salvar a empresa. Às nove da noite, ouvimos o barulho da chave na fechadura. Papai entrou e foi direto para a sala de jantar, onde estávamos todos reunidos. Parecia abatido, cansado e... Sei lá, *vencido*. De um jeito que eu nunca vira antes. Acho que todos já sabíamos a resposta à nossa pergunta muda antes mesmo que ele abrisse a boca. Quando falou, olhou nos olhos do irmão:

— *Bhai*, estamos acabados — disse baixinho. — O banco recusou outro empréstimo. Não sobrou nada. Não sei de onde vou tirar dinheiro para comermos amanhã. Não sei o que fazer agora. Se tiver muita sorte, talvez eu consiga trabalhar como motorista de táxi.

Se dissesse que viraria carregador na estação Victoria, papai não me deixaria mais chocada. Ninguém no nosso círculo social era motorista de táxi. Dirigir táxi era algo que *eles* faziam — sendo "eles" os analfabetos, ignorantes, operários, mascadores de *paan*, homens não parses, que usavam *kurtas* de algodão e calças largas, gente que nada tinha em comum conosco. Não sei o que me chocou mais, se o pessimismo incomum que meu pai expressou, a escolha surpreendente de profissão ou o fato de, subitamente, irromper em lágrimas diante da família toda. Seus soluços eram os de um homem no fim da linha, um homem à beira... da falência? do suicídio?

Durante um instante ninguém falou. Então houve um movimento e depois um rugido. Era Babu.

— Quanta bobagem, *Burjor* — gritou ele. — Não é hora de perder a coragem, *bhai*. Que taxista que nada! Temos a nossa fábrica e vamos nos reerguer. Ainda não estamos mortos. Amanhã cedinho vou sair por aí e arrumar crédito para nós. Mesmo que precise pagar 25 por cento de juros, que seja! Concentre-se em arranjar encomendas, *bossie*. Vou terminar o trabalho. Pagaremos os operários com o dinheiro do orçamento doméstico, se for preciso. Freny nos dará todo o seu salário, se for preciso. Agora, *saala*, chega desse chororô.

Era uma inversão de papéis. Normalmente Babu era o nervoso, o cauteloso, e papai, o visionário, o sonhador, o que ousava mais. Esse era o segredo do sucesso de ambos: um estava sempre pronto a apoiar o outro. Por isso sei o que papai está dizendo enquanto soluça no elevador.

— Ele era... ele é... mais que um irmão. É meu sócio, meu melhor amigo.

Chegamos à UTI a tempo de esbarrar num dos médicos de Babu saindo do quarto. Quando ele passa por nós, papai o obriga a parar e se apresenta. Então seus olhos se enchem de lágrimas novamente.

— Doutor, esse homem é muito importante para nós. Por favor, não poupe despesas no tratamento dele. O senhor não faz ideia de quanto ele é importante...

Os lábios do médico se retesam.

— Por favor, meu senhor — diz ele com frieza. — Componha-se. Não temos tempo para essas cenas teatrais aqui. Estou ocupado demais e tenho vários outros pacientes com que me preocupar. Vocês trazem os parentes para cá quando já é tarde demais e esperam que façamos milagres.

Dando meia-volta, o médico se afasta, nos deixando boquiabertos. Um servente, que ouviu toda a conversa, murmura sua solidariedade e reprovação.

— *Badmaash*, esse doutor — diz ele num tom baixo, confidencial. — Homem sem coração. Trata todo mundo mal. Não se preocupe, *saar*. Ele é mal-educado, mas também é um médico de primeiríssima. Seu paciente vai ficar bom.

Mas papai não se acalma. Vejo o sangue lhe subir do pescoço para o rosto e em seus olhos uma expressão assassina que jamais vislumbrei antes.

— Eu devia matar esse sujeito — resmunga ele. — Se eu fosse homem de verdade, saía atrás de uma faca e matava o safado.

No entanto, ao mesmo tempo em que fala, a raiva se apaga do seu olhar e é substituída por uma espécie de mágoa confusa.

Voltamos para a sala de espera derrotados. A grosseria do médico destruiu a última gota de esperança que eu ainda acalentava. Babu não vai conseguir, sei disso agora. Todos os cavalos do rei e todos os cavaleiros do rei não serão capazes de recuperar Babu.

As horas passam lentamente. A maioria das famílias dos demais pacientes foi embora, de modo que, à medida que o tempo se arrasta e a madrugada se aproxima, somente a minha família aguarda na vasta sala de espera. Ainda assim, bem que parecemos estar ilhados na lua, tamanho o isolamento que já sentimos do resto do mundo. Nos movemos num estupor, conversamos em sussurros entrecortados. Das janelas panorâmicas dá para ver as ruas distantes, mas até Bombaim está silenciosa, quieta e irreconhecível a esta hora. Aqui no alto nos sentimos mais próximos do céu do que das ruas abandonadas da cidade. Fico à espera do nascer do sol, tentando me obrigar a crer que, se Babu sobreviver mais um dia, se viver para contemplar outra aurora, ele há de conseguir. Então é isso que significa manter uma vigília para a morte, penso eu. Penso em Babu deitado sozinho num quarto estranho, envolto numa série de tubos e mangueiras, e, pela primeira vez, não sinto pena dele. Afinal, todos nós aqui reunidos decerto padecemos da mesma solidão, somos planetas solitários orbitando à nossa própria volta em nossa névoa de incompreensão, dor e arrependimentos.

Arrependimentos. Me doem os meus. Há tantos tropeços a lamentar, tanta culpa. Poucas semanas antes de ser internado, Babu me convidou para ir com toda a família assistir a um filme híndi. E recusei o convite. Com enorme desdém na voz. Porque a essa altura odeio os filmes musicais indianos, sempre iguais em sua fórmula de músicas e dancinhas. A pretensão de ser uma intelectual está no auge agora, e que jeito mais fácil de comunicar essa mudança à família do que mostrar desprezo pelos filmes comerciais que ela tanto ama? As rachaduras na fachada, as falhas que já começam a aparecer... Só me interessam os filmes modestos, de baixo orçamento, de Shyam Benegal e Satyajit Ray, disse a ele, e Babu me olhou confuso e magoado. Roshan interveio, o desprezo em seu tom combinando com o meu:

— Você que ver filmes em que a câmera focalize durante 15 minutos uma mosca pousada num *chappati*. Esses filmes são um saaaaaaaaco. Vou ao cinema para me distrair, não para ter vontade de dormir.

Me calo, então, o abismo entre nós grande demais para cruzar, a distância entre o lugar de onde venho e aquele para onde desejo ir grande demais para imaginar. Mas a mágoa no olhar de Babu quando todos saíram para o cinema desmanchou por completo o prazer de ter recusado o convite.

A verdade é que Babu estava começando a me envergonhar. Tudo nele que me fascinava em criança — a gargalhada espalhafatosa que sempre termina num acesso de tosse, o emprego natural de palavrões na conversa, a tranquilidade com que solta um pum — agora fazia com que eu me encolhesse de vergonha. Quando Pervez, o sujeito esbelto de aparência delicada que costuma me dar aulas particulares de matemática e ciência em casa, demonstrava um certo espanto diante do emprego liberal de palavrões nas conversas com Babu, eu não ouvia o óbvio encanto e afeto em seu tom. Em vez disso, eu bufava interiormente ante a falta de sofisticação e de modos em Babu. O que um dia encarei como falta de afetação agora me parecia grosseria.

E ele sabia. Era capaz de ver a distância em meu olhar. Magoado demais, nem mencionava diretamente o fato, pois, afinal, o que poderia dizer? Que achava que o meu amor já não era tão intenso como antes? Que sempre me amou do mesmo jeito que amava a própria filha, Roshan? Acaso cabia me recordar os anos de infância quando eu me sentava sozinha tentando descobrir, de uma vez por todas, quem me amava mais, se Babu ou meu pai? Caberia me recordar que me pegara no colo no dia em que nasci antes mesmo que meu pai conseguisse chegar ao hospital? E me fazer lembrar daquele dia maravilhoso quando eu tinha sete anos e me aninhava em seus braços e ouvi dele, inesperadamente, "Você é a minha primeira luz da manhã"? Rolei essa frase na boca como uma bala *toffee*, testei-a com a minha língua.

— O que significa isso? — perguntei, finalmente, sem querer perguntar, com medo de que a explicação fosse mais prosaica do que a sensação formigante que as palavras me provocavam.

Ele deu de ombros, rindo.

— Nada. Só isso mesmo. Acabei de inventar. Você decide o que significa.

Usei essas palavras como uma medalha pelo restante do dia.

Duas lembranças da semana antes de Babu ser internado no hospital: *Come from the Shadows*, de Joan Baez, tocava no som da sala. Eu estava deitada de barriga para baixo na cama de Freny, com a cintura na beirada e as mãos penduradas, tocando o chão. "*And we'll raze, raze the prisons to the ground*"/ "E vamos apagar, apagar as prisões até ruírem", cantava Baez enquanto eu ponderava sobre a aparente contradição: como se apaga alguma coisa até ruir? Devia ser licença poética, concluí afinal. À minha esquerda, Babu e Freny se debruçavam na varanda, conversando num tom baixo, suave. Estavam relaxados e se apoiavam um no outro, em contraste absoluto com a forma como meus pais se portavam quando juntos. De repente me invadiu uma felicidade insana. Por isso, quando Babu me convidou mais tarde para ir com eles assistir a *Testemunha de acusação*, imediatamente aceitei.

A caminho do cinema, Babu comentou que se tratava de um clássico, que Charles Laughton encarnava de maneira brilhante o personagem principal. E Tyrone Power! Quanta admiração devia ter sentido pelo ator quando jovem e que agora transparecia em sua voz. A seu lado, Freny sorria. Logo os dois começaram a falar sobre os outros astros de Hollywood que haviam cultuado enquanto cresciam: Cary Grant, James Stewart, Ethel Merman, Humphrey Bogart, Spencer Tracy e Katherine Hepburn. Os nomes iam rolando de suas línguas de prata como bolinhas de mercúrio. Sentada no banco traseiro com Roshan, essa reprise da juventude dos dois me aquecia e acalentava.

E agora, uma semana depois, esse homem cujos olhos se iluminaram de prazer quando eu lhe disse que havia adorado *Testemunha de acusação*, que comprou para nós sanduíches de frango e batatas fritas no intervalo e nos levou para jantar na saída do cinema, jazia exilado numa cama de hospital.. moribundo? morto?

Devo ter cochilado, porque o barulho das portas do elevador me faz abrir os olhos bem a tempo de ver Shankar, o ascensorista, sair da sua cabine de aço e ir até onde tia Mani está sentada. Ela ergue os olhos em silêncio, numa pergunta muda, e o rapaz simplesmente balança a cabeça de um lado para o outro, uma vez. Mas o que ele quer dizer fica terrivelmente claro. Shankar é o anjo da morte, o mensageiro do desastre. Veio nos trazer más notícias da UTI, dois andares abaixo. Babu morreu.

Mehroo, percebendo o diálogo silencioso entre Mani e o ascensorista, levanta-se de um salto da cadeira.

— O quê? Ele... — pergunta a Shankar, que desvia o olhar e assente, contemplando os próprios pés.

Soluçando alto, Mehroo se aproxima de Freny. O som dos soluços enche a sala. Meu pai está de pé sozinho junto a uma das janelas e seus ombros sacodem. Seu irmão mais velho morreu. Ele é agora o único homem sobrevivente da família.

Precisamente nessa hora, um facho de luz estonteante ilumina a sala. É o sol, vermelho e furioso como um pimentão. É imenso, uma bala rubra de canhão no céu. Apesar da dor enorme em meu peito, me distraio, meio hipnotizada pela beleza tão próxima do sol, visto aqui de cima. As pessoas que moram em arranha-céus devem conhecer mais intimamente o sol do que o restante de nós, acho eu.

Mas hoje o nascer do sol, o amanhecer de um novo dia, soa como uma ofensa em lugar de um sinal de esperança. Ou melhor, esse novo dia é como um fardo, porque é o primeiro em que Babu não estará vivo para partilhar conosco. Este é o primeiro dia de uma nova vida a que todos teremos que nos habituar. Neste exato momento, porém, viver, o mero ato de pôr um pé adiante do outro, parece impossível. Tenho a sensação de ser um daqueles astronautas caminhando no espaço, desajeitados, pesados, como num filme em câmera lenta.

Contemplo o sol até seus raios vermelhos causarem pontadas em meus olhos. A longa noite de espera se encerrou, bem como as preces para a lua. Uma nova manhã de terror substituiu a espera, e agora troco de lado: rezo para o sol. Mas em lugar de brigar pela vida de Babu, rezo agora pela morte. Um sono demorado. Esquecimento. Porque ficar acordada é ser esfaqueada um milhão de vezes por segundo pela consciência aguda da morte de Babu e da maneira como esse fato mudará para sempre as nossas vidas. "Por favor, meu Deus, nos aplique uma injeção, qualquer coisa que nos faça dormir durante 48 horas para não precisarmos lidar com isso. Porque nenhum de nós está preparado." Durante um momento absurdo, flerto com a fantasia de correr até o centro de enfermagem e roubar alguns remédios que nos poupem deste dia comprido, terrível, que está nascendo.

Porque sei com absoluta certeza que o meu papel como bebê da família está prestes a acabar. Acabou. Um trem de carga passou como um trator em nossas vidas, esmagando tudo em seu caminho, inclusive a minha infância.

É hora de crescer. Não vou chorar. Não farei coro aos soluços nesta sala. Não sou mais criança. Tenho responsabilidades, muita gente ferida para curar. Todos os cavalos do rei... Toda essa gente solitária, de onde será que vem?... Ninguém foi salvo... Mas cabe a mim salvar todas elas, essas pessoas que adoro. Me arrepender de todas as coisas ruins que um dia pensei sobre elas. Lutar com a lua. E perder. Acabar de mãos vazias.

Não sou mais criança. Não vou chorar.

CAPÍTULO 19

BRANCO. O FUNERAL É TODO BRANCO. As mulheres em seus sáris de algodão branco. Os homens envergando *daaglis* brancos. Um lençol branco cobre o corpo de Babu, deitado numa plataforma simples de madeira no chão. São brancas as vestimentas dos sacerdotes e brancas as máscaras que lhes cobrem a boca enquanto, sentados, murmuram preces pela alma que partiu. Brancos também são os sanduíches que algum parente prestativo levou para nós na Torre do Silêncio e que permanecem intocados. Vejo o branco dos olhos de Babu, olhos que foram doados para outro ser humano em algum lugar desta cidade miserável em que a cegueira é tão comum; o branco dos pés de Babu, tão gelados e duros quando os toquei e os beijei pela última vez no hospital. Minha fúria é branca, a raiva pura que sinto ante esse aborto de vida, ante a rapidez obscena com que o corpo de Babu foi removido do hospital, o absurdo surreal de nos encontrarmos num salão funerário, rezando por Babu, *Babu*, que era tão vivo, tão vibrante, tão ligado ao mundo. A brancura do mundo, esse borrão branco que o sofrimento cria, onde tudo perde a cor, o sabor e a forma.

Então, o colorido. A chama do fogo que arde na pequena urna de prata diante da qual os sacerdotes se sentam de pernas cruzadas no chão. O cinza da fumaça que sobe da urna, encobrindo, vez por outra, o rosto de Babu. O pelo marrom do cão forçado a entrar no salão funerário e obrigado a testemunhar o corpo inerte de Babu. Fico tensa ante essa cena, meu corpo transformado em pedra, e Jesse, sentada ao meu lado, percebe de imediato.

— Não há por que ter medo — diz ela, tomando a minha mão. A mão dela é um ninho aconchegante, um alívio bem-vindo do frio que se aninhou em meu coração no momento em que toquei os pés de Babu no hospital.

Jesse continua falando:

— Encare o cão em termos antropológicos. Não passa de um ritual cuja função é distrair, algo para desviar a mente dos parentes da dor.

E, com efeito, funciona, pois posso sentir meu corpo relaxar enquanto penso no gênio que inventou esse ritual estratégico. Minha gratidão pela presença analítica e racional de Jesse é tamanha que eu seria capaz de beijá-la.

Mas então meu corpo se retesa novamente. Está na hora de dizer adeus a Babu para sempre. Os magros carregadores de cadáveres, com seus olhos encovados e suas roupas sujas, gastas, se põem de pé para erguer o corpo e conduzi-lo pelo derradeiro caminho que o levará ao poço enorme acima do qual voltejam os abutres. Por um instante, os próprios carregadores me parecem abutres e eu os odeio pela ânsia gananciosa de iniciar a marcha e completar rapidamente a sua tarefa. Então recordo já ter ouvido que esses homens bebem a fim de conseguir realizar sua missão abominável, penso que seus olhos sem brilho, tristes, assistem ao inassistível — a visão dos pássaros de asas negras descendo como a morte ao fundo do imenso poço ao qual são baixados os cadáveres. Imagino que suas narinas devem estar impregnadas do cheiro da morte, um cheiro que provavelmente os acompanha o tempo todo, um cheiro tão impossível de se descartar que nem vale a pena tomar banho ou fazer a barba ou vestir algo que não os trapos que usam. Penso em seus ouvidos sujos, cheios de cera, tentando calar os sons de carne se rasgando e de ossos se quebrando, e, de repente, começo a arfar, e então a soluçar, um soluço abafado que faz minha boca se abrir e fechar sem emitir um único som. Todos choram agora, Mehroo com seu gemido torturante de "*Bhai, bhai*", Freny com as lágrimas correndo pelo seu rosto, atônita ao se descobrir viúva aos 51 anos, tia Mani choramingando como um bebê pelo cunhado que amava como se fosse um irmão, meu pai perdido e confuso como num barco à deriva, os velhos dos prédios vizinhos balançando a cabeça diante da ironia de estarem vivos enquanto aquele a quem chamavam de príncipe do bairro está morto, as velhas recordando o jeito como ele flertava com elas e as fazia rir com aquela irreverência lasciva, as viúvas pobres contando que ele costumava lhes enfiar na mão uma nota de cinco ou dez rúpias sempre que o encontravam na rua e comentando a maneira como ele tratava a todos, do rei ao mendigo, da mesma forma. E todo mundo dizendo que ele era jovem demais para morrer, que não se morre nessa idade, me deixando confusa, pois, aos 15 anos, os 54 de Babu me parecem muita coisa, e afinal, qual seria a idade adequada para morrer? Não existe idade adequada para morrer, digo a Jesse, e ela me olha por um minuto, porque percebe a crueza na minha voz, e depois assente, compreensiva.

Papai acompanha os carregadores que levam o corpo de Babu embora. Quero ir junto, mas alguém estende um braço para me impedir, sussurrando que somente aos homens é permitido passar desse ponto. Vários outros homens se juntam confusamente à procissão, de modo que agora o enorme salão abriga uma aglomeração de mulheres vestidas de branco, muitas delas encurvadas pela osteoporose, cochichando e murmurando em pequenos grupos corcundas. Vago sem rumo de um a outro grupo, me apresentando a quem não sabe que sou a filha caçula de Freny. Todas se espantam, até que alguém explica como é grande o meu vínculo com Babu e Freny e esclarece a geometria peculiar das relações em minha família. Mas logo me afasto. A secura na minha garganta, a raiva que sinto de tudo que aconteceu nesses últimos dias é tão forte que tenho a impressão de que sou capaz de evaporar se ficar imóvel.

— *Bechari* Freny — ouço uma das velhas encurvadas dizer a outra quando me aproximo de mais um grupo que se lastima aos cochichos. — Coitada da Freny. Viúva tão cedo. O que será dela agora, pobrezinha? Quem cuidará dela e da filha?

Finalmente, minha raiva encontra uma válvula de escape.

— *Bechari* Freny uma ova! Ninguém precisa ter pena dela. E como assim, quem vai cuidar dela? A família toda. Nós cuidaremos dela, quem mais? Só porque Babu morreu não quer dizer que ela não seja parte da nossa família. Por favor, não se preocupem com ela. E, por favor, parem de chamá-la de *bechari*.

Nunca falei de forma tão grosseira com alguém mais velho e não sei ao certo quem leva o maior choque. De toda maneira, o efeito é eletrizante. A pobre mulher está consternada.

— Ah, é... não... — gagueja ela. — Eu só queria dizer que... Fico feliz de saber. Que Deus a abençoe, *deekra*.

Mas já me afastei, tentando encontrar Freny em meio a esse monte de gente. Finalmente a vejo, sentada numa cadeira na primeira fila, olhando fixamente para o local onde o corpo de Babu esteve até meia hora atrás. Várias pessoas a cercam, mas ela parece totalmente só. Contemplo-a por um instante, me espanto ao constatar como é jovem, bonita e melancólica. Então, abro caminho e vou me sentar a seu lado. Pego a mão dela e a forço a olhar para mim.

— *Kaki* — digo, empregando o termo respeitoso que costumo usar quando falo com ela. — Escute. Você sempre teve duas filhas, Roshan e eu, mas, de hoje em diante, vai ter também um filho. De hoje em diante, serei um filho e uma filha para você. Prometo cuidar de você. Não se preocupe com nada.

Me concentro de tal maneira em olhar Freny nos olhos, querendo que ela veja como estou sendo sincera, que levo um susto ao sentir lágrimas molharem a minha mão. Freny está chorando muito e envolve o meu pescoço com uma das mãos e puxa a minha cabeça para encostá-la em seu ombro. Ficamos assim durante um minuto, nesse abraço apertado.

— Obrigada — murmura ela quando consegue falar. — Jamais esquecerei essas palavras. Pesi e eu sempre amamos você como filha, desde que você nasceu.

Quero chorar, chorar tanto quanto Freny, mas não é hora disso. Preciso ser forte, para o bem de Freny, para o bem de Roshan, para o bem de todos. Preciso manter a compostura, preciso lutar com Deus, desafiar a lua. Preciso ser forte, preciso ser forte. Tenho responsabilidades agora, uma família para apoiar, cujos fardos devo carregar. Sou um carregador agora, minha função é livrá-los de seus fardos. Não sou mais o bebê da família.

Haverá tempo para chorar mais tarde.

NÃO CUMPRIMOS O PERÍODO habitual do luto. Duas semanas depois de voltar do funeral, meu pai insiste para ligarmos o som e a tevê. Já há tristeza bastante em casa, diz ele, e é preciso fazer todo o possível para amenizá-la. Ninguém o contradiz, embora mamãe resmungue que Babu merece um período maior de luto e reclame que não temos coração. Ainda assim, ela assiste à tevê com todos nós.

Desde que transferimos Babu para Jaslok, mamãe não para de falar que foi um erro levá-lo de início para aquela droga barata de hospital Masina, que foi uma catástrofe deixar aquele *hajaam*, aquele barbeiro do dr. Sethna, operá-lo. Sei que as palavras têm como objetivo ferir meu pai, fazê-lo sentir que ele pôs o dinheiro acima do bem-estar do irmão. As palavras surtem o efeito pretendido. Papai não se cansa de explicar que não pensou em despesas, não mesmo, que a escolha do hospital Masina se deveu à conveniência e à proximidade de casa, bem como que jamais lhe ocorreu que uma cirurgia para retirar uma pedra no rim fosse algo tão sério. Comenta a naturalidade com que Babu chegou em casa um dia anunciando que já aguentara o bastante os malditos cálculos renais e que decidira livrar-se deles de uma vez por todas. Papai menciona que a escolha do dr. Sethna partiu de Babu, depois de o cirurgião ter feito um ótimo trabalho na minha cirurgia de apêndice alguns meses antes.

Nenhum dos adultos sabe que me sinto culpada por essa escolha. Na época da cirurgia de apêndice, ficamos todos muito satisfeitos por tudo ter corrido admiravelmente bem. Agora, desejo que tivesse havido alguma complicação, algo que nos levasse a pensar duas vezes antes de optar pelo hospital Masina e pelo dr. Sethna novamente. Acredito, em segredo, que matei Babu, e, quando mamãe volta a mencionar o assunto quando estamos sozinhas em casa, me viro para ela, com os olhos cintilando de fúria, e mando, por favor, que ela cale a boca. O susto a silencia, mas depois seus lábios se franzem e ela me acusa de pedir-lhe que não fale a verdade unicamente para proteger meu pai.

— Todo mundo sabe que isso podia ter sido evitado — espuma ela. — Todo mundo sabe que se tivessem me ouvido, Babu ainda estaria vivo.

Suas palavras ferem tanto que dou meia-volta e me tranco no banheiro até confiar o bastante nas minhas emoções para sair de lá.

❁

O FATO É QUE NENHUM DE NÓS sabe o que matou Babu. Sua morte é um mistério insolúvel em nossas vidas e nos transforma em detetives amadores. Papai chega a marcar consultas com outros médicos apenas para lhes perguntar o que pode ter dado errado, mas o instinto de todos eles é proteger o colega de profissão. Boatos, especulações e conjeturas chegam até nós. Sobre a falha do anestesista. Sobre a esterilização ruim do centro cirúrgico. Sobre o dr. Sethna ter esquecido, acidentalmente, uma tesoura na barriga de Babu antes de suturá-lo. Mehroo faz visitas frequentes ao hospital Masina, na tentativa de checar os boatos, combinando encontros com enfermeiras de folga para ver se consegue fazê-las dizer o que sabem. Invariavelmente, porém, volta de mãos vazias. O código do silêncio impera.

Estou com Mehroo no dia em que, por acaso, esbarramos no dr. Sethna na farmácia. É a primeira vez que o vemos depois do funeral. Sua presença na Torre do Silêncio gerou um bocado de comentários. Metade dos presentes ficou atônita e emocionada com o seu comparecimento; a outra metade afirmou que ele tinha algo a esconder e fora levado ali pela culpa. O próprio dr. Sethna, porém, apresentou uma explicação mais simples: Babu era seu amigo. E embora fosse ateu e não acreditasse em toda essa conversa fiada religiosa, estava ali simplesmente para uma última homenagem. (Enquanto eu me recuperava da minha cirurgia de apêndice, ele me visitou uma noite e me envolveu numa discussão sobre religião para desviar a minha atenção da dor. "Cristo não é nem uma figura histórica confiável", me lembro de ouvi-lo dizer. "Não há comprovação de que sequer tenha existido.")

E agora estamos cara a cara com Sethna na farmácia. Aí está ele, o homem que Mehroo já não tem certeza se é amigo da família ou assassino do irmão, encostado ao balcão de vidro, rindo e papeando com Behram, o farmacêutico. Sethna é baixo e socado, como Babu, e eu me lembro de Babu nessa mesma pose — encostado tranquilamente no balcão, conversando com Behram. Os três têm mais ou menos a mesma idade e cresceram juntos e, apesar dos diferentes rumos que tomaram na vida — Behram herdando o negócio do pai, Sethna servindo o Exército como cirurgião durante vários anos, e Babu se juntando ao meu pai na fábrica depois de ser reprovado no exame para a Marinha Mercante —, se entendem com facilidade, numa conversa salpicada de palavrões e gírias, a amizade construída durante as inúmeras horas passadas na juventude malhando no clube Parsi Gymkhana.

Ao nos ver, Sethna reprime uma risada e imediatamente se dirige a nós. Olha rapidamente para mim e depois abraça Mehroo. Quando ele a solta, os olhos de ambos estão marejados.

— *Kem che*, Mehroo? Como vai indo? — pergunta ele.

Mehroo balança a cabeça.

— Mais ou menos. Ainda sinto muita falta de Pesi.

Sethna assente.

— Eu entendo. Ele era um sujeito formidável.

Esse é o estímulo de que Mehroo precisa.

— A pior parte é não saber o que houve. Fico acordada à noite imaginando... Na última vez em que o visitamos ele parecia tão bem.

Me disse "até amanhã". — O tom de Mehroo agora é ostensivamente suplicante: — Doutor, me conte o que aconteceu de verdade. O senhor conhece a nossa família, não estamos interessados em vingança, processos ou coisas do gênero. Não faremos nada, prometo. É só para saber, apenas isso. Preciso saber a verdade sobre o que houve com o meu irmão.

A expressão de Sethna é amável e seus olhos estão vermelhos.

— Mehroo, tente esquecer — diz ele, com carinho. — Eu mesmo não sei o que deu errado. Pelo que me consta, a cirurgia foi um sucesso. Por favor, não me faça essa pergunta de novo. Sigam com a vida de vocês. Sinto muito, muito mesmo, pela perda que sofreram. Também a sofri. Pesi era meu amigo. Foi um dos maiores golpes da minha carreira.

Saímos da farmácia com interpretações distintas sobre o que disse o dr. Sethna. Para mim, ele admitiu não saber o que deu errado; já Mehroo insiste que o médico deixou claro que não queria que soubéssemos a verdade, que não teríamos condições de lidar com os fatos. Sethna praticamente admitiu terem abafado o caso, afirma Mehroo, e disse que era melhor deixar tudo como está, debaixo do tapete. Também saio da farmácia convencida de que jamais saberemos o que se passou naquele dia. Mehroo, por sua vez, acredita que basta cavar para descobrir a verdade. Papai olha de uma para outra, desejoso de descobrir a verdade, mas sem partilhar a necessidade obsessiva de Mehroo.

— Bem — diz ele, afinal —, quer a gente descubra a verdade ou não, isso não trará Pesi de volta.

Sob certos aspectos, fico feliz de termos o mistério da morte de Babu para desviar nossa atenção da dor sombria que nos persegue. Em casa, automaticamente aguardamos o som da tosse seca do meu tio que anunciava sua chegada no final do dia, e quando nos damos conta de que jamais o ouviremos novamente, essa certeza é como uma ferida aberta. Freny voltou a trabalhar e ainda chega em casa no dia do pagamento carregada das guloseimas habituais — barras de chocolate Cadbury, calda de framboesa Kelvator, cartelas de mini-Chiclets, queijo cheddar Kraft numa latinha azul, exemplares da

Stardust e da *Filmfare* —, mas não é a mesma coisa sem Babu para fazer alguma piada ou comentário sobre o que ela traz.

— Lembra como ele implicava comigo? — me pergunta Freny uma noite, e, imediatamente, sei do que ela está falando.

No início de todo ano letivo, Freny, mamãe, Roshan e eu íamos às compras em Colaba Causeway. Roshan e eu nos sentíamos as próprias rainhas nesse dia. Freny nos comprava coisas novas para nos vestir de alto a baixo, das fitas para o cabelo até os sapatos de couro. Os vendedores se animavam quando nos viam entrar, montes de mercadoria eram baixadas das prateleiras porque Freny era famosa pela generosidade. Mais tarde, carregadas de sapatos, meias, tecidos, uniformes e mochilas novos, até mesmo de saboneteiras, tomávamos um táxi para ir jantar no Paradise, com tudo a que tínhamos direito. Depois, outro táxi nos levava para casa, onde todos os adultos nos cercavam para admirar nossos presentes. Em meio a ohs e ahs, Babu ficava calado. Piscando para mim, virava-se para Freny e, num tom enganosamente gentil, perguntava:

— Tudo isso que você comprou para Roshan é uma beleza, mas será que comprou as mesmas coisas para Thritu?

Por mais que repetisse esse discurso, o efeito sobre Freny era o mesmo: elétrico.

— Como tem coragem de me fazer essa pergunta? Você sabe que o meu amor pelas duas é igual. Cada uma tem metade do meu coração. Sempre tratei a Thritu como filha. Ela pode não ter saído da minha barriga, mas...

Então Freny se interrompia, ciente de que caíra na armadilha, enquanto Babu e eu explodíamos em gargalhadas.

Agora não há ninguém para me chamar de sua primeira luz da manhã. Além disso, essa época de juventude e inocência há muito já passou. Estamos todos à deriva, pedaços sombrios de dor esbarrando uns nos outros. Cabe a mim agora calçar as sandálias de Babu, garantir que Freny continue a ter quem a leve ao cinema, fazer com que meu pai perca aquela expressão magoada que invadiu seu rosto, distrair Mehroo da missão de tentar decifrar o enigma da morte de Babu. Meses mais tarde, a dor ainda é tão forte que às vezes revisito a ideia de nos drogarmos todos até que essa época passe. Quero chorar no escuro, no canto escondido, como fazem os demais, quero sentar encolhida na sala falando sobre Babu, como fazem os demais. Mas não há tempo. A dor não é um luxo que posso me permitir porque tenho uma família se afogando para salvar.

Haverá tempo para chorar depois, garanto a mim mesma.

❁

Minha vez finalmente chega seis meses após a morte de Babu. Roshan saiu com as amigas, e os adultos foram ao funeral de um amigo idoso. Feliz e inesperadamente, estou sozinha em casa. Assim que me dou conta de que tenho umas duas horas para mim mesma, decido que é esse o dia para chorar aquelas lágrimas que tantas vezes reprimi, para prantear Babu de um jeito que jamais me permiti. Chega de lutar com a lua — este será o dia da rendição.

Na hora marcada, me sento na sala, agarrada a um retrato de Babu, e espero as lágrimas. Nada acontece. Me obrigo a relembrar os detalhes do rosto e das mãos de Babu. Posso sentir os músculos dos seus braços tão vivamente como naquele dia, um mês antes da sua morte, quando nós dois voltamos a pé da fábrica, de braço dado durante todo o percurso. Nada de lágrimas ainda assim. Não chorar tornou-se um hábito, um reflexo. Isso pede uma ação drástica, concluo. Examino a minha coleção de discos e ponho para tocar todas as músicas tristes que encontro. "Season in the Sun", de Terry Jack, "If you Go Away", cantada por Neil Diamond. Estou plenamente ciente do passar do tempo, sei que a minha solidão em casa é limitada. A qualquer minuto a campainha pode tocar e acabar com a minha privacidade. Talvez leve meses para uma oportunidade como essa surgir de novo. Mas meus dutos lacrimais não se convencem disso. Não consigo derramar lágrimas pelo homem que literalmente me deu a última nota de dez rúpias da sua carteira, um homem cujo rosto foi um dos primeiros que vi ao nascer. Sou uma aberração, uma vaca cruel e sem coração, um pedaço de merda frígido, emocionalmente constipado. Terminei de jantar quando o restante da família largou a comida intocada depois de ouvir a notícia de que Babu estava mal. Fui dura com ele, desprezei-o assim que me envolvi com amigas intelectuais.

Fico sentada na sala pensando coisas ruins a meu respeito, sabendo que estou me censurando ao menos em parte de forma bastante calculista. Porque quero sentir alguma coisa e, se não posso chorar por Babu, quem sabe consigo derramar algumas lágrimas de autopiedade. Mas o artifício não dá resultado.

As lágrimas não brotaram naquela data e em nenhuma outra até anos mais tarde, num dia frio de inverno em Columbus, Ohio, a mais de 12 mil quilômetros da cidade quente e fétida onde Babu morou durante a maior parte da vida. As lágrimas brotaram afinal porque eu estava com saudades de casa e, de repente, pensei em Babu, totalmente sozinho na Inglaterra no início dos anos 1950, estudando para o exame da Marinha Mercante e sendo reprovado. De repente comecei a chorar por aquele jovem decepcionado que voltou para Bombaim se rotulando de fracassado, chorei pelo tanto que ele deve ter se sentido só e amedrontado na Inglaterra. Porque me dei conta de que Babu jamais falou sobre sua estadia na Inglaterra, pois o ranço do fracasso era forte demais. E me perguntei o que ele teria pensado a meu respeito, o segundo membro da família a se aventurar no mundão lá fora. Teria sentido orgulho? Aflição? Uma pontinha de inveja, talvez? Depois me ocorreu que eu jamais saberia porque Babu deixara de me conhecer aos 15 anos e me lembrei de como a sua morte mudou para sempre a minha família, nos obrigou a crescer e a envelhecer antes do tempo. Então, chorei, chorei e chorei muito, pelos anos que Babu não teve com sua amada Freny, pelo meu pai, cuja juventude acabou naquele dia de abril de 1977 e, sobretudo, chorei por mim. Afinal chorei por mim, por aquela criança assustada, perdida, que tentou, da melhor maneira possível, unir sua família meio desmanchada, pela pobre adolescente sofrida de 15 anos encarregada de lutar com a lua, e pela garota feiosa, estranha e magrela que jamais voltaria a ser a primeira luz da manhã de ninguém.

CAPÍTULO 20

Está começando a degringolar. Posso deduzi-lo pelo jeito como eles evitam me olhar nos olhos.

Começa como um filete d'água, e a princípio eles têm a decência de desviar o olhar, o cenho franzido de vergonha, mas, depois de algum tempo, o filete se transforma num córrego e agora eles simplesmente olham através de mim, me ignorando como se eu fosse uma pedrinha em seus caminhos.

Procuro ao redor ansiosamente por Vinny, mas ele foi buscar algumas *battatawadas* e pão para almoçarmos. Estou de pé há horas no corredor do lado de fora da secretaria da faculdade e sinto cansaço.

É o meu segundo ano na universidade. Depois de passar anos repetindo frases feitas vazias sobre a revolução jovem enquanto estava no colégio, finalmente tenho a chance de fazê-la acontecer.

Lançamos a campanha do boicote às mensalidades há seis semanas, em protesto contra o plano da Universidade de Bombaim de aumentar a anuidade em vinte por cento, o que inviabilizaria a instrução universitária para milhares de estudantes de baixa renda.

Há semanas me posto diariamente no mesmo local, implorando, argumentando e discutindo com os estudantes para que voltem para casa sem pagar a matrícula do próximo semestre. E Vinny e eu obtivemos um sucesso muito além do sonhado. Muitos estudantes vêm de seus lares distantes nos subúrbios durante as férias de verão a fim de se matricular para o semestre vindouro. Mas eu os fito nos olhos, dou palmadinhas em suas costas, leio estatísticas que dão conta de quantos estudantes terão que abandonar a faculdade se a anuidade aumentar, suplico, apelo para a sua noção de justiça, afirmo, rindo, que estou disposta a pagar a passagem do ônibus de volta. Curiosamente, como por milagre, tenho conseguido fazer a maioria dar meia-volta.

O funcionário no guichê de matrícula me faz uma careta toda vez que marco um ponto, toda vez que convenço mais um aluno a prosseguir com o boicote. Sorrio para ele de vez em quando, um sorriso apaziguador, como se lhe dissesse "Na verdade estamos do mesmo lado, cara", mas ele desvia o olhar. O diretor, Singha, vira e mexe passa pelo escritório do térreo, onde Vinny e eu montamos guarda há seis semanas. Quase sempre ele nos ignora, simplesmente segue em frente, mas às vezes balança a cabeça e para a fim de falar conosco. Aparentemente, sua curiosidade é maior do que o desprezo que sente por nós.

— O que acha que vai conseguir com isso, comunistazinha? — me pergunta ele em sua voz de cascalho, empregando o apelido que escolheu para mim. — Está perdendo tanto o seu tempo quanto o da faculdade. Por acaso acha que o decano da Universidade de Bombaim tem medo da sua estrategiazinha?

Com seu jeito habitualmente franco, Vinny dá um passo à frente para discutir com o sr. Singha. Pega a pequena planilha que mostra o número de alunos prejudicados pelo aumento, mas o diretor balança a cabeça com impaciência, rosna e segue em frente.

Todo dia volto para casa tremendo de exaustão e euforia. Embora estejamos de férias, trabalho oito horas por dia. Chego à faculdade alguns minutos antes da abertura do guichê de matrícula, permaneço durante o almoço e só vou embora depois de me assegurar que o funcionário encarregado encerrou o expediente. Depois, porém, dos anos sem ambição passados com Jenny e Patty, depois de anos concentrada em mim mesma, de olho apenas em meu próprio umbigo, depois do papo escolar do poder jovem e da revolução jovem, sinto como se descobrisse uma carreira. Toda noite bato à porta que conecta nosso apartamento ao de Jesse e lhe faço um relatório do dia.

— Sabe o que é realmente bacana em tudo isso? — pergunto a ela certa vez. — Sinto que estou pondo meu próprio corpo a serviço de gente que nem conheço. Uma coisa é passar o dia sentada em infindáveis reuniões políticas na Universidade Elphinstone ou algum outro lugar, fumando e tomando uma xícara atrás da outra de *chai*. O que estou fazendo é diferente. É como usar o próprio corpo, ficar em pé mesmo quando não aguenta mais, falar quando não se quer dizer nem mais uma única palavra, olhar, tocar e conversar com gente. Sei lá, acho isso tudo mais real...

Jesse assente. Posso ver uma expressão de orgulho quase maternal em seus olhos.

Mas agora faltam apenas uns poucos dias para as aulas recomeçarem, e os alunos estão em pânico. Os primeiros sussurram desculpas para mim, explicando que os pais vão escalpelá-los vivos se perderem alguma aula, dispensam meus argumentos de que podemos ser vitoriosos se nos mantivermos unidos e seguem para pagar a matrícula.

— Poxa, *yaar* — diz Anand. — Só Deus sabe quantas aulas matei no último semestre. Você sabe que o sr. Singha está só esperando uma chance para me expulsar. Não posso correr esse risco, *yaar*.

Depois que uns poucos pagam, os outros seguem o exemplo, e logo Vinny e eu começamos a nos debater como peixes na areia. Não somos mais ouvidos, o efeito hipnotizador e mágico que até poucos dias atrás exercíamos sobre eles se evaporou.

Olho para a cara do funcionário. Ele sorri maldosamente para mim, um sorriso vitorioso, de júbilo. Desvio o olhar. Semanas de cansaço estão cobrando seu preço, me deixando com vontade de chorar. Chegamos tão perto. Mais alguns dias de união e podíamos ter derrotado o sistema. Por um átimo de segundo pergunto a mim mesma se errei ao recusar a oferta de Pranab há uma semana, para em seguida odiar a mim mesma pelo momento de fraqueza.

Pranab é um sujeito gordo e corpulento a quem chamamos, de brincadeira, de estudante profissional. Aos 26 anos, é bem mais velho que todos nós, mas não parece interessado em se formar, satisfeito em passar o tempo percorrendo as ruas do sul de Bombaim em sua moto Yamaha. Pranab pertence à ala jovem do Partido do Congresso e sei que ele e sua laia consideram os ativistas estudantis como Vinny e eu uns idealistas idiotas. Por isso relutei em concordar quando soube que Pranab queria se encontrar conosco na lanchonete da faculdade para uma conversa. Mas Vinny me convenceu do contrário.

— *Arré*, Vishnu, traga mais duas xícaras de chá, *fatta-faat*, agorinha mesmo — gritou Pranab para o jovem garçom quando chegamos.

Fiquei irritada com a sua presunção de pedir um chá para mim sem sequer perguntar antes se eu queria. Mas não demonstrei. Afinal, Pranab tem várias outras qualidades, o que me irrita mais ainda.

Ele sorriu para nós, e percebi que seus dentes já estavam começando a amarelar, devido ao fumo constante.

— Olá, *yaar*, obrigado por terem vindo — cumprimentou Pranab, apertando a mão de Vinny e me saudando com um aceno de cabeça. — Venho observando vocês dois há dias impedindo os alunos de pagar a matrícula. Nada mal, *yaar*, na atual conjuntura. Qual costuma ser o saldo diário? Dez a vinte alunos que desistem? E, talvez, uns dois ou três covardes que vão em frente e pagam? Se eu pudesse, matava aqueles safados de uma figa.

Nós o ouvimos com cautela, em silêncio, sem saber direito aonde ele queria chegar. Pranab continuou falando:

— É, *men*, vocês dois estão fazendo um bocado pela reputação dos ativistas estudantis como nós.

Isso me aborreceu, essa presunção de equiparar seus métodos trogloditas ao tipo de trabalho que vínhamos fazendo, mas Vinny me chutou delicadamente sob a mesa e fiquei calada.

— Por isso, tenho algo a propor — disse Pranab. — Eu e os meus rapazes podemos fechar esta universidade em exatas duas horas. Ninguém vai ter coragem de pôr os pés aqui para pagar a droga da matrícula. Vocês dois podem ir para casa, descansar ou pegar um cineminha. Em troca, tudo que peço é que não concorram comigo na próxima eleição para o diretório.

Vinny e eu trocamos um rápido olhar, sem saber se devíamos rir ou nos sentir ofendidos. Será que aquele safado idiota, com seu bigode eriçado e seu olhar sonso, achava mesmo que iríamos perder tempo concorrendo a uma eleição estudantil sem sentido?

— Você está dizendo que pode fechar a faculdade em duas horas? — indagou Vinny, embora nós dois soubéssemos o que Pranab havia dito.

— Ora, *yaar* — respondeu Pranab. — Você sabe que tenho bons contatos. Umas pedras atiradas, algumas janelas quebradas, quem sabe uma ou duas surras, e essa faculdade não abre enquanto não quisermos.

Estávamos perdendo o nosso tempo. Me pus de pé.

— Não é assim que agimos — disse eu, procurando soar tão casual quanto ele. — Com violência, qualquer *goonda*, marginal de rua, pode conseguir o que pretende. Nós tentamos apelar para o senso de justiça e de solidariedade dos alunos.

Pranab ergueu a sobrancelha direita.

— Senso de justiça? — repetiu, com um leve risinho zombeteiro. — Companheira, espere até que se aproxime o início das aulas. Aí você vai ver os alunos fazerem fila no guichê de matrícula, que nem cordeirinhos. Até seus melhores amigos vão se esquecer do seu nome quando entrarem na fila para pagar a inscrição.

Não é que ele tinha razão? Enquanto vejo os alunos em fila diante do guichê aberto evitando olhar na nossa direção, Pranab de repente me parece um gênio em psicologia humana.

— Cordeiros — sussurro para mim mesma. — Cordeirinhos nojentos de merda.

MUITA COISA ACONTECEU desde que, impulsivamente, participei pela primeira vez de um protesto. A Emergência terminou em 20 de março de 1977, com a derrota ignóbil de Indira Gandhi. Recebi minhas notas das provas finais do ensino médio no dia seguinte (quando viu que apesar de todas as suas previsões, eu me dera bem afinal, Greta Duke balançou a cabeça e disse: "Você tem uma sorte dos diabos, Umrigar. Uma sorte dos diabos. Nunca se esqueça disso."). O senil rival de Indira, Morarji Desai, tornou-se primeiro-ministro aos 81 anos. Babu morreu em abril daquele ano. Três anos depois, uma Índia arrependida, desesperada, pôs Indira Gandhi no poder novamente com uma vitória esmagadora. A essa altura, eu já cursara três anos de faculdade.

❁

FACULDADE: VAPOR E FUMAÇA subindo de infindáveis xícaras de chá e cigarros enquanto nos sentamos em lanchonetes discutindo como montar um movimento estudantil; tardes inteiras sentados na grama do campus da Universidade de Bombaim debatendo política e "a situação da Índia" com os membros das organizações de liberdades civis da oposição; a contagem do dinheiro ganho com a venda de panfletos mimeografados para a caravana de operários de fábrica suados que as indústrias têxteis despejam na rua após turnos de 12 horas; a vigilância constante, os olhares por cima do ombro para evitar esbarrar em algum dos amigos empresários do meu pai, que podem deixar escapar que me viram a quilômetros de distância do local onde supostamente estou.

Faculdade: o pedido ao funcionário da secretaria para dar um jeito nas pautas de chamada de modo a encobrir o fato de que há meses não frequento as aulas; as fofocas que tomam a manhã inteira, acompanhadas de sanduíches de *chutney* de tomate nas escadas de mármore que dão acesso às salas de aula; a autoria e direção de peças teatrais para o concurso interuniversitário de Bombaim; a ida à galeria de arte Jehangir para apreciar as últimas exposições e, depois, a esticada na vizinha Rhythm House; as aulas cabuladas para ficar sentada em Nariman Point, debaixo de chuva, contemplando o mar enquanto Vinny acende um cigarro atrás do outro e me deixa dar longas tragadas.

Faculdade: chegar perto, *muito* perto mesmo, de conseguir meu intento de fechar a faculdade em protesto contra o aumento das mensalidades e depois ver a maré virar, assistir à coisa toda me escapar como areia por entre os dedos, observar os alunos se afastarem de mim com a mesma inexorabilidade, a mesma falta de remorso, com que o mar se afasta da areia. Uma coisa é falar, aos 18 anos, de trabalhar em prol da revolução, ainda que “não estejamos vivos para vê-la”. Outra é vivenciar a veracidade disso.

O aumento das mensalidades se efetivou. Nossas previsões sobre o número de alunos sem condições de pagar seus estudos se concretizaram. Ninguém pareceu notar. É assim que a esperança fenece e vira ceticismo.

E ESSA NEM É A HISTÓRIA TODA. Existem outras decepções.

O dia no meu último ano de faculdade, com a turma toda sentada nos degraus de mármore, em que Abbas diz que precisa ir para casa estudar.

Protestamos, mas Abbas já se pôs a caminho.

— Certo, até mais, John Travolta — grita Hanif em despedida.

Apelidamos Abbas de John Travolta porque, vários anos antes, ele entrou no cinema para assistir a *Os embalos de sábado à noite* como o velho Abbas de sempre e saiu de lá como John Travolta, balançando os quadris e andando daquele jeito que o personagem Tony Manero usa na tela. Também começou a falar com um falso sotaque nova-iorquino, usando *kofee* em lugar de *cawfee* para pedir um café, ao contrário de nós.

Abbas agora dá meia-volta:

— Vocês deviam estudar também, *yaar*. Estamos a menos de duas semanas das provas finais.

— Claro, claro — respondo, indiferente. — Duas semanas, que me importa.

Hanif se vira para mim:

— Ele tem razão. Imagine, daqui a duas semaninhas nunca mais nos encontraremos assim. Estaremos aí fora no mundo.

Meu cérebro congela. Percebo que a vida universitária vai chegando ao fim. Me sinto, de repente, horrivelmente inadequada para lidar com o mundo do trabalho. O sonho que nutri a vida inteira, de trabalhar no *Times of India,* resvala para o chão como um manto maior que o meu tamanho. Nem de longe estou preparada para outra coisa salvo ser uma universitária. O mundo parece de repente um lugar grande demais para navegar.

E tem também o seguinte...

Com relutância, num sussurro hesitante a princípio e depois mais alto, uma voz me chama a atenção para o fato de que a nossa visão utópica daquilo que o mundo deveria ser não combina com a personalidade dos indivíduos que tentam construir este mundo. Quero ignorar esse descompasso, essa lacuna que espreita entre a pureza dos nossos sonhos e a tacanhez do nosso cotidiano. Já perdi tanta coisa — minha fé na religião, o escapismo que as minhas amigas entorpecidas um dia me ofereceram, minha crença na capacidade de consertar as coisas entre meus pais — que abrir mão da minha fé na política me soa como uma perda insuportável.

Mas estou crescendo. Sonhos que costumavam me eletrizar — como a visão de Natasha de um mundo saudável não apenas para os humanos como também para os animais, ou, trocando em miúdos, não comer carne num paraíso socialista, ou o mundo imaginado por Shekhar, em que todos teriam dinheiro para dirigir um Cadillac — não me atraem mais. Noto, em vez disso, a pose de autoengrandecimento dos líderes estudantis e a maneira como os ativistas da casta superior, as famílias hindus abastadas, zombam do rótulo "intelectual", referindo-se a si próprios como classe operária; noto que todos os jovens esquerdistas se vestem e falam do mesmo jeito, até que assumimos todos a mesma entonação ao falar sobre "o povo" e "as massas". Percebo como riscamos do mapa ex-companheiros cuja política divirja, ainda que de leve, da nossa, e me lembro da maneira como, na época em que planejávamos um evento sobre os direitos da mulher, Suresh gritou com a namorada porque ela se esquecera de pôr açúcar no chá dele e ninguém fez menção à ironia do fato.

E, depois, tem o cansaço. Estou cansada de comparecer a reuniões inacabáveis e participar de grupos de estudo, que discutem se a razão está com Lênin ou com Trotski. Estou cansada de brigar o tempo todo com todo mundo, da polícia aos valentões de trinta e tantos anos que se fingem de líderes estudantis, passando pelo meu pai, que morre de medo de que as minhas tendências políticas acabem me levando para a cadeia. É estafante andar por aí escondida dele, viver olhando por cima do ombro, sempre achando que vou ser pega em flagrante. Por outro lado, tenho o tipo de personalidade que precisa, no mínimo, de um outro sucesso para ir em frente. E nessa linha de trabalho não existe gratificação instantânea nem sucesso tangível. Para cada estudante novo que convenço a comparecer a uma das nossas reuniões, a entrar para o grupo, parece que outro, já engajado, desiste.

O gosto amargo da decepção me sobe à garganta. Tento engoli-lo em seco, mas ele insiste em voltar, como uma irmã caçula grudenta que sempre surge nos momentos e lugares mais impróprios.

Também tento bloquear meus ouvidos a um som inconfundível: o de mais uma porta se fechando.

CAPÍTULO 21

PRECISO SAIR DAQUI custe o que custar.

A ideia, por ser tão clara na minha cabeça, me tira o fôlego de tal forma que tenho vontade de parar de subir os degraus de madeira e me sentar aqui mesmo. Nem bem comecei a subir a escada que leva ao nosso apartamento no segundo andar e já ouço a voz da minha mãe, num tom alto, histérico e cheio de raiva. É essa raiva que me embrulha o estômago, porque é a voz da loucura, e é assim toda vez que minha mãe perde por completo o controle. Cresci ouvindo a mesma aridez na voz da sua irmã caçula, a irmã que luta contra os demônios de uma vida inteira. E agora mamãe herdou o mesmo bramido, e essa feiura me arrepia os cabelos.

Sei que mamãe está travando uma de suas brigas diárias com Mehroo. Permaneço no começo da escada, a cabeça zonza de nervoso, as pernas parecendo, de repente, feitas de palha e incapazes de me empurrar mais um passo que seja na direção de casa. De vez em quando, ouço a voz de Mehroo, trêmula e aguda de frustração e emoção. Depois a voz de mamãe volta a subir, encobrindo a de Mehroo com uma torrente de palavras. Mesmo a esta distância, posso ouvir as maldições que ela despeja sobre minha tia, palavras cruéis, venenosas, que atinjem meu coração qual dardos. Automaticamente faço o que fiz a vida toda quando mamãe amaldiçoa Mehroo: *Por favor, meu Deus, seja qual for o mal que mamãe deseje para Mehroo, faça com que aconteça comigo, não com ela, e duas vezes pior.*

Agora me encontro no primeiro piso e fico parada ponderando que rumo tomar. Sei que o alívio é passageiro, pois a qualquer minuto a porta do apartamento do primeiro andar será escancarada e uma das vizinhas se aproximará de mim no corredor, me observando com olhos curiosos, o cenho franzido, tentando avaliar a minha reação, armazenando informações, de forma que um naco de fofoca possa ser despejado no momento oportuno nas bocas salivantes e famintas por notícias das vizinhas. Pior, a mulher talvez me diga alguma coisa, algo petulante e sarcástico sobre as brigas cotidianas ou, pior ainda, alguma observação supostamente gentil e compreensiva capaz de marejar meus olhos, o que, por sua vez, também será devidamente reportado às outras vizinhas.

De repente sinto claustrofobia, como se estivesse presa nesta minúscula nesga de espaço onde me encontro, incapaz de continuar aqui e relutante em subir o lance de escadas que me levará ao apartamento onde darei de cara com a mulher histérica e furiosa que me pariu. O ódio me sobe do estômago para a boca e seu gosto é de leite talhado. Por um momento flerto com a ideia de dar meia-volta e descer correndo as escadas para a liberdade das ruas, de vagar por Bombaim até que a tardinha ceda lugar à noite e meus pés comecem a pesar de cansaço de tanto andar. Quero fugir do tormento de vizinhos fofoqueiros e da vergonha rubra e quente que circula pelo meu corpo qual lava, só de pensar que todos à volta conhecem cada íntimo detalhe do que acontece dentro da nossa casa graças à voz de megafone da minha mãe. Enquanto fantasio essa fuga, no entanto, também fantasio sobre correr para casa e tapar a boca aberta de mamãe com a minha mão, enfiando-lhe goela abaixo a torrente de palavras odiosas, apertando aquela boca com uma rudeza maior que a necessária. Sinto, então, uma fúria cega ante essa recepção que me aguarda ao final de um longo dia na faculdade.

Continuo de pé no corredor do primeiro andar, incapaz de me mexer, paralisada pela indecisão. Parte de mim deseja sumir sem olhar para trás e jamais voltar, perder-se nas multidões de Bombaim. Parte de mim deseja correr escada acima e sufocar minha mãe, calá-la, fazer cessar o som de búfalo que sai da sua garganta. E o tempo todo, enquanto decido o que fazer a seguir, estou consciente de que, a qualquer minuto, a porta do apartamento do primeiro andar vai se escancarar e eu terei um terceiro dilema com o qual lidar. Quero me deitar no chão frio de pedra do corredor, me enroscar em mim mesma, me cobrir com um cobertor quentinho tricotado com fios de silêncio e adormecer. Isso, claro, não é uma opção. Preciso tomar uma decisão.

QUANDO EU TINHA NOVE ANOS, me postei no banheiro um dia com a ponta afiada de um compasso de aço no meu ouvido. Ouvira dizer que um tímpano perfurado podia causar surdez, e surdez era tudo o que eu queria, o silêncio branco como a neve que bloquearia a voz da minha mãe. Queria me perder no silêncio, viver num mundo em que os adultos não expressassem aos berros seus ódios uns dos outros, em que as mães não se desmanchassem em soluços de revolver as entranhas, de perfurar a alma, em que as tias adoradas não gritassem por ajuda para os céus.

O compasso fazia parte de um conjunto de materiais para as aulas de geometria que ganhei da tia Freny naquele ano. A caixa de metal amarelo-claro também continha uma régua de plástico de vinte centímetros e um transferidor.

Fiquei no banheiro o máximo de tempo possível naquele dia, tentando visualizar como seria um mundo de silêncio, tentando imaginar a dor que uma perfuração de tímpano sem dúvida causaria. Será que sangraria? E se sangrasse, será que muito? O sangue escorreria do meu ouvido num filete ou jorraria abundante? Que explicação eu daria aos adultos quando perguntassem o que eu fazia com um compasso no banheiro? Seria capaz de convencê-los de que fora um acidente? E, mais importante ainda, depois de sentir a dor e ver o sangue, eu teria coragem de ir em frente, perfurando também o outro tímpano? E se me acovardasse? Para que serviria um único ouvido surdo?

No final, não tive peito de fazê-lo. Porque, justo quando meus dedos se fecharam em torno do metal frio do compasso, percebi que a surdez significaria mais que a fuga dos gritos e impropérios da minha mãe. Significaria, também, nunca mais ouvir música ou o canto dos pássaros ou o rugido do oceano ou o cantarolar do meu pai em nossos passeios de carro pela Marine Drive. Na verdade, eu perderia todo um mundo a fim de obter a fuga pretendida de palavras virulentas, e, por pior que eu fosse em matemática, dava para calcular que o lucro não ia ser maior que o prejuízo.

Mas esse desejo intenso de escapar não terminou naquele dia. Durante anos, fantasiei que me matava e deixava um bilhete com os únicos dizeres: "Que haja paz em casa." Estava convencida de que esse era o único jeito de fazer com que os adultos parassem com suas arengas diárias. Alguns anos após o incidente do compasso, aos 14 anos, abri escondido o armário de remédios e roubei o vidro de iodo que ficava ao lado do de mercurocromo. Toda vez que Mehroo passava iodo nos meus joelhos ralados ou nos cotovelos arranhados, eu reparava na frase no rótulo do vidro advertindo que o produto era venenoso se ingerido. Não que eu planejasse me matar naquele dia — pretendia apenas provar o iodo amargo para ver se seria capaz de beber o vidro todo caso viesse a precisar. Queria checar quão horrível era o gosto, se algum dia precisasse engolir o líquido às pressas, queria avaliar a necessidade de arquitetar um plano melhor. Abri a tampa preta de plástico do vidrinho fino e encostei a boca da embalagem na minha língua, que imediatamente ficou entorpecida no ponto em que o iodo tocou. Me satisfiz. O gosto era horrível, mas, se as coisas em casa piorassem a tal ponto que eu tivesse que me matar, sabia que poderia me forçar a engolir todo o conteúdo do vidro.

SUBO O ÚLTIMO LANCE DE ESCADA e toco a campainha de casa. Nada acontece. Mamãe continua a gritar com Mehroo, que faz o que pode para responder à altura em meio aos acessos de tosse. Ouço Mehroo tossir ali, do lado de fora de porta, e, como sempre, resisto ao impulso de bater nos meus ouvidos com a mão espalmada de modo que o som da tosse me chegue fragmentado e trêmulo. Faço isso desde pequena, sempre que a casa explode em brigas, gritos e palavrões. Batendo em meus ouvidos posso manipular o som, fatiar as palavras até que elas soem engraçadas e sem sentido, posso drená-las do próprio veneno. A tosse de Mehroo me assusta, me recorda como ela é frágil e doente, e provoca em mim uma onda de protecionismo de forma que desejo envolvê-la como se eu fosse um sobretudo de lã. Toco a campainha novamente, dessa vez com insistência maior. A indecisão de alguns minutos atrás, o desejo de fugir para nunca mais voltar, desapareceu agora, substituída pela vontade de resgatar Mehroo da briga que decerto a enfraquece e reduz seu tempo de vida.

A saúde de Mehroo decaiu muito nesses últimos anos. Os tratamentos para a tuberculose a que se submeteu na infância danificaram seus pulmões, fazendo com que a tosse seja hoje parte dela, uma característica tão pessoal quanto a voz ou a gargalhada. Mas por mais que Mehroo tussa, não me habituo. Essa tosse dolorosa exerce sobre mim um efeito visceral, o mesmo dos lamentos da velha da vaca quando eu era bebê. Quando Mehroo tem um de seus longos acessos de tosse, quero tapar meus ouvidos, sair correndo da sala, quebrar alguma coisa. Minha reação violenta deriva da incapacidade de vê-la sofrer, e a sua tosse me põe cara a cara com a consciência de que todo o amor do meu coração não pode ajudá-la um tiquinho sequer. Claro que não lhe digo nada disso, pois a tosse já a deixa muito envergonhada, perseguida que é pelas lembranças da infância, quando foi afastada de todos ao contrair tuberculose. Ela não me beija mais, e, quando tento agarrar seu rosto e beijá-la à força, ela vira de lado a cabeça, de modo que o beijo erra o alvo e lhe acerta os cabelos. Mehroo age como se estivesse novamente com tuberculose, embora não esteja.

Ela agora praticamente não vai mais à fábrica porque a serragem piora seu estado de saúde. Ainda cuida, em casa, dos livros contábeis de capa de pano, mas papai contratou um contador na fábrica. A maior parte do tempo, Mehroo passa confinada no apartamento, o que significa mais brigas entre mamãe e ela. Enquanto antigamente escapava para a fábrica durante o dia, agora ela fica presa em casa com uma inimiga, aparentemente incapaz de encerrar o dia sem uma briga. Os acessos de tosse somados às brigas estão minando, diariamente, a energia de Mehroo.

Assim que mamãe abre a porta, noto seu rosto vermelho, suado, sua respiração ofegante, o brilho louco, sedento de sangue, em seu olhar. Resolvo optar pelo ataque antes que ela tente me sugar para dentro do seu mundinho de ressentimentos e animosidades antigas.

— Dava para ouvir cada palavra da sua gritaria dois andares abaixo — digo. — Todos os vizinhos se juntaram no saguão para escutar seus berros. Pelo amor de Deus, abaixe esse tom.

Ela se vira contra mim com a energia ensandecida de um touro jovem.

— Nem bem chegou e já vai logo ficando do lado dela, não é? Só ouviu os *meus* gritos, foi? Por que não diz alguma coisa à sua adorada Mehroo sobre os gritos e os berros dela? Esta é a recompensa que ganho por carregar você na barriga durante nove meses, por lhe dar de comer, cuidar de você quando está doente: vê-la ficar do lado de qualquer um que não seja a sua mãe. Mas tudo bem. Quem mandou parir uma cobra em vez de uma filha?

— *Toba, toba, toba* — intervém Mehroo, batendo na bochecha três vezes, ritualisticamente. — Que tipo de mãe fala com a própria filha desse jeito? Que Deus lhe perdoe!

Minha saudação de abertura reenergizou minha mãe e ela não se acalma, direcionando sua fúria reprimida contra mim, me seguindo por todo o apartamento, me ofendendo. Eu me encolho diante de suas palavras, mas também sinto alívio por escudar Mehroo da saraivada de balas de mamãe recebendo-as em meu peito. Encaro meu corpo como um muro erguido entre mamãe e Mehroo para proteger minha tia. Presumo ser capaz de aguentar, porque, quando mamãe ataca Mehroo ou meu pai, suas maldições são mais venenosas que uma cascavel. No entanto, mesmo quando é a mim que ela diz coisas terríveis, seus ataques não me acabrunham tanto, pois digo a mim mesma que, no fundo, ela não fala sério, que é teatro, que, apesar das palavras insanas e cheias de ódio, na verdade ela me ama.

Mesmo assim, meu dia na faculdade foi exaustivo e estou cansada da sua gritaria. Quero acabar agora mesmo com a briga. Levanto a voz para encobrir a dela, como alguém que tampa uma panela de água fervendo. Mas não sou páreo para minha mãe. Sua voz vai engrossando, engrossando, como uma sopa deixada tempo demais a ferver no fogão, e, de súbito, não dá para aguentar nem mais um segundo. Corro em sua direção, agarro seu pulso e mando-a, num tom sibilante, calar a boca, calar já a boca, mando-a baixar a voz porque todos os vizinhos estão com a janela aberta e podem ouvir tudo que ela diz. Eu mesma me sinto enlouquecer, perder totalmente o controle, mas, uma vez mais, ela reverte o quadro, pois se aproxima da janela aberta em seu quarto, me arrastando junto, e passa a gritar a plenos pulmões que eu a estou machucando, que a fiz prisioneira. Fico tão pasma com essa traição, com a extensão da sua trapaça, e tão decidida a obrigá-la a falar mais baixo que tento tapar-lhe a boca com a outra mão, mas ela invoca uma força sobrenatural e num golpe rápido me escapa. Observo com horror enquanto ela transforma os dedos numa garra e arranha o meu braço, de alto a baixo, arrancando pedacinhos de pele, deixando em seu rastro arranhões leves, mas longos, dos quais brota sangue.

Solto um grito. Você está me arranhando, me queixo, contemplando assustada sua assinatura em meu braço. Então ergo os olhos para aquele rosto e vejo nele uma expressão de excitação controlada, de profunda satisfação, de pura loucura, uma loucura indisfarçável, e meu coração se enche de medo. Ela é louca. Minha mãe é louca. E, nesse exato momento, ela parece me odiar, embora eu não queira acreditar, a despeito de tudo que acaba de acontecer.

Saio correndo do quarto. Já dá para perceber que haverá cicatrizes onde os dedos dela se cravaram em minha carne e me apresso a vestir uma blusa de manga comprida para que nenhum dos outros adultos veja o que minha mãe fez. Esse será mais um dos nossos muitos segredos.

Durante várias semanas, só uso roupas de manga comprida. Um dia, porém, Jesse, não sei como, acaba vendo rapidamente os arranhões no braço.

— O que foi que você arrumou aí, criatura? — pergunta ela.

— Nada de mais. Eu estava brincando com Ronnie e ele me arranhou, só isso — minto.

Ela assente. Não tem motivos para não acreditar em mim.

❁

OUTROS, CONTUDO, ESTÃO menos alheios ao que acontece lá em casa.

Embora o fato tenha ocorrido anos atrás, ainda me dói a lembrança da conversa com a srta. D'Silva quando eu estava no nono ano.

A srta. D'Silva havia sido minha professora no ensino fundamental. Ela morava alguns prédios depois do nosso, razão pela qual conhecia a minha família havia muitos anos. Continuei a encontrá-la mesmo após deixar de ser sua aluna, pois, com frequência, nas vezes em que eu perdia o ônibus escolar por ter dormido demais, Mehroo descia comigo e, quando via a srta. D'Silva passar a caminho do ponto de táxi, lhe pedia para me dar uma carona até o colégio. Ela sempre concordava, e, durante a viagem, conversávamos sobre a escola e outros assuntos.

— E aí, garota, já arrumou um namorado? — mexia comigo. — Ainda não encontrou um rapaz parse bacana?

Ela crescera junto a um número suficiente de parses para saber que a maioria deles valoriza um bocado a própria pele clara.

— Mesmo que eu tivesse um namorado, ele não seria parse — respondia eu — E com certeza não teria a pele clara.

A srta. D'Silva, que tem a pele cor de chocolate típica de uma católica de Goa, sorria.

Mas, nesse dia, ao contrário do habitual, ela estava séria. Era a primeira vez que eu visitava minha velha sala de aula, e o fato se devia a um pedido de Greta Duke para que eu fosse lá pegar alguma coisa. Como àquela altura eu ia para a escola de ônibus público, havia muito não encontrava a srta. D'Silva.

Conversamos amenidades durante alguns minutos, e eu já me preparava para voltar para a biblioteca, onde a srta. Duke monitorava o estudo de outras alunas, quando a srta. D'Silva indagou baixinho:

— E então, garota, como andam as coisas em sua casa?

Fiquei confusa.

— Em casa? Tudo bem — respondi.

Fiz menção de sair, mas a srta. D'Silva pôs a mão em meu ombro e me puxou para perto de si.

— Não, estou falando sério. Como vão as coisas entre sua mãe e suas tias? E entre sua mãe e seu pai?

De repente vi ao que ela se referia, e senti tamanha onda de vergonha que quase caí dura.

— Tudo bem, estão todos bem — murmurei.

Porém percebi, mortificada, que a srta. D'Silva não havia acabado.

— Ouça, garota, pode se abrir comigo. Acha que não sei o que você tem passado todos esses anos? Não faz tanto tempo assim que você estudou nesta sala. Lembro que eu costumava chegar ali na janela toda tardinha e observar o pátio quando você encarava... Quantas mesmo? Cinco, oito meninas ao mesmo tempo e lutava com elas.

— Dez — sussurrei automaticamente. — Dez foi o recorde. Bati em dez num único dia.

A srta. D'Silva prosseguiu como se não tivesse me ouvido.

— Nossa, por que você acha que eu permitia essas brigas? Quando entrava no ônibus para voltar para casa, você vinha toda cheia de hematomas, parecendo um Muhammad Ali. Às vezes me dava vontade de intervir, mas nunca fiz isso porque percebia a sua necessidade de se livrar de toda aquela raiva reprimida. Eu sabia que tipo de vida familiar você levava.

Parada ali, diante da srta. D'Silva, me senti como se estivesse diante de uma máquina de raios X, nua e exposta. Quis fazer um comentário leve e brincalhão, quis negar suas acusações, mas nada me ocorreu.

Ela me ajudou.

— Escute aqui, Parse Doida — disse ela, em tom de brincadeira. — Sei que você é bem durona, mas a minha intenção foi apenas dizer que, se algum dia quiser conversar com um adulto, estou às ordens.

— Está bem, obrigada — respondi numa voz que até para mim soou sentimental demais. — Bem, a srta. Duke está me esperando, preciso ir.

Saí correndo da sala, sem olhar para trás. Estava decidida a nunca mais esbarrar na srta. D'Silva. Quando cheguei à biblioteca, eu fumegava de raiva. "Por que diabos ela tem que meter o bedelho na minha vida?", bufei comigo mesma. "Não há nada de errado com a minha vida familiar. Quanto a lutar com aquelas garotas, droga, eu simplesmente gostava das brigas. É bem coisa de adulto aumentar as coisas. Como se eu precisasse da caridade dela..."

Hoje, porém, rememorando o encontro com a srta. D'Silva, lamento não ter sabido como pedir ajuda. É meu carma particular o fato de não conseguir confiar em ninguém para falar da rapidez com que as coisas vêm se degringolando entre mamãe e mim, como ela me tortura com palavras e, às vezes, com as mãos.

Durante anos, quando mamãe me dizia algo especialmente cruel, eu costumava repetir para mim mesma: "Transforme seu coração em pedra, transforme seu coração em pedra."

Percebo agora que consegui meu intento. Meu sucesso superou as expectativas.

❁

MERDA.

Que sonho.

Acordo coberta de suor e minha cama está tão encharcada que, por um segundo, atônita, acho que tive uma recaída do meu velho hábito e fiz xixi dormindo.

No sonho, eu ia à casa de tia Villoo para fazer um pedido. Villoo é a irmã mais velha da minha mãe, a que costumava me assustar quando eu era pequena com ameaças de me amarrar dentro de um saco de aniagem com baratas e ratos se eu não fizesse tudo que ela mandasse. Eu morria de medo quando mamãe me deixava na casa de Villoo, porque sabia que, mesmo que lhe contasse as ameaças que a irmã me fazia, ela jamais acreditaria em mim. Felizmente, papai não gostava que eu passasse tempo demais na casa da minha tia, pois era sabido e notório que todos os membros da família gritavam uns com os outros e seu desejo era me proteger desse caos. Eu encarnava o campo de batalha onde meus pais travavam suas guerras particulares.

— Não quero que você deixe a menina na casa de gente da sua família — dizia ele. — Você pode passar a vida toda por lá, se quiser, mas não quero que toda aquela brigalhada e gritaria, aquele veneno que eles destilam, encha os ouvidos da minha filha.

— Ah, se dependesse da sua vontade, ela nunca mais veria nenhum dos meus parentes. Primeiro tentou me manter afastada deles, agora chegou a vez dela. Fique sabendo que fui eu que a carreguei nove meses na barriga, não você, e vou levá-la aonde bem entender.

No sonho, eu ia à casa de tia Villoo para fazer um pedido. Meu pedido é simples: quero que me devolvam a minha mãe. Preciso explicar a Villoo e à minha avó que a carência delas, a incapacidade manipuladora de lidar com o mundo a menos que mamãe as ajude, acabou por prejudicar incrivelmente a minha família. Fez meu pai perder a esposa e me deixou sem os cuidados maternos. Toda a energia da minha mãe se concentra fora da nossa casa. Seus humores oscilam dependendo do que acontece na vida de seus irmãos e irmãs. Carregamos o fardo de todas as frustrações dela. Volta e meia, minha mãe deixa para trás uma briga com a irmã caçula e volta para casa para arrumar briga com Mehroo. E eu cansei de tudo isso.

No sonho, Villoo abre a porta com uma máscara no rosto.

— Oi, tia Villoo — cumprimento, mas ela finge ser outra pessoa, diz que nunca me viu e pede para que eu por favor me apresente. Entro na brincadeira durante alguns minutos, mas, como a farsa continua, vou ficando cada vez mais frustrada. — Eu sei que é você, tia Villoo — grito. — Por favor, me ouça pelo menos uma vez.

Justo nesse momento chega a minha avó, com uma incomum expressão de solicitude no rosto.

— O que foi, *deekra*? — pergunta ela de um jeito gentil. — Venha cá, deixe-me consolá-la.

Ela toma minha cabeça nas mãos como se fosse me aninhar em seu peito, mas então bate com ela na parede. Fico atônita, zonza de dor.

— Quebrei uma noz — diz ela, e a sala se enche de gargalhadas. Percebo de repente que há outras pessoas ali.

Villoo vai até a sala de jantar e depois reaparece com um vidro.

— Tome — diz ela. — É um presente para você.

Estendo a mão para o vidrinho, achando que é iodo para o ferimento na minha cabeça, mas ela me impede de pegá-lo e o abre. Ouço um chiado, um chiado como o da galinha *tandoori* quando é servida em restaurantes, e, em seguida, sinto algo úmido e quente queimar meu rosto. É ácido. Ela atirou ácido em mim. Encosto, descrente, a mão no rosto e vejo, pasma, uma camada de pele se soltar. Mesmo no sonho, me admiro com o fato de o ácido não ter entrado em meus olhos e eu ainda enxergar. Mas o alívio se mistura com terror, e começo a gritar, em pânico. Quanto mais grito, porém, mais Villoo e minha avó riem, até que ambos os sons se mesclam em um único, e já não tenho certeza se estou rindo ou gritando.

Acordo assustada, tremendo na cama. Para me acalmar, faço o de sempre quando tenho pesadelos: tento ligar os pontinhos, tento pensar nos acontecimentos da vida real que possam ter penetrado em meus sonhos. O banho de ácido, eu sei, provavelmente é resultado da leitura de um incidente recente em que um grupo de garotos muçulmanos jogou ácido no rosto de duas universitárias hindus que haviam rejeitado suas investidas. A máscara possivelmente se deve ao fato de eu ter lido um gibi do Fantasma antes de ir dormir. Quanto ao resto... Mesmo que seja capaz de rastrear os incidentes do sonho, não consigo justificar a sensação de tristeza, de abalo, que ele me deixou e que me faz ficar revirando, insone, na cama.

CAPÍTULO 22

ESTADOS UNIDOS.

As duas palavras me ocorrem quando estou prestes a pegar no sono, acompanhadas de uma descarga elétrica que me acorda de um salto.

Estados Unidos. Uma saída. A única forma de escapar da minha vida sem saída é achar um caminho para os Estados Unidos, a terra da autoinvenção, o único lugar onde sei que se pode começar do zero, e preciso desesperadamente começar de novo, porque minha vida em Bombaim parece mastigada, gasta, e tenho apenas vinte anos. Estou prestes a me formar na faculdade, e mesmo o sonho que cultivei a vida toda de arrumar um emprego no *Times of India* de repente perdeu o brilho. Enquanto for solteira, sei que as convenções econômicas e sociais me obrigarão a morar com meus pais, e, se eu continuar assim muito mais tempo, acabarei num hospício. Porque simplesmente não consigo mais aguentar essa merda de vida que levo. Meus nervos estão em frangalhos; toda vez que há uma briga aqui em casa, começo a deixar cair coisas, como se estivesse numa comédia pastelão de Groucho Marx.

Tenho vinte anos e estou cansada. Todas as coisas que eu achava que me salvariam — a música, os livros, a política — me fizeram companhia durante algum tempo, mas, no final das contas, eu precisava voltar e encarar a mim mesma. Depois de passar anos ansiando por um emprego e pela independência que ele me daria, preciso encarar os fatos: não me sinto preparada para entrar no mercado de trabalho e, enquanto morar com meus pais, jamais serei livre de verdade. Papai continuará a me impor um horário para chegar da rua, Mehroo e Freny continuarão a cozinhar e arrumar as coisas para mim, Kamala me servirá comida e mamãe alternará carinho e rejeição. Nada vai mudar. Jamais descobrirei quem sou, quem poderia ser, sem toda essa gente à minha volta.

Não é da minha natureza fugir para a noite escura, sair sorrateiramente sem deixar endereço, como fez Amy. Nem serei capaz de me mudar para Pune ou Nova Déli, cidades próximas, sem envergonhar a minha família, sem dar o que falar aos vizinhos linguarudos. Haverá boatos de que fugi de casa porque estava grávida ou porque minha família me expulsou. Afinal, Bombaim é a joia preciosa da coroa da Índia, Bombaim é o lugar para onde migra o restante do país. Deixar a cidade para me estabelecer num desses lugares inferiores seria um tapa na cara do meu pai, um repúdio à vida que levo aqui.

Não, se quero mesmo partir, terei que me mudar para a *Big Enchilada*, terei que buscar uma vida que seja nitidamente superior e muito mais atraente em comparação à que levo aqui, de modo a não levantar suspeitas. Preciso fugir para os Estados Unidos.

De uma coisa tenho certeza: não quero optar pelo caminho escolhido por Amy. Assim como ela, quero fugir de casa, mas pretendo fazer isso licitamente e não sob o manto do anonimato. Também não quero deixar um rastro de perguntas não respondidas atrás de mim, como aconteceu com ela.

Amy é uma prima distante que morava dois prédios depois do nosso. Apesar da diferença de idade — ela é quase 11 anos mais velha —, éramos muito próximas. Amy era uma jovem tímida, de fala mansa, altamente sensível, com a mente afiada como uma faca. Pelo que sei, jamais teve um namorado. O que nos ligava era a nossa paixão por histórias — eu adorava ouvi-las, e Amy nasceu para contá-las. Na verdade, imagino que foi esse talento que ajudou Amy a partir. Suponho que ela tenha descoberto como escapar se transformando num personagem de suas próprias histórias.

Desde que eu era pequena, Amy passava a tarde toda em nossa casa, voltando para a dela só depois do cair da noite. Toda tarde precisávamos implorar para que jantasse conosco, pois ela recusava e mentia, dizendo já ter comido.

— Ora, Amy, aceite, por favor — insistia meu pai, e ela relutava, mas finalmente cedia.

Porém, antes de nos sentarmos à mesa, Amy e eu passávamos cerca de uma hora juntas na cadeira de balanço na varanda, eu no colo dela.

— Amy, me conte do Kirin — pedia eu, e ela desenrolava uma história sobre o garotinho a quem costumava dar aulas particulares, que morava do outro lado da cidade, mas cuja vida se tornou real para mim por causa das histórias de Amy. Levei anos para perceber que Kirin parecia sempre enfrentar os mesmos dilemas e lutas que eu. Como acontece com frequência com os tímidos, Amy era ótima observadora; e, como acontece com frequência com mestres em contar histórias, Amy sabia como tricotar os fios da minha vida, transformando-os na história que desejasse tecer naquele dia.

Essas sessões na varanda, quando estávamos as duas sozinhas, eram diferentes das histórias que Amy contava aos adultos. Comigo ela se mostrava vulnerável, intuitiva e infalivelmente carinhosa. Quando, porém, entretinha os adultos com suas descrições hilárias do seu emprego no banco e a forma como sempre fazia de bobo o gerente retardado da agência em que trabalhava, Amy era mordaz, cáustica, sarcástica e abusada. Babu, papai e os demais morriam de rir com alguns relatos e prendiam o fôlego, descrentes, quando ela ia longe demais sobre como enredava o chefe ingênuo.

— Cuidado, Amy — meu pai se sentia obrigado a dizer às vezes. — Não é bom fazer alguém de bobo o tempo todo. De vez em quando, a gente cai na própria armadilha.

Assim, olhando em retrospecto, não faltaram alertas sobre o quanto Amy podia ser dissimulada e manipuladora. No entanto, a família inteira ficou chocada quando ela simplesmente desapareceu. Amy ligou para um dos parentes dias depois para dizer que estava bem, mas que era inútil procurá-la, pois estava indo para muito longe. Não houve explicações quanto aos motivos da partida tão furtiva. De vez em quando, ela telefonava para a nossa casa e pedia para falar com papai ou Mehroo, mas, quando eles indagavam seu paradeiro, Amy se mostrava evasiva, embora numa ocasião tenha dito que estava num *ashram* no Himalaia. Vez por outra, quando ligava, falava com sotaques diferentes, e, numa dessas vezes, pediu a Mehroo para falar em inglês, pois se esquecera do gujarati.

Amy tornou-se um enigma, um quebra-cabeças, uma ferida aberta na vida de todos nós. Afastou-se sem explicações, e não sabemos por quê. Embora eu já tivesse passado da idade das sessões de histórias quando ela fugiu, ainda sinto saudades. Vejo quanta falta os adultos ainda sentem dela em ocasiões especiais, como seu nome é mencionado durante um jantar *navroze* e como Freny até hoje manda para seus pais, todo ano, um presente de aniversário para lhe ser entregue. Decido que, quando fugir de casa, eu o farei em plena luz do dia e com a bênção dos mais velhos.

Até este minuto, eu jamais havia pensado em ir para os Estados Unidos. As poucas vezes que alguém me sugeriu isso, dei uma gargalhada, porque minhas chances de ir para lá são tão grandes quanto as de eu pisar na Lua. Por outro lado, nunca senti uma onda de desejo e de ânsia tão forte quanto a que me assalta neste momento. Nunca desejei nada de forma tão intensa a ponto de fazer o suor me escorrer pelo rosto, a ponto de me fazer arregalar os olhos, ansiosa, sedenta. Meu coração jamais me saltou no peito como me salta agora, e meu cérebro nunca antes se embrenhou no labirinto da minha vida para descobrir uma saída. As células do meu corpo nunca antes se voltaram todas para uma única direção, meu sangue jamais pulsou em uníssono e meu corpo nunca formigou de medo e excitação como acontece agora. No meio de uma noite quente de Bombaim, cercada dos roncos e da respiração pesada daqueles que mais amo no mundo, permiti que meu coração traiçoeiro sonhasse abandonar todos eles. Permiti a mim mesma desejar o impossível. Portanto, agora, preciso torná-lo possível.

O raiar do dia se aproxima, e ainda estou acordada. Sei que não vai ser fácil. Ainda que eu consiga convencer a minha família a me deixar partir, mesmo que eu consiga cravar fundo essa faca em seus corações, existirão ainda milhões de obstáculos: descobrir uma universidade americana que me aceite a despeito das minhas notas não tão boas, arranjar maneiras de superar uma centena de entraves burocráticos, preencher inúmeros formulários, procurar os vários fundos parses na tentativa de levantar os milhares de dólares necessários para pagar os meus estudos.

É cedo demais para acordar meu pai e, ademais, preciso pensar nisso alguns dias antes de dizer uma palavra que seja a esse respeito a uma outra pessoa. No entanto, apesar de todos os medos e dúvidas que já começam a baixar em mim como fuligem, me obrigo a relembrar uma verdade: quando fui dormir ontem à noite, eu estava amarga, exaurida, sem direção e no final da linha — um caso perdido aos vinte anos. Hoje de manhã, despertei como uma nova pessoa: animada, decidida, ambiciosa. Alguém que espera ansiosamente a continuação da própria vida. Alguém que ainda não pode ser descartada.

E apenas uma coisa fez toda essa diferença:

Estados Unidos.

SINTO MUITO, MEHROO, pelo que estou prestes a fazer, pela adaga que enterrarei em seu coração. Sempre desejei proteger você, mas acho que não posso protegê-la de mim mesma, deste sangue quente que agora corre em minhas veias, deste desejo que me entoa seu canto nostálgico no meio da noite. Serei a sua traidora, a sua assassina, aquela cujo nome será para sempre uma ferida em seus lábios.

Me perdoe, papai, por planejar abandoná-lo menos de cinco anos depois de você perder seu irmão. Sei agora que não sou capaz de substituí-lo. Sei que, mais que qualquer outro, você vai entender, porque onde foi que aprendi a sonhar se não em seu colo?, onde foi que aprendi que felicidade não é um palavrão se não com as suas tentativas corajosas, embora vãs, de alcançá-la? Me desculpe, meu pai carinhoso e generoso, pela solidão que deixarei em meu rastro, como a esteira de vapor de um avião a jato. Sei que você vai entender, mas entender não diminuirá a sua dor.

Preciso me afastar de você, Freny, pois não posso fitá-la nos olhos. A minha promessa de ser um filho e uma filha para você, feita há pouco tempo, no funeral de Babu... Como fica ela agora? Chamuscada pelo fogo recém-ateado da minha ambição e do meu desejo.

Adeus, Roshan, você devia ficar satisfeita de me ver partir. Todas as afrontas, as comparações desfavoráveis que você aguentou ao longo da vida sumirão como um avião no céu assim que eu me for. Você vai poder voltar a ser o bebê da família, vai poder ser o objeto de todas as esperanças e desejos que eles nutrem, sua glória será, então, recuperada, restaurada de suas máculas. Sou um espinho em sua vida — a minha partida permitirá que você floresça.

Lamento, mamãe, pelos milhões de brigas, os milhões de palavras ditas e os milhões de não ditas. Acho que sei agora que sempre a amarei e que jamais serei capaz de salvá-la. Nunca desejei que fosse assim entre nós, mas é assim que é, esta é a realidade e preciso aceitá-la. Preciso aceitá-la.

Adeus, todo mundo, um beijo desta Judas e mil desculpas — como diria Peter Sellers — pela confusão, o espanto, a mágoa, o orgulho ferido que vou causar. Sei que é inútil, mas aí vai a minha explicação, aí vão os meus motivos para assim decidir. Quem sabe vocês entendam e talvez possam me perdoar...

Porque estou inquieta e cheguei a um beco sem saída, e meu futuro em Bombaim parece levar apenas a dois lugares infernais: a cadeia ou o hospício, e porque quero saber como é um momento de silêncio absoluto, de paz absoluta, e porque me vejo dilacerada por um paradoxo — quero rejeitar esse papel adulto de mediadora, de carregadora da dor alheia, papel que é meu há tanto tempo, e porque quero ser uma adulta, quero passar minhas próprias blusas e lavar meus próprios pratos e tomar minhas próprias decisões — e porque quero saber quem sou longe de todos vocês que me fizeram ser quem sou, e porque não aguento mais ouvir a tosse de Mehroo e os gritos de mamãe e os silêncios sentidos de papai, e porque quero ver o que o mundo tem a oferecer antes de me estabelecer no *Times of India*, e porque anseio por privacidade e liberdade, por um quarto só meu, e sei que nada disso será possível em Bombaim, na minha Bombaim de vizinhos viciados em fofoca e cômodos apinhados e parentes inquiridores, e, embora nada em nossa cultura estimule o meu desejo, quero descobrir quem sou sem o escudo protetor do amor de vocês, quero provar a liberdade, quero ser apresentada à Thrity que não é filha nem sobrinha ou prima de alguém, que não é a herdeira lógica de um negócio de família, que não é um membro de carteirinha da classe média, que não está enraizada no tempo e no espaço pelo acaso do seu nascimento. Quero ser fluida, como a água, como o vento, não quero ser de ninguém, salvo de mim mesma, não quero pertencer a lugar algum, mas a todos os lugares. Na minha cama estreita e dura numa noite quente de Bombaim, fico deitada de olhos abertos e sonho em herdar o mundo.

Vocês entenderam? Ou se sentiram agredidos? Sei que, ao oferecer compreensão, corro o risco de ofender. Mas não é essa a minha intenção. Sei que vocês não estão habituados a me ouvir falar tão aberta e francamente a meu respeito. Em nossa casa, falamos um do outro: cobramos ou declaramos amor um pelo outro. Não costumamos começar nossas frases com "eu". Acho que estou infringindo todas as regras, quebrando todos os tabus, ao mesmo tempo. Quero uma comunicação perfeita, quero derrubar os muros de vidro do silêncio que construí à minha volta, quero me mostrar, quero confessar, quero a cura terapêutica, quero o perdão.

Ainda não pisei nos Estados Unidos e já falo como uma americana.

CAPÍTULO 23

O FUNCIONÁRIO DA IMIGRAÇÃO na embaixada americana é jovem, louro e apressado. Tem frios olhos azuis e ostenta um cavanhaque cujos pelos louros são praticamente invisíveis num rosto assado pelo sol quente de Bombaim. Ele e seus colegas se sentam atrás de um espesso painel de vidro cuja intenção óbvia é protegê-los das hordas de indianos que ali aguardam de pé, desesperados por um visto para a Terra Prometida.

Eu o observo enquanto ele recusa o pedido de visto do homem que tem à frente.

— Próximo — chama ele, não mais olhando para o requerente.

— Mas, meu senhor... — gagueja o homem. — Só quero um visto de três meses. Por favor, tenha dó. Meu irmão em Nova York está doentíssimo e precisa muito de mim.

O americano lhe lança um olhar frio e duro.

— Todos os dias, no mínimo dez dos seus compatriotas dizem ter um irmão doente em Nova York — responde o funcionário, desviando o olhar. — Próximo — repete com impaciência.

Depois de mais alguns pretendentes, chega a minha vez de encarar o funcionário da imigração. Todos que estavam na fila à minha frente pertenciam à classe média baixa, homens provavelmente mais aptos a ocupar empregos domésticos em Dubai ou no Kuwait do que a estudar em faculdades norte-americanas. O inglês que falam não é lá essas coisas, têm o cabelo oleoso e malcortado e as calças de poliéster que usam são feias e gastas. Mostram-se nervosos, o que os faz parecer sonsos. Não exibem a segurança discreta dos profissionais da classe alta. Pelo contrário, se acovardam diante deste jovem F.D.P. É óbvio que jamais estiveram na presença de um homem branco antes.

Sinto um torvelinho de emoções: repulsa ante o servilismo de meus compatriotas; fúria diante da arrogância do americano. Nesse momento, não me importo de não conseguir ir para os Estados Unidos, não me importa que esse fuinha louro me bloqueie o caminho na estrada que venho cuidadosamente abrindo há quase um ano. Não serei tratada com o desdém indiferente endereçado aos que me antecederam.

Faz quase quatro horas que estamos na fila. Toda manhã, a fila para os vistos começa a se formar na rua do lado de fora dos portões da embaixada em Breach Candy. A multidão chega por volta das seis da manhã, horas antes que os portões de metal se abram, de modo que, quando nos deixam entrar, estamos prestes a desmaiar em poças de suor e ansiedade, cozinhados pelo sol da manhã. Como se a indignidade da espera na rua não bastasse, os guardas locais na embaixada adotaram os preconceitos de seus patrões americanos, falando com os requerentes de vistos da mesma maneira desdenhosa e ab-rupta que usam seus chefes.

Não esperei na fila o mesmo tempo que os outros. Papai mandou Kishan, um dos operários da fábrica, guardar meu lugar às seis horas. Papai, Roshan e eu chegamos duas horas mais tarde, e rendi Kishan enquanto Roshan e papai voltaram para o carro para me aguardar. Há certo burburinho pouco convicto entre os que se encontram na fila desde a madrugada, mas percebo que as reclamações não são sérias. Afinal, todos estão habituados a um sistema em que gente de classe média, como eu, sempre consegue torcer as regras o bastante para lograr seu intento. E, apesar de toda a minha sensibilidade quanto aos meus privilégios de classe média, não deixo de usá-los quando é preciso.

No entanto, embora chegando mais tarde eu tenha me poupado de várias indignidades já sofridas pelos que fazem fila comigo, ainda assim fumego de raiva quando adentramos o santuário da embaixada. A experiência toda tem a nítida finalidade de rebaixar e humilhar, como se o mero ato de requerer um visto americano fosse um trote ritual aplicado em universitários calouros.

Olho fixo para o jovem funcionário, furando-o com o meu olhar. Ele me olha diretamente uma vez, como se sentisse o calor dos meus olhos, mas imediatamente desvio o olhar. Alterno meu peso, impacientemente, de um pé para o outro, cansada da longa espera. Que ele se dane, que se danem os Estados Unidos, que se dane também a Universidade Estadual de Ohio. Se é assim que eles tratam os indianos em nosso próprio país, imagine o que nos espera quando chegarmos lá.

Consigo me convencer de que realmente não me importo a mínima se jamais pisar em solo americano. Ao mesmo tempo, estou decidida a não sair da embaixada enquanto não fizer esse cara provar do próprio veneno e lhe mostrar que nem todos os indianos ficam boquiabertos diante da sua pele rosada. Sinto meu rosto se contrair de raiva.

O louro rejeitou cinco pedidos de visto seguidos. Depois de dispensar o último requerente, ele recosta em sua cadeira e cruza as mãos atrás da cabeça. O homem de meia-idade à minha frente dá alguns passos adiante na direção do guichê. Vendo isso, o louro se retesa.

— Está vendo a linha azul? — rosna ele, apontando para uma linha pintada no chão. — O senhor não pode ultrapassá-la enquanto não chegar a sua vez, entendeu? E eu ainda não o chamei.

O homem de meia-idade — que sem dúvida é um bancário e pai de três filhos que se formarão todos em administração numa universidade medíocre — aceita a repreensão com uma expressão infeliz. Sorri amarelo para esconder o constrangimento.

— Ah, sim, claro, senhor. O senhor tem razão. Desculpe, desculpe mesmo.

Sinto meu corpo enrijecer de vergonha.

O funcionário do visto o olha com fúria durante um segundo. Depois afasta a cadeira da mesa, levanta-se e some. O infrator de meia-idade olha em volta inseguro, tentando atrair o olhar de alguém. Todos aguardamos em suspense. Finalmente, o funcionário volta, segurando uma xícara de café fumegante. Seu rosto não tem expressão alguma. Não explica a sua ausência nem pede desculpas.

— Próximo — chama ele.

O pedido de visto do homem é recusado. É o sexto seguido.

— Por favor, senhor, deixe-me apenas explicar — implora o sujeito. —Todos os meus documentos estão aqui, meu senhor, tudo que é preciso.

— Tente de novo daqui a algumas semanas.

Enquanto os dois discutem, tomo uma decisão. Não sairei daqui sem um visto. Mas vai ser do meu jeito. Vou ensinar a esse safado uma ou duas coisinhas sobre boas maneiras.

— Próximo.

Me aproximo do vidro.

— Oi — saúdo jovialmente. — Tudo bem com você? Parece que está tendo uma manhã difícil.

Meu rosto é amistoso, mas meus olhos o perfuram qual balas de revólver.

Ele ergue os olhos, atônito. Percebo com satisfação a surpresa em seu rosto. Instintivamente ele capta a incompatibilidade entre o meu comportamento amistoso e o fato de que o odeio, mas não é capaz de dar um nome a isso. Ao mesmo tempo, também não deve estar habituado a mulheres indianas lhe dirigirem a palavra com descontração.

— Hã... Eu vou bem, obrigado — responde ele, finalmente. — E você?

— Bem, isso depende de você, não é mesmo?

Dou um risinho para arrematar. Uso o meu mais perfeito sotaque britânico de classe alta.

Mais uma vez, aquele olhar surpreso. Depois ele sorri, um sorriso fino como um lápis.

— Certo.

Enquanto examina os vários formulários que lhe entreguei, ele resmunga para si mesmo de vez em quando. Calado, folheia os documentos, seu silêncio uma lacuna que tento preencher.

— Nossa, que movimento aqui hoje, não? — comento num tom informal. — É sempre esse horror?

Rompi a sua concentração.

— É. Um verdadeiro zoológico.

— Lá fora também está horrível — comento. — Essa espera de horas no sol. Vocês realmente deviam estudar se não é possível deixar esse pessoal aguardar aqui dentro, que é mais fresco.

Meu tom é descontraído, fácil, como se, apesar de desinteressada, eu pretenda de boa vontade lhe dar um conselho de amiga.

Ele ergue levemente as sobrancelhas.

— É, vamos ver. A logística... De toda forma, sou apenas um funcionário subalterno. Essa não é a minha praia.

— Tudo bem — concordo, dando de ombros. — Foi só uma ideia.

Ele volta a examinar meus papéis.

— Então, seu pai é empresário, certo? Que tipo de negócio ele tem?

Eu digo. Ele faz mais algumas perguntas, que respondo de um jeito meio indiferente, casual, que o deixa inseguro quanto a se sentir ofendido ou adulado.

— Mas, então, como foi que escolheu a Universidade de Ohio? — indaga ele.

Eu o olho analiticamente, tentando avaliar se devo contar a verdade ou inventar alguma baboseira sobre a excelência do programa de jornalismo da Universidade de Ohio. Decido ser franca. Assim, falo da noite que passei na sala da minha casa tentando escolher a qual das três universidades americanas deveria me candidatar — a Universidade de Colúmbia, porque conhecia o seu mestrado de jornalismo, e uma outra faculdade na Califórnia, porque... Ora, porque era na Califórnia. Eu não fazia ideia de qual seria a terceira opção. Examinei a lista dos cursos de jornalismo à minha frente, enquanto ouvia um disco de Joan Baez. Terminou uma faixa e outra teve início. Joan agora cantava "Banks of the Ohio". Justo nesse momento, meus olhos toparam com a Universidade Estadual de Ohio. Ergui os olhos para o céu. Era um sinal. Fiz uma cruzinha ao lado da Universidade de Ohio como minha terceira opção.

O funcionário do visto estala a língua em aprovação. Mas ainda há mais perguntas. Finalmente, ele vai direto ao ponto:

— Olhe aqui. Você é jovem, sem dúvida inteligente e instruída. Fala inglês fluentemente. Quer ser jornalista. O que me garante que se conseguir um visto algum dia volte para a Índia?

Este é o meu momento, e estou pronta para o desafio. Finjo uma ligeira estupefação.

— Está me dizendo que a esta altura da vida ainda existe gente querendo se estabelecer permanentemente nos Estados Unidos? — pergunto, a incredulidade escorrendo da minha voz. — Minha nossa, na minha profissão há tantas oportunidades na Índia hoje em dia. Quase diariamente surgem revistas novas aqui.

O rosto do rapaz enrubesce.

— Minha jovem, você nem imagina quanta gente ainda quer se mudar de vez para os Estados Unidos — comenta baixinho.

— Não é o meu caso — afirmo satisfeita. — Minha família toda mora aqui.

Ele me fita, os olhos azuis examinando meu rosto como um facho de luz.

— Está bem — diz ele, afinal. — Você conseguiu. Parabéns.

Sinto uma euforia tão intensa que meu coração parece que vai saltar fora da minha pele como botões se despregando de uma blusa. Me obrigo, porém, a manter uma expressão que não reflita nada disso.

— Que ótimo. Obrigada — digo num tom casual.

Ele se mostra quase arrasado, como se esperasse uma demonstração mais efusiva de gratidão. Mas se recupera em seguida.

— Muito bem. Aproveite os Estados Unidos da América.

Detecto um toque de — o quê? saudades de casa? orgulho? tristeza? — em sua voz.

— Pode deixar. Tchau.

Recolho meus papéis e caminho ao longo da comprida fila de requerentes, todos enfurnados em suas próprias moradas de sonhos e esperanças. Um punhado deles estende a mão e me toca quando passo, sussurrando parabéns. Não olho ninguém nos olhos, temerosa de ver em seus rostos um toque de esperança desesperada, de inveja ou desalento. Sinto meu andar ficar mais lépido a cada passo que me afasta do funcionário da imigração. Minha mão se fecha com firmeza em torno dos meus documentos. Vou para os Estados Unidos, vou conseguir um diploma de pós-graduação em jornalismo da Universidade Estadual de Ohio. "Obrigada, meu Deus", sussurro, "obrigada, obrigada".

Saio do aposento escuro e cavernoso para a claridade ofuscante da manhã que caminha para a tarde. O sol me recebe num abraço cálido. Hoje ele brilha apenas para mim. Sinto-me dourada.

PAPAI E ROSHAN ME ESPERAM no carro. Quando me veem, papai sai do carro e corre na minha direção, com Roshan em seus calcanhares.

— Conseguiu? — pergunta ele.

Fico séria por meio segundo, mas então abro um sorriso brilhante como o sol.

— Consegui — digo. — Consegui o visto.

A terra para de girar por um instante. Os dois simplesmente olham para mim, nós três congelados no espaço numa rua movimentada de Bombaim, enquanto os carros passam zunindo. Nenhum de nós diz uma palavra. Eles me olham como se me vissem pela primeira vez. E como se estivessem me vendo pela última.

O rosto de papai assume uma expressão que nunca vi antes. Metade dela é de orgulho, um orgulho de estufar o peito, de tirar o fôlego. A outra metade reflete a dor mais profunda e completa que já testemunhei. Seus olhos se enchem de lágrimas.

— Então é verdade — sussurra ele quase para si mesmo. — Você vai mesmo para os Estados Unidos.

Ele sorri, e o sorriso é como o restante do seu rosto: a felicidade altruísta guerreia ferozmente com uma solidão fria que já se abate sobre ele como neve. Seu sorriso é carinhoso, triste, generoso e estoico.

Percebo pela primeira vez que, apesar do seu esforço heroico para me fazer chegar a este ponto, papai secretamente achava — ou torcia para isso? — que este dia jamais chegaria. Desde o momento em que lhe falei das minhas esperanças de estudar nos Estados Unidos, ele foi meu maior aliado: me apoiando e convencendo Mehroo de que isso era para o meu bem, engolindo seu orgulho ferido e permitindo que eu pedisse uma bolsa de estudos ao fundo Parsi Panchayat, pagando as taxas — em moeda estrangeira — necessárias para entrar com o pedido de admissão nas várias universidades americanas, me ajudando a remover até o último entrave burocrático. Ainda assim, ele não vira esse momento final de triunfo se aproximar ou não se dera conta de como este momento que tanto desejou para o meu bem seria terrível, equivaleria a um soco no estômago, lhe cortaria o fôlego.

Nesse ínfimo segundo, vejo o futuro do jeito como meu pai o vê: nenhum espírito jovem para alegrar o clima sombrio que com tanta frequência se instala lá em casa; nenhuma filha para contar uma piada e tirá-lo de um baixo astral; nenhuma companheira com quem passar uma tarde caminhando nas areias da praia de Chowpatty; ninguém com quem sair, impulsivamente, à meia-noite para comer uma pizza no hotel President. O futuro se desenrola diante dos olhos do meu pai como um comprido tapete escuro. E ele está totalmente sozinho nesse tapete.

Então papai volta à realidade:

— Parabéns, meu amor — diz ele, me enlaçando num abraço apertado. — A segunda pessoa da nossa família a ir para o Ocidente. Que Deus a acompanhe nesta viagem.

Olho de relance para Roshan. Seu nariz está vermelho, um sinal irrefutável de lágrimas não derramadas. Seu rosto parece pequeno, como se encolhido pelo assalto frio da tristeza. No entanto, ela também embarca na onda do meu pai:

— Tudo de bom, Thrity. — deseja ela, como se já estivéssemos no aeroporto e a minha partida fosse hoje.

Papai solta um suspiro profundo.

— Vamos parar num telefone público e ligar para Mehroo. Todos devem estar loucos de preocupação. Depois paramos no Taj para comprar um bolinho de chocolate e levar para casa. Não é todo dia que uma das minhas filhas — ele olha para mim e Roshan — vai para os Estados Unidos.

Meu momento ao sol, meu triunfo barato sobre o funcionário da imigração, já soa como passado remoto. Uma pedra afiada de dor se alojou como um coágulo de sangue próximo ao meu coração. Viajo no banco dianteiro do velho Ambassador entre Roshan e meu pai e, de repente, tenho vontade de desistir de tudo — as noites quentes, febris, de ambição escaldante, o sonho de começar de novo do zero, o desejo de me transformar, de trocar de pele.

Em vez disso, quero permanecer exatamente onde estou, protegida pela presença daqueles que amo mais do que a própria vida, ensanduichada entre estes dois corpos adorados, aquecida pelos frequentes olhares afetuosos que ambos me lançam. Sim, quero ficar neste carro e observar as belas mãos do meu pai segurando o volante: as veias de um azul intenso, o cabelo escuro contra a pele de cor creme, as unhas limpinhas. Quero ficar sentada aqui para sempre, segurando as mãos alvas e delicadas de Roshan entre as minhas, calejadas, enquanto a multidão à nossa frente se abre para a passagem do carro, o marrom acinzentado do mar da Arábia borrifando sua espuma em nossos rostos e o sol de Bombaim pinicando a nossa pele, deixando em seu rastro rios de suor.

A NOTÍCIA CORRE O BAIRRO. Eu mesma conto a novidade a Jesse e observo enquanto o teatro já conhecido de emoções perpassa seu rosto: seus olhos se umedecem, ela morde o lábio inferior, engole em seco e, finalmente, abre um sorriso.

— Ora, ora, uhul! — diz ela, me dando uma palmada forte nas costas. — Era o que você queria.

Os vizinhos passam lá em casa para me dar parabéns. Os mais velhos levam presentes, anotam os nomes dos parentes que moram nos Estados Unidos e para os quais devo ligar se precisar de *qualquer coisa* e me cobrem de conselhos que não pedi ("Olhe, a sociedade americana é doente. Uma vez vi um filme em que até vovozinhas andavam armadas de rifles enormes. Meu primo diz que o pessoal de Nova York é capaz de atirar em você por causa de meros dez *paisa*. Você não está indo para Nova York? Ora, mas não deve ser muito melhor em Ohio. Muito cuidado, viu?" e "Fique longe dos negros. São todos mentirosos e trapaceiros" e "As mulheres nos Estados Unidos fumam, bebem, se vestem e falam igualzinho aos homens. Mas você é uma boa moça parse, de ótima família. Jamais se esqueça disso. Reze um *Ashem Vahu* e encontrará forças para enfrentar todas as tentações").

Os mais jovens cochicham em meus ouvidos a inveja que sentem da minha sorte, me confiam seus sonhos de estudar nos Estados Unidos e me pedem conselhos. Todos têm o mesmo tipo de expressão triste e melancólica que vejo nos olhos de Ronnie quando ele nos implora um pedaço da galinha *tandoori* que estamos comendo. Sinto-me envergonhada e deprimida na presença deles.

Todo mundo em casa anda cheio de cuidados comigo, como se eu fosse uma encomenda preciosa, tão delicada quanto o aparelho de chá de porcelana que meu pai trouxe do Japão em 1970. Mamãe me trata com o carinho que só demonstra quando estou doente. Uma vez ou outra, seus olhos se enchem de lágrimas.

— Quem vai cuidar de mim com você longe? — chora minha mãe, e sinto meu coração se derreter diante desse sofrimento tão patente.

Mas, se todos pisam em ovos à minha volta, Mehroo anda mais exagerada do que nunca. Sempre que pode, ela me puxa para si e me abraça. Todo dia extrai uma nova promessa de mim — que vou lhe escrever no mínimo uma vez por semana, que voltarei para casa assim que me formar e que, Deus me perdoe, se houver uma guerra ou algo do gênero enquanto eu estiver fora, correrei imediatamente de volta para casa. Concordo com todos os pedidos porque atualmente me encontro num humor expansivo, generoso, e me sinto mais meiga e solícita com todos. Ao mesmo tempo, honestamente não tenho certeza de quais são as minhas intenções, se eu mesma acredito de verdade no que digo a todo mundo — que vou para os Estados Unidos conseguir um diploma que aumente as minhas chances de arrumar um bom emprego de jornalista na Índia. Acho que é isso o que quero, mas às vezes me pergunto se uma ausência de dois anos será suficiente para realizar todos os meus outros objetivos, aqueles dos quais não falo em voz alta com mais ninguém. De vez em quando, uma ideia invade a minha mente: "Olhe bem para tudo isto, absorva o que puder, pois você jamais voltará para casa." Então sinto uma tristeza tão aguda que imediatamente desvio a minha atenção para outras coisas mais prazerosas.

❋

Duas semanas antes da minha partida para os Estados Unidos, Jesse me entrega um exemplar de *Os filhos da meia-noite*, de Salman Rushdie. Há tanta coisa a fazer, tanta gente para visitar e de quem me despedir, tantas compras de última hora, que não tenho certeza se terei tempo de ler o livro antes de viajar. Mas eu o abro naquela mesma noite e leio o primeiro parágrafo inebriante e frenético, o que acaba sendo um erro. Os filhos da meia-noite cantam seus hinos loucos, sedutores, me agarram com seus mil e um pares de mãos, me puxam para o seu mundo subterrâneo. Devoro o livro como um animal selvagem faminto, incapaz de tirar os olhos das páginas.

E, enquanto leio, a cidade que estou prestes a deixar ganha vida diante dos meus olhos. Mas não se trata da cidade corrupta, inepta, imunda e coberta de escarros e urina da qual sempre me ensinaram a ter vergonha. A Bombaim de Rushdie é grandiosa, operística, melodramática, multicolorida e dividida entre a magia e a loucura. É uma cidade mítica, tão mítica quanto os lugares do Mahabharata, mas de algum modo me convenço de que é através dessas lentes míticas que se pode ver a genuína Bombaim. De que outra maneira explicar uma cidade em que uma velha ganha a vida vendendo quatro couves-flores murchas por dia, se não através das lentes do surrealismo? De que outra maneira descrever um lugar onde um homem obtém seu sustento agachado na calçada retirando cera dos ouvidos de seus clientes? Será que mesmo Chagal seria capaz de pintar uma cena urbana com uma vaca marrom encostada num quiosque que vende leite pasteurizado da cooperativa de leite Aaray? Será que mesmo as letras insanas de Bob Dylan conseguem captar a confusa dança de arranha-céus e favelas, de BMWs e carros de boi, de discotecas e clínicas para doenças venéreas?

Os filhos da meia-noite me apresenta a uma Bombaim na qual cresci mas onde nunca morei de verdade. Com o mero ato de citar os nomes de ruas conhecidas — Warden Road, Marine Drive —, Rushdie me resgata de uma vida inteira de leitura sobre ruas em cidades que nunca visitei e me oferece, qual um buquê de flores novas, a cidade onde nasci. E a felicidade inexprimível de ler um romance cheio de personagens com nomes indianos me liberta do dilema contra o qual lutei, inconscientemente, desde aquele dia cataclísmico no quarto ano. E como são lindos esses nomes! Mary Pereria. Saleem Sinai. Homi Catarak. Num glorioso momento, todas as minhas perguntas sobre o que identifica um nome indiano e como criar personagens que não tenham cabelo louro são respondidas.

A melhor parte, porém, é o jeito como falam os personagens de Rushdie. Ora, eles bem poderiam ser qualquer um de nós no pátio da escola ou no mercado. Pela primeira vez na vida, vejo a mim e aqueles que amo refletidos num livro. Não há nada de pomposo ou formal neste inglês. Pelo contrário, essa língua é maleável e flexível como as serpentes que os encantadores locais mantêm enroscadas em seus cestos de palha. E aquela mania maravilhosa que todos temos de começar uma frase em inglês, prosseguir em gujarati e salpicar algumas palavras em híndi... Sejamos francos, nunca vi Ernest Hemingway bolar uma coisa *dessas*.

Os filhos da meia-noite me dá vontade de jamais deixar Bombaim. Lastimo a ironia do destino, que esperou até chegar a hora da minha partida para me permitir ver pela primeira vez com afeto a minha cidade natal. É meio como encontrar a nossa alma gêmea depois de ouvir que só temos mais três dias de vida. Percebo agora que a bravura por trás da sobrevivência cotidiana nesta cidade difícil não é menor que a bravura que levou Robert Jordon à Espanha. Percebo que, enredada como estava na história da migração dos Oakies para o Oeste americano, nunca me dei conta da migração diária dos vilarejos vizinhos para Bombaim nem dos milhões de histórias individuais de esperança e desespero que acompanham cada imigrante. Enredada como estava no Sonho Americano de Gatsby, nunca parei para me perguntar se existiria um Sonho Indiano e, se assim fosse, de que seria feito. Até mesmo as minhas noções da própria Índia foram expressas por escritores como Foster e Kipling, e suas posturas racistas e coloniais, vejo agora, contaminaram meu sangue com a doença do auto-ódio. Que ironia eu ter lido Ralph Ellison e Richard Wright sem entender que a jornada que tirou ambos da sombra do colonialismo cultural e os dotou de uma identidade consciente também foi a minha.

Com relutância devolvi *Os filhos da meia-noite* a Jesse, com a sensação de estar doando uma parte do meu corpo. Mas, conhecendo Jesse, eu devia ter desconfiado. Na véspera da minha viagem, ela me dá de presente o livro. Dentro, há uma dedicatória: "Voe o mais alto que achar que pode e que quer."

E eu voo alto. Voo de uma cidade que acabo de aprender a amar por meio das páginas de um livro. Me ocorre, de repente, que também só amo o país para o qual vou voar por causa do que li nas páginas de um livro. Talvez a realidade seja totalmente diferente.

Neste momento, porém, não ligo a mínima. *Os filhos da meia--noite* prenunciou uma nova aurora. O livro me abriu os olhos, me ofereceu uma nova maneira de ver um velho mundo. Uma porta foi escancarada para nunca mais voltar a se fechar. Mesmo enquanto faço as malas para partir para o Novo Mundo, vejo que o Velho Mundo já reivindicou seu lugar em meu coração.

Os dias passam depressa. Há tanto a fazer — visitas de despedida, compras de malas, de roupas novas, câmbio. Uma solícita amiga da família passa lá em casa para deixar um mantô marrom pesado, de pele, que sei na mesma hora que jamais usarei. Pede que eu o experimente e fica tão feliz quando vê que o casaco cabe em mim que me impeço de comentar que pareço um urso obeso dentro dele. As visitas estão com a mania de me dar coisas estranhas, para as quais acham que de algum jeito encontrarei serventia: chaveiros, faixas de cabelo, cartões-postais antigos, cachecóis de lã puídos. Alguns presentes são úteis, outros têm valor afetivo: mamãe me dá uma nota velha e gasta de uma libra esterlina, guardada sabe Deus há quantos anos, Freny me presenteia com a gaita de Babu, Mehroo me entrega um retrato desbotado do meu avô, vestido em seu figurino habitual: calça bege, paletó marrom-escuro e chapéu-coco.

❁

ESTE É MOMENTO PERFEITO para fazer confidências ao meu pai, para lhe contar o meu segredo. No entanto, morro de medo da reação dele.

Cinco dias antes de pedir o visto, recebi uma carta do reitor da faculdade de jornalismo da Universidade de Ohio. Era a resposta à minha indagação sobre ser ou não possível contar com um cargo de assistente na graduação quando chegasse a Columbus.

A carta trazia más notícias. Todas as vagas de assistente para este ano haviam sido concedidas meses antes... Eu poderia me candidatar a uma delas no próximo, mas, para o ano em curso, já era tarde demais. Vinha depois a sentença letal: "Favor não se apresentar sem os recursos necessários para custear a anuidade integral."

Recursos necessários para a anuidade integral? Somados todos os empréstimos, bolsa de estudos e cada tostão que meu pai tem condições de gastar, vou partir para os Estados Unidos com menos de quatro mil dólares. Só o valor do curso para o primeiro semestre a ser desembolsado por aluno estrangeiro levará mais da metade dessa quantia. Não faço ideia de quanto vou gastar com aluguel, comida e outras despesas.

Então, é aqui que tudo termina: na falta de dinheiro. Papai tinha razão, afinal — racionalmente falando, o dinheiro *é* importante. Fui uma boba quando ri dele. Lembro-me de uma cantiga que Mehroo inventou quando eu era pequena: Sem tostão, neca de diversão, meu irmão. Meu rosto arde de vergonha ante a ideia de encarar vizinhos, amigos, parentes, todos achando que embarco para os Estados

Unidos em menos de um mês. Sinto amargura, como se a vida tivesse me pregado essa peça horrível, me permitindo chegar tão perto da liberdade para depois me aprisionar novamente... Imagino se serei um dia capaz de superar essa decepção, se um dia a deixarei para trás ou se consentirei que ela me azede, de modo a me transformar numa mulher frustrada, amarga, com raiva do próprio destino, descrente da felicidade. Bombaim está cheia de gente assim.

A pior parte é saber que esse revés vai abalar meu pai, pois ele se culpará por isso. Repetidas vezes, já o ouvi dizer que se sente muito mal por me ver recorrer a estranhos em busca de empréstimos e bolsas de estudo.

— Sempre sonhei em pagar pela sua instrução completa — diz ele. — Lamento ter falhado com você desta vez.

Nada que eu diga em contrário o faz sentir-se melhor. Ele ficará inconsolável quando eu lhe contar sobre o conteúdo da carta. Vai amaldiçoar a própria má sorte, lembrar-se de cada uma das oportunidades profissionais fracassadas, desculpar-se comigo sempre que houver oportunidade. Verá a si mesmo como o assassino dos sonhos da filha.

Que se dane. Vou para os Estados Unidos apesar da carta. A alternativa é horrível demais. Chegando a Columbus, fingirei não ter recebido a carta do prof. Decker, culparei a inconstância do sistema postal indiano. Vou para Columbus e conseguirei, na base da conversa, um cargo de assistente, transformarei limão em limonada, inventarei oportunidades. Afinal, herdei essa capacidade do meu pai. Posso fazer isso. Posso fazer isso.

Preciso tomar muito cuidado agora. Se mamãe descobrir essa carta em uma de suas sessões de bisbilhotice, será o fim da linha. Não posso deixar escapar comentário algum que levante suspeitas. Minha família já está suficientemente preocupada porque vou para tão longe. Venho garantindo a todos eles que tudo dará certo quando eu chegar lá, afirmei que não faltam cargos de assistente nas universidades americanas. Ninguém pode sentir a menor hesitação, a menor dúvida da minha parte a esta altura.

O melhor é destruir a carta. Leio as breves observações do dr. Decker um punhado de vezes, gravando-as na memória. Depois, rasgo a carta em minúsculos pedacinhos. Mas não posso me arriscar a jogá-los no lixo. Abro a janela do meu quarto de estudos. O cômodo dá para um pátio que o vizinho do primeiro andar varre toda manhã. Asseguro-me de que nenhum dos outros vizinhos esteja olhando e jogo a carta pela janela.

Observo até que o último pedacinho do meu segredo desça, voando, dois andares e beije o solo.

UMA TARDE, papai chega em casa do trabalho e me convida para dar uma volta de carro. Estacionamos no lugar habitual em Nariman Point e nos sentamos no muro de concreto, olhando a água. É uma noite fresca, com vento, e o lugar está cheio de gente aproveitando a brisa noturna, de filhos insistindo com os pais para comprar um balão de gás do ambulante e de velhos levando seus cães para passear.

— Quero lhe dizer uma coisa — começa papai. — E quero que você se lembre do que eu disser esta noite.

Preparo-me para o que acho que vem a seguir: outro sermão sobre ser impulsiva e confiante demais, a obtenção de mais uma promessa de nunca beber em público.

Mas o que ele está dizendo é algo bem diferente.

— Você vai viajar para mais longe do que qualquer membro da nossa família jamais viajou. Até eu, com todas as minhas viagens, nunca fui tão longe. Mas tudo bem, cada geração deve ir mais longe e voar mais alto que a anterior. Permiti que você fosse porque você me disse uma vez que estudar nos Estados Unidos a faria feliz. Lembra? *Bas*, naquele momento, tomei a minha decisão. Vários amigos me dizem que sou louco de deixar a minha única filha ir para tão longe, mas sempre aconselhei você a ter sonhos e a se esforçar para realizá-los. Portanto, como posso impedi-la agora? Claro que se um único *baal* da sua cabeça for tocado, jamais me perdoarei. E, quando você partir, não só perderei minha única filha, mas minha melhor amiga.

Ele faz uma pausa e espera o nó em sua garganta desatar. Contemplo calada o revirar do mar, sem ousar dizer nada até ser capaz de controlar minha própria emoção.

— Tem uma coisa que quero de você — prossegue ele. — Uma promessa.

Pronto, aí está.

— Claro, papai — concordo. — O que você quiser.

— Quero que você prometa que, caso se sinta infeliz quando chegar lá, se alguém a tratar mal ou lhe fizer cara feia... afinal, meu bem, você sabe que esses ocidentais com seu complexo de superioridade são capazes de nos desprezar... se alguém fizer ou disser algo que faça você se sentir diminuída, vai simplesmente voltar na mesma hora para Bombaim. Não se preocupe com a passagem, com o orgulho ou com o que os outros vão dizer. Não se preocupe com nada. Defendo você contra tudo isso. Não existe vergonha em tentar alguma coisa e mudar de ideia. Isso não é fracasso.

Olho para ele sem reação, fascinada pelo fato de que, em meio a seu próprio sofrimento, em meio a toda essa correria, ele tenha encontrado tempo para pensar em tudo isso.

— Pai — começo, mas sou obrigada a parar. — Pai, eu... eu te amo muito. Não dá nem para começar a...

Ele sorri, e, embora esteja escuro, percebo tanto amor e carinho em seus olhos que perco o fôlego. Eu não mereço tudo isso, concluo. Não mereço o amor deste homem.

— Eu sei, meu bem — diz ele. — Eu sei.

Envolvo seu pescoço com o meu braço. Ficamos ali sentados por um bom tempo, contemplando as ondas baterem contra as rochas negras, sentindo a espuma da água em nossos rostos. Jamais me deixe esquecer este momento, sussurro para o mar. Jamais me deixe esquecer quanto sou amada.

A espuma chia na superfície da água escura quando bate nas rochas.

CAPÍTULO 24

Hora de ir para o aeroporto. Mas como? Como dar o primeiro passo para deixar este apartamento? Afinal, esse é o único lar que conheci na vida, a casa em que passei os primeiros 21 anos da minha existência. Esses vizinhos que, com suas fofocas, sua bisbilhotice e seus conselhos gratuitos, já infernizaram a minha vida, são as mesmas pessoas que me cobriram de presentes e bênçãos nas últimas semanas. Agora, embora sejam onze da noite, as luzes em quase todos os apartamentos do prédio ainda estão acesas. Todos se encontram acordados para o meu bota-fora.

— Vamos, meu bem — insiste papai pela terceira vez. — Já estamos atrasados.

Mas ainda assim eu hesito. Mehroo me conduz ao pequeno altar que tem as fotos de Babu e dos meus avós.

— Peça a bênção deles — diz ela. — Peça para que eles velem por você. E volte logo para nós, *accha*.

Dominada pelas próprias palavras, ela me dá um abraço apertado e depois começa a soluçar baixinho. Eu retribuo o abraço.

— São só dois anos, Mehroofui — digo, mas sem acreditar nas minhas próprias palavras. — O tempo vai passar rapidinho. E vou tentar conseguir meu diploma antes de dois anos.

Papai entra na cozinha.

— Nada de choro, nada de choro — diz ele a Mehroo. — Hoje é um dia feliz.

Sua voz, porém, está embargada, e de repente ele assoa o nariz.

Foi ideia de papai fazer uma festinha hoje mais cedo. Uma boa ideia. Receber a visita dos parentes próximos, como tia Mani e sua família, manteve o clima relativamente leve. Como sempre, assumi o papel de bartender, mantendo cheios os copos dos convidados, preparando uma dose forte para mim quando ninguém estava olhando. Papai abriu uma garrafa de Johnnie Walker que estava guardada para "uma ocasião especial". Mas nem mesmo o álcool está sendo capaz de me ajudar esta noite, falhando em me dar a coragem para cruzar a porta e descer as escadas.

Tia Mani vem em meu socorro:

— Vamos — diz ela, com seu misto característico de severidade falsa e bom humor. — Quanto mais cedo deixarmos você no aeroporto, mais cedo iremos para casa dormir. Você me conhece, preciso descansar minha beleza.

Todo mundo ri mais do que a piada demanda. No entanto, o processo é iniciado. Os dois operários da fábrica acocorados no corredor entram no apartamento para pegar minhas duas malas e descê-las pela escada. Como se alguém acionasse algum interruptor invisível, as portas de vários apartamentos se escancaram e vizinhos meio grogues de sono aparecem na entrada. Me inclino para beijar Ronnie, meu *cocker spaniel* dourado de 13 anos, sabendo que provavelmente não o verei de novo.

— Tchau, Ronnie. Seja um bom garoto, certo? Não tente escapar da coleira quando *kaki* Freny levar você na rua.

Ele choraminga e lambe meu rosto.

Minha família se reúne à minha volta. Irão todos ao aeroporto, mas, apesar disso, ninguém tem dúvida de que esta será a última chance para demonstrações ostensivas de afeto. E elas vêm: abraços demorados, apertados como uma calça jeans. Beijos do tamanho de maçãs da Caxemira. Promessas extraídas como dentes no consultório. Prometo escrever diariamente. Ligar para casa uma vez por semana. Não me casar com um estrangeiro. Não adquirir sotaque. Não esquecê-los. Voltar para casa imediatamente, a pé ou a nado, se houver uma guerra ou algo do gênero, Deus nos livre. Pedir-lhes qualquer coisa de que eu precise, a qualquer hora. O amor brota como suor em seus rostos. Palavras, doces como chocolate, escorrem de suas bocas. Que tipo de idiota deixa para trás tanto amor?

Começamos a descer as escadas, meu pai à minha direita, seu braço protetor em torno de mim. Forço meus ombros a não estremecerem de tristeza. Custe o que custar, ninguém deve saber como é aguda essa dor que rasga meu corpo. Eles precisam achar que estou feliz, excitada com a partida. Esse é o único jeito de lhes tornar suportável esta noite.

Paramos a cada dois ou três passos para eu me despedir dos vizinhos. Os que me conhecem desde que nasci me beijam, me abraçam, chegam mesmo a beliscar minhas bochechas. Os mais recentes apertam a minha mão e desejam "tudo de bom". Os mais idosos me abençoam, pedem para que faça meu pai e minha mãe terem orgulho de mim. Todos me pedem para jamais esquecê-los. Como se houvesse algum risco de isso acontecer.

Saímos para a rua. Minha família imediata se empilha no Ambassador. A família de tia Mani nos segue em seu Fiat creme, enquanto Jesse e Dinshaw vão chamar um táxi. Quando viramos a esquina, me volto para olhar pela última vez o meu velho prédio. Antes que o sol nasça nesta rua ao amanhecer, estarei a milhares de quilômetros de distância.

AEROPORTO DE BOMBAIM.

Buzinas frenéticas, carros estacionados ilegalmente, carregadores caindo como moscas sobre os carros, lutando uns com os outros para ganhar o direito de carregar as pesadas malas dos passageiros.

E a multidão. Famílias de 12 a 15 membros cercam o viajante festejado. Entre as famílias hindus, há muitos cumprimentos, saudações e uma chuva de bênçãos.

Minha família ficou mais comedida. Até papai está exausto do esforço de impedir que o moral dos outros baixe. Uma parte de mim quer que tudo isso acabe logo, porque não sei quanto mais tempo cada um de nós será capaz de aguentar esta combinação de falta de sono, cansaço e tristeza de gelar os ossos. Olho à minha volta, numa busca desesperada de Jesse e Dinshaw. Jovens precisam do apoio de outros jovens.

Lá vêm eles. Jesse se encaminha para nós com seu habitual andar lépido, as mãos enfiadas nos bolsos da calça, mas, quando chega mais perto, percebo que seus olhos estão vermelhos. Ela andou chorando no táxi.

Despachamos minha bagagem, resolvemos as outras formalidades. Dinshaw sugere uma ida até o café mais próximo para beber alguma coisa. Ele e papai vão até o balcão e voltam munidos de Fantas, Mangolas e Limcas. Vamos tomando nossas bebidas. Dá para sentir o olhar de todos me acariciando. Quando descanso a minha mão no tampo de fórmica da mesa, Freny a cobre com a dela, apertando-a com carinho.

— Obrigada, *kaki* — digo eu.

Ela aperta mais forte.

— Você é meu sol, meu orgulho e minha alegria — sussurra ela. — Sempre mantém alto meu ânimo.

Jesse se aproxima e me entrega um envelope em que está escrito: "Para ser lido apenas depois de afivelar o cinto de segurança." Trocamos um olhar, milhões de lembranças pinguepongueando entre nós. Enfio a carta no bolso.

Há um relógio enorme no café, e a cada dois minutos olho para os ponteiros. Nunca tive tamanha consciência do passar do tempo. Quero escalar a parede onde está pendurado o relógio e agarrá-lo, obrigá-lo a interromper sua incessante jornada avante.

Um fotógrafo do aeroporto se aproxima de nós quando saímos do café. Alguém resolve que devemos tirar uma foto do grupo para comemorar a ocasião. Dou um gemido por dentro, mas deixo que várias mãos me agarrem e me façam ocupar o centro, e sinto os demais se remexerem e mudarem de posição às minhas costas, de modo a caberem todos na fotografia. Todo mundo tenta me tocar de algum jeito: papai põe o braço em torno da minha cintura, mamãe me enlaça um braço, Mehroo, o outro. Freny e Roshan se postam atrás de mim, cada uma com a mão num dos meus ombros. Somos um organismo de muitos braços, mãos gananciosoas e dedos carentes, unido pela história, pela memória e pelo amor.

— Digam xis — ordena o fotógrafo, e, sem muita convicção, obedecemos. Sorrio o sorriso sem vida de alguém que se esforça loucamente para não parecer triste. Pareço triste.

O flash espoca e a luz me cega. Garanto que meus olhos vão sair meio fechados na foto. Mas talvez seja adequado à situação. Afinal, faço força para bloquear a realidade do que está acontecendo, do que está prestes a acontecer.

*

ATRAVESSAMOS O AEROPORTO como um cortejo fúnebre até chegarmos ao controle de passaportes. Paramos sob uma enorme placa que diz: "Além deste ponto, somente portadores de cartão de embarque." É o fim da linha.

Quero dizer tanta coisa, minha boca está cheia de palavras para dizer, palavras doces e suculentas como as mangas que eu costumava devorar nos meses de verão. No entanto... o que me resta dizer que ainda não tenha sido dito? O que significa dizer "eu te amo" a alguém segundos antes de enfiar uma faca em seu coração? Desejei este momento de emancipação, imaginei-o, minha boca se encheu de água ao pensar nele, teria vendido minha alma para consegui-lo. E cá está ele. Tudo que preciso fazer agora é encontrar forças para me afastar desse grupo de pessoas cujo amor é a única coisa de que tenho certeza na vida. Escolhi este caminho, criei-o do nada, usando apenas a imaginação. Agora, chegou a hora de trilhá-lo.

Desvencilho-me do último abraço e começo a andar. O aeroporto de repente parece tão grande e solitário quanto uma cidade. Sou uma assassina fria, há sangue em minhas mãos. Acabei de cometer um parricídio, destruí as vidas dos que só me deram amor. Fiquei várias noites sem dormir armando este complô contra eles, rezei aos deuses para me livrarem das necessidades dilacerantes dos que me amam. E os deuses me ouviram. Por que, então, sinto este vazio, este ponto morto dentro de mim?

Cada passo que dou me afasta mais deles, cria uma galáxia que não para de se expandir entre mim e todos que conheço. Mesmo agora, eu podia voltar atrás. Não é tarde demais. Eu podia ficar parada, não dar mais nenhum passo. Eles viriam me resgatar. Tenho escolhas. Papai já me disse para correr de volta para casa à menor dificuldade. Podíamos conseguir reembolso da passagem. Eu podia ficar e arrumar um emprego no *Times of India*.

Continuo andando.

Me viro para acenar. A cada segundo, eles se tornam menores e mais indistintos, como o sol que se põe no oceano. Sinto-me crescer e endemoniar mais a cada passo. Imagino que todos no aeroporto consigam ver o monstro dentro de mim, que todo mundo irá me evitar a vida toda porque esse ponto morto em meu coração vai crescer, percorrer a minha corrente sanguínea até se instalar em meus olhos. Que serei sempre uma meia-pessoa, levando uma meia-vida por causa dessa ação antinatural que estou prestes a realizar. Venho de um povo para o qual a geografia é um destino. Os membros da minha família não se afastaram sequer seis quarteirões do lugar onde nasceram. Quem sou eu para ousar viajar mais de dez mil quilômetros? Imigrar é um ato antinatural, nascido da frustração e do anseio. Decerto nada de bom pode brotar de um começo tão inauspicioso. Existe um motivo para os indivíduos, durante milhares de anos, permanecerem onde estão. Sim, a história da humanidade também é a história da migração, mas isso foi diferente — os indivíduos se mudavam com suas famílias, suas tribos, suas aldeias. Esse movimento individual de levantar acampamento é um fenômeno do século XX. Há alguma coisa não humana nisso.

Ora, chega, já cansou essa bobajada horrorosa, basta dessa porcaria pseudo-histórica. O defeito está em você. Você não é forte o bastante para encarar o desafio, admita. Quem você pretendia enganar esse tempo todo — todo o tempo, o dinheiro e a energia gastos para pedir empréstimos e requerer um visto e ser aceita por uma universidade inepta o bastante para aceitar você —, todo esse esforço e agora, na hora da verdade, você não tem peito para encarar. Encerre esta farsa agorinha mesmo, volte correndo para os braços que a aguardam e diga a eles que não é capaz. Bata a porta na cara dos sonhos de aprender como lavar a própria roupa e ficar acordada até tarde e ser independente. Troque as noções vagas e abstratas de liberdade pela garantia do amor. Vamos lá, jogue a toalha. Você sempre foi mesmo de desistir das coisas, ninguém vai se espantar tanto.

Deus me perdoe, eu continuo andando. Me aproximo de uma esquina, e depois de virá-la, minha família vai desaparecer do meu campo visual. E, se eles desaparecerem — eles, que são tudo o que conheço —, será que desaparecerei também? Será que vou me reconhecer sem as velhas referências?

OLHO PARA TRÁS uma última vez. E vejo meu pai correndo na minha direção. Ele deu sorte de novo. Com seu rosto meigo, confiável e aquela dignidade tranquila, convenceu os seguranças a deixá-lo me acompanhar até onde for possível.

— Disse a eles que você tinha luxado o pulso e precisava de ajuda com a mala — sussurra papai. — Eles me deixaram passar.

Trocamos um rápido sorrisinho. O empresário simpático com a voz de mel venceu mais uma vez.

Papai pega a mala da minha mão e põe o outro braço em torno do meu ombro. Ficamos lado a lado enquanto me viro e aceno para a família toda. Eles acenam de volta freneticamente. Então dobramos a esquina, papai e eu.

Não por muito tempo, porém.

— Pai, espere aqui um instante. Tive uma ideia. Volto em dois minutos, no máximo.

Largando com ele a minha mala, volto correndo até o lugar onde o restante da família aguarda. Mesmo dessa distância posso perceber a surpresa e a satisfação de todos. Sinto uma certa vergonha de prolongar o melodrama, mas não consigo me conter. Corro mais rápido.

— O que foi, Thritu? Esqueceu alguma coisa? — indaga Freny, mas me dirijo diretamente até Mehroo e lhe dou um abraço.

— Viu como eu voltei rápido? — pergunto, meio ofegante. — Justo quando você já estava achando que não me veria de novo, não é? Viu como tudo pode mudar rapidinho? Bom, é assim que vai ser. Os dois anos passarão voando, e estarei de volta num abrir e fechar de olhos, viu?

Fico de pé, sorrindo para ela, como se tivesse acabado de comprovar alguma tese científica brilhante e complexa.

Todos riem.

— Certo — diz tio Jimmy, o marido de Mani. Ele me dá um sorriso de aprovação. — Cem por cento correto.

Meu olhar capta o de Jesse. Sua expressão é inquiridora, mas dá para ver que até ela ficou contente. Quando me afasto dessa vez, o clima parece mais leve. Agora que realizei esse pequeno milagre, outros milagres parecem, de repente, viáveis. Eles me deixam partir agora como a esperar que a qualquer momento eu volte, de novo e de novo e de novo.

Papai me aguarda.

— Cheguei a pensar por um segundo que você tivesse mudado de ideia e que eu tivesse que pegar o avião em seu lugar — brinca ele, igualmente satisfeito com a minha corrida impulsiva até quase o outro extremo do aeroporto.

Minha missão, contudo, ainda não está concluída.

— Escute, pai — peço, num tom urgente. — Não deixe que o clima lá em casa fique muito pesado, certo? Aliás, amanhã quando vocês acordarem, convide todo mundo para uma volta de carro ou algo do gênero. Só para amenizar estes primeiros dias. Depois disso...

— Thrituma, tomar conta de todos eles é minha responsabilidade — me interrompe ele. — A sua é ir para os Estados Unidos com a mente aberta, livre, estudar bastante, brilhar na faculdade e construir uma reputação. Agora me prometa que não vai ficar pensando na gente. Eu dou conta das coisas por aqui.

Sorrimos um para o outro.

Enquanto nos dirigimos para a sala de embarque, vejo o nosso reflexo numa porta de vidro. Nós dois temos narizes aduncos e ambos andamos meio na ponta dos pés. Tal constatação me deixa absurdamente feliz. Olho de esguelha para o meu pai e me forço a decorar seu rosto: a testa ampla, os olhos castanhos e bondosos, o comprido nariz parse, os lábios sensuais. Uma amiga certa vez comentou comigo que, quando papai levava Ronnie para passear, sua postura era a de um almirante numa parada militar. Olhando-o agora — ereto e majestoso —, sorrio para mim mesma... Meu paizinho querido.

O voo está atrasado.

— Bombaim — suspira papai, e posso ouvir uma vida inteira de amor e ódio nessa única palavra.

Mas o atraso nos deixa felizes, porque nos dá mais alguns minutos juntos.

Finalmente, a temida chamada. Permanecemos mais um instante na sala, permitindo que os demais passageiros embarquem. Papai consegue convencer os funcionários a deixar que ele me acompanhe até a entrada do avião. Então, toma a minha mão e simplesmente a encosta em seu peito um segundo. Beijo a mão dele. São mãos bonitas, mãos de um clínico bondoso de uma cidade pequena. As minhas são mais jovens, mais morenas, versões em miniatura das dele. Digo que toda vez que sentir saudades, olharei para as minhas mãos e saberei que ele está bem ali ao meu lado. Ele sorri. Sei que vai se lembrar do comentário, que se sentirá consolado nas manhãs silenciosas quando, ao acordar, perceber que fui embora. Quero dizer outras coisas afetuosas e confortadoras, mas uma dormência fria, um esquecimento nebuloso, começa a baixar como uma bruma em minha mente. Além disso, a comissária, com seu sorriso artificial, não tira os olhos de nós.

Está na hora de entrar na bocarra aberta do monstro de aço. Nos abraçamos uma última vez e dou uma palmadinha em seu ombro.

— Até mais — digo.

Ele assente.

— Cuide-se, meu bem — sussurra ele. — Por mim.

✲

O SOPRO FRIO E SINTÉTICO do ar-condicionado me assalta de imediato. O ar já cheira diferente — não se trata mais do odor margoso e suarento da Índia, mas do aroma abastado, chique, que imagino como o cheiro dos Estados Unidos. Olho pela pequena janela do pequeno avião para as luzes de Bombaim e começo a soluçar. Minha família toda ainda se encontra neste prédio que quase posso tocar (sei que só irão embora depois que o avião decolar), mas do qual bem poderia estar a milhões de quilômetros de distância. Continuo a olhar pela janela porque não quero que o inglês simpático de meia-idade ao meu lado me veja chorar. De repente, me sinto horrivelmente jovem e amedrontada.

O avião começa a rastejar pela pista. Para me distrair, reclino a cabeça no encosto da poltrona e começo a ler a carta de Jesse.

Ainda bem que já apertei o cinto de segurança. Ainda bem que o avião está taxiando rapidamente e as luzes da cidade começam a parecer tão distantes quanto a infância. Ainda bem que a porta já foi fechada e que este inglês alto e forte ao meu lado bloqueia a minha saída.

É uma carta maravilhosa — ao mesmo tempo em que me acolhe, também me manda embora; ao mesmo tempo louva as maravilhas da fuga e a importância das raízes, fala de amor e depois define o amor como a coragem de deixar partir. "Você nunca está longe porque vai viver na minha pele", escreveu Jesse, e ao ler essa frase, desejo ser capaz de voar como poeira e me assentar de fato em sua pele.

O avião ganha velocidade. Ouço o ronco do motor e aperto o braço da poltrona, me preparando para o friozinho na barriga quando decolarmos. Mais um segundo e serei um dos indivíduos alados que sempre sonhei ser. As luzes da pista vão virando um borrão e agora estou subindo — subindo como a esperança, subindo como as preces que, sem dúvida, os lábios de todos os parentes que deixei para trás entoam. Bombaim está lá embaixo, fluida como a memória, distante como o amor.

E, então, eu me vou.

Da mesma autora, leia também:

A distância entre nós

Bombaim, Índia. Duas mulheres. Duas vidas. Dois destinos que poderiam ser um só. Sera e Bhima estão indiscutivelmente ligadas, seja pelo silêncio, seja pela cumplicidade. Mas ao mesmo tempo estão distantes, separadas por uma fronteira intransponível. Como se o fio que as une não fosse forte o suficiente para aguentar uma descarga elétrica, força que parece definir a sorte e a tragédia da patroa e da empregada. Duas vidas marcadas pela decepção, enganadas pela traição, sujeitas a uma sociedade cruel cuja voz berra e marca a fogo a existência dessas mulheres. *A distância entre nós* é um romance avassalador, envolvente, intenso. Você não conseguirá parar de lê-lo, e não será o mesmo quando alcançar a última página. Acredite.

Sucesso de público e crítica:

"Um poderoso retrato social do glorioso e frustrante quebra-cabeça que é a Índia moderna." — *The Economist*

"Uma íntima e compassiva história que vai de encontro ao histórico de sensualidade da vida diária em Bombaim. Umrigar é uma escritora talentosa. Suas memoráveis personagens viverão por muito tempo." — *The Washington Post*

"Um vital panorama social da Índia contemporânea." — *Financial Times*

A doçura do mundo

Após perder o marido, Tehmina Sethna está emocionalmente fragilizada. Por isso, resolve ir a Ohio visitar o filho Sorab, de 38 anos, que abandonara a Índia para estudar nos Estados Unidos. O que parecia um recomeço, porém, deixa Tehmina numa situação delicada. Sem conseguir se adaptar à cultura ocidental, sofrendo com a rejeição da nora e se sentindo sozinha no mundo, ela é convidada a morar com o filho e tem de escolher entre essa nova vida e o retorno à cidade de Bombaim, que cada vez mais lhe desperta saudades.

Alternando as visões de Tehmina e de Sorab, que também sofre com a discriminação gratuita dos norte-americanos, *A doçura do mundo* é um romance apaixonante, que celebra a família e a vida em comunidade. Thrity Umrigar prova mais uma vez que é uma das escritoras mais sensíveis da atualidade.

Sucesso de público e crítica:

"*A doçura do mundo* nos mostra a luta de Tehmina e apresenta uma nova definição da palavra 'família'. Um romance que transcende culturas e preconceitos, numa trama de amor, morte, família, dor e transformação." — *Library Journal*

"*A doçura do mundo* é uma história sublime sobre vidas ligadas pela tradição e transformadas pelo amor." — *Booklist*

"Thrity Umrigar é uma hábil contadora de histórias. Seus personagens inesquecíveis continuarão vivos por muito tempo." — *The Washington Post*

Um lugar para todos

Reunidos para o casamento de um vizinho que viram crescer, os moradores de um edifício de classe média em Bombaim reveem sua própria história, trazendo de volta a época em que eram jovens e idealistas. Quando tudo parece não ter mais sentido, um presente inesperado revela mais sobre eles do que todos poderiam acreditar, e Rusi Bilimoria, um empresário desiludido, vai lutar para manter unida uma comunidade prestes a se fragmentar.

Em *Um lugar para todos*, Thrity Umrigar apresenta o passado, o presente e o futuro de homens e mulheres comuns. Histórias e experiências de vida a um só tempo peculiares e universais.

Sucesso de público e crítica:

"Este emocionante romance de Thrity demonstra seu talento notável para criar personagens multidimensionais, sensíveis, com as dúvidas existenciais e os tropeços psicológicos presentes na vida real." — *The Washington Post*

"Os moradores de um edifício em Bombaim ganham vida na encantadora estreia de Thrity. A autora nasceu para contar boas histórias, nos brindando com uma prosa impressionante." — *Publishers Weekly*

O tamanho do céu

Quando Frank e Ellie Benton perdem seu único filho, Benny, aos sete anos de idade, a vida perfeita que haviam construído se estilhaça. Mas a inesperada proposta de um emprego do outro lado do mundo, em Girbaug, na Índia, promete ser a chance de um recomeço. Lá, ao conhecer Ramesh, um menino inteligente e curioso, Frank inevitavelmente volta para ele todas as suas atenções — sem imaginar, jamais, que o relacionamento entre eles transformará para sempre a vida de todos.

Em *O tamanho do céu*, Thrity Umrigar oferece novamente ao leitor uma história sobre dor, perdas, amizade, amor e ternura.

SUCESSO DE PÚBLICO E CRÍTICA:

"Com humanidade e suspense, Umrigar aborda o amor, a lealdade, a injustiça e a sobrevivência." — *Marie Claire*

"Mais uma vez, Thrity Umrigar fala sobre conflitos culturais neste belo e incisivo romance sobre a experiência de um casal norte-americano na Índia." — *Publishers Weekly*

PRODUÇÃO EDITORIAL
Daniele Cajueiro
Ana Carla Sousa

REVISÃO DE TRADUÇÃO
Sheila Louzada

REVISÃO
Eni Valentim Torres

DIAGRAMAÇÃO
Trio Studio

Este livro foi impresso no Rio de Janeiro, em fevereiro de 2010, pela Ediouro Gráfica, para a Editora Nova Fronteira.
A fonte usada no miolo é Sabon, corpo 11,5/15. O papel do miolo é chamois 70g/m², e o da capa é cartão 250g/m².